AF218695

ACCESO GRATIS *a la Lectura en la Nube*

Para visualizar el libro electrónico en la nube de lectura envíe junto a su nombre y apellidos una fotografía del código de barras situado en la contraportada del libro y otra del ticket de compra a la dirección:

ebooktirant@tirant.com

En un máximo de 72 horas laborables le enviaremos el código de acceso con sus instrucciones.

La visualización del libro en **NUBE DE LECTURA** excluye los usos bibliotecarios y públicos que puedan poner el archivo electrónico a disposición de una comunidad de lectores. Se permite tan solo un uso individual y privado

FUNCIONALISMO Y DERECHO PENAL EN COLOMBIA

ANÁLISIS DESDE LA TEORÍA DE SISTEMAS SOCIALES

COMITÉ CIENTÍFICO DE LA EDITORIAL TIRANT LO BLANCH

MARÍA JOSÉ AÑÓN ROIG
*Catedrática de Filosofía del Derecho
de la Universidad de Valencia*

ANA CAÑIZARES LASO
*Catedrática de Derecho Civil
de la Universidad de Málaga*

JORGE A. CERDIO HERRÁN
*Catedrático de Teoría y Filosofía de Derecho.
Instituto Tecnológico Autónomo de México*

JOSÉ RAMÓN COSSÍO DÍAZ
*Ministro en retiro de la Suprema Corte
de Justicia de la Nación y miembro
de El Colegio Nacional*

EDUARDO FERRER MAC-GREGOR POISOT
*Juez de la Corte Interamericana de Derechos
Humanos. Investigador del Instituto de
Investigaciones Jurídicas de la UNAM*

OWEN FISS
*Catedrático emérito de Teoría del Derecho
de la Universidad de Yale (EEUU)*

JOSÉ ANTONIO GARCÍA-CRUCES GONZÁLEZ
*Catedrático de Derecho
Mercantil de la UNED*

LUIS LÓPEZ GUERRA
*Catedrático de Derecho Constitucional
de la Universidad Carlos III de Madrid*

ÁNGEL M. LÓPEZ Y LÓPEZ
*Catedrático de Derecho Civil
de la Universidad de Sevilla*

MARTA LORENTE SARIÑENA
*Catedrática de Historia del Derecho
de la Universidad Autónoma de Madrid*

JAVIER DE LUCAS MARTÍN
*Catedrático de Filosofía del Derecho y
Filosofía Política de la Universidad de Valencia*

VÍCTOR MORENO CATENA
*Catedrático de Derecho Procesal
de la Universidad Carlos III de Madrid*

FRANCISCO MUÑOZ CONDE
*Catedrático de Derecho Penal de la
Universidad Pablo de Olavide de Sevilla*

ANGELIKA NUSSBERGER
*Catedrática de Derecho Constitucional e
Internacional en la Universidad de Colonia
(Alemania). Miembro de la Comisión de Venecia*

HÉCTOR OLASOLO ALONSO
*Catedrático de Derecho Internacional de la
Universidad del Rosario (Colombia) y
Presidente del Instituto Ibero-Americano
de La Haya (Holanda)*

LUCIANO PAREJO ALFONSO
*Catedrático de Derecho Administrativo
de la Universidad Carlos III de Madrid*

TOMÁS SALA FRANCO
*Catedrático de Derecho del Trabajo y de la
Seguridad Social de la Universidad de Valencia*

IGNACIO SANCHO GARGALLO
*Magistrado de la Sala Primera (Civil)
del Tribunal Supremo de España*

TOMÁS S. VIVES ANTÓN
*Catedrático de Derecho Penal
de la Universidad de Valencia*

RUTH ZIMMERLING
*Catedrática de Ciencia Política de la
Universidad de Mainz (Alemania)*

Procedimiento de selección de originales, ver página web:

www.tirant.net/index.php/editorial/procedimiento-de-seleccion-de-originales

FUNCIONALISMO Y DERECHO PENAL EN COLOMBIA

ANÁLISIS DESDE LA TEORÍA DE SISTEMAS SOCIALES

ANDRÉS FELIPE DUQUE PEDROZA

Universidad
Pontificia
Bolivariana

tirant lo blanch
Bogotá, 2022

Copyright ® 2022

Todos los derechos reservados. Ni la totalidad ni parte de este libro puede reproducirse o transmitirse por ningún procedimiento electrónico o mecánico, incluyendo fotocopia, grabación magnética, o cualquier almacenamiento de información y sistema de recuperación sin permiso escrito de los autores y del editor.

En caso de erratas y actualizaciones, la Editorial Tirant lo Blanch publicará la pertinente corrección en la página web www.tirant.com incorporada a la ficha del libro. En www.tirant.com dispondrá de un servicio con los textos legales básicos y sectoriales actualizados como complemento de su libro.

© Andrés Felipe Duque Pedroza

©   TIRANT LO BLANCH
EDITA: TIRANT LO BLANCH
Calle 11 # 2-16 (Bogotá D.C.)
Telf.: 4660171
Email: tlb@tirant.com
Librería virtual: www.tirant.com/co/
ISBN: 978-84-1113-203-9

Si tiene alguna queja o sugerencia, envíenos un mail a: atencioncliente@tirant.com. En caso de no ser atendida su sugerencia, por favor, lea en www.tirant.net/index.php/empresa/politicas-de-empresa nuestro procedimiento de quejas.

Responsabilidad Social Corporativa: http://www.tirant.net/Docs/RSCTirant.pdf

A las mujeres que debo mi vida. Por las que aprendí el significado del amor. A las que, con un tesón incansable, acompañaron mi niñez y proyectaron mi futuro: a mi madre, Claudia; a Miriam, Alicia y Lilian Mejía, mis tías.

Contenido

CAPÍTULO IV
USOS Y ABUSOS DEL FUNCIONALISMO PENAL
SISTÉMICO EN LA POLÍTICA CRIMINAL COLOMBIANA

Índice de gráficos

Índice de tablas

PRÓLOGO

El funcionalismo sistémico es, sin lugar a dudas, una de las corrientes de pensamiento de la sociología contemporánea que más ha influido en el actual debate jurídico-penal, no solo académico, sino también forense. Pocos jueces deben ser conscientes de que algunos conceptos que aplican —cuando interpretan, por ejemplo, que no es penalmente responsable quien se limita a cumplir su rol en el marco de conductas estereotipadas, como la prestación anónima de un servicio o la venta de un producto— provienen en su origen de ciertas construcciones de *Niklas Luhmann*, trasladadas al Derecho penal por *Günther Jakobs*. Una influencia en la que ha sido decisiva la impagable contribución de la academia colombiana, algunas de cuyas universidades fueron de las primeras, a finales de la década de 1980 y principios de la de 1990, en divulgar traducciones al español de las obras de *Jakobs*.

La traslación del funcionalismo sistémico al Derecho penal ha sido también blanco de algunas de las críticas más agrias que cualquier corriente de pensamiento jurídico-penal haya recibido en los últimos años. Algunas seguramente merecidas, pero otras basadas en la repetición de lugares comunes solo explicables por un conocimiento muy limitado de las premisas teóricas de dicho pensamiento. En particular, muchas de tales críticas ignoran que el funcionalismo sistémico pretende ser, sobre todo, una teoría explicativa de la realidad social y no imponer un programa político-criminal al uso. Se podrá decir que la renuncia a valorar críticamente una determinada realidad supone darla tácitamente por buena. Pero, si esto es así, el pecado será entonces por omisión y no por acción como, a mi juicio erróneamente, suele reprocharse a estos autores.

Hay, sin embargo, dos críticas al funcionalismo sistémico que me parecen más atinadas: la primera es que la concepción del sistema social en la que se basa esta línea de pensamiento puede ser tal vez válida para sociedades sólidamente estructuradas con niveles altos de cumplimiento normativo, pero no para otros modelos sociales en los que los derechos, las instituciones y las normas no tienen mucha vigencia más allá del papel. Decir que la pena tiene la misión de reforzar la confianza en la vigencia de la norma que tienen los ciudadanos fieles al Derecho es una explicación tal vez válida para la Alemania actual, pero, como descripción, es mucho más discutible para otras sociedades menos desarrolladas y más inestables. El propio *Jakobs* ha reconocido en diversos trabajos que de poco sirve la orientación normativa que proporciona la pena si no existe una cimentación cognitiva previa.

Una segunda crítica tiene que ver con el absoluto desinterés de los partidarios del funcionalismo sistémico en Derecho penal por determinadas aportaciones de otras ciencias sociales. Cuando *Jakobs* se refiere a cómo es la sociedad, sus apreciaciones jamás se sustentan en análisis sociológicos empíricos, sino en apreciaciones personales que, como es obvio, están fuertemente condicionadas por sus sesgos personales.

Precisamente por estos motivos hay que destacar el extraordinario interés y la originalidad del presente libro, que tengo el honor de prologar. En estas páginas se analiza en qué medida el funcionalismo sistémico es un modelo de análisis válido para una sociedad tan distinta de la alemana como la colombiana. Un análisis que, por añadidura, se basa en estudios empíricos, en lo que supone —en lo que alcanzo— la primera vez que las propuestas jakobsianas son sometidas a un amplio contraste con tales datos, lo que, por sí solo, tiene un incuestionable interés científico.

No desvelaré en este prólogo las conclusiones a las que llega el autor. Pero sí una duda personal que me ha dejado la lectura del texto. Si la conclusión que se alcanza es que el modelo explicativo de *Jakobs* no es automáticamente trasladable a sociedades en vías de desarrollo económico e institucional ¿puede entonces asignarse al Derecho penal alguna tarea susceptible de legitimación en estos sistemas sociales? Como es sabido las corrientes abolicionistas —tan presentes en América Latina— responden negativamente a dicha pregunta. Pero tal vez exista una vía intermedia, más posibilista, que pase por asignar al Derecho penal una función de contribuir en otros términos a la pacificación social atribuyendo vigencia real a expectativas de conducta que no la tienen todavía en la interacción social.

La atribución al Derecho penal de fines promocionales ha sido rechazada a menudo, no solo por los partidarios del funcionalismo sistémico, sino por autores de muy diverso signo. Pero en este planteamiento no se trataría de recurrir al Derecho penal como instrumento para transformar a la sociedad en otra distinta, sino para dotar de real vigencia a valores en los que la sociedad en cuestión ya quiere reconocerse —como demuestran los textos constitucionales, la ratificación de convenios internacionales etc.— pero a los que no ha logrado dotarse de la citada cimentación cognitiva. Evidentemente semejante visión presenta riesgos de instrumentalización del sujeto castigado, que atañen principios básicos como la culpabilidad o la proporcionalidad. Pero, sujeta a límites claros, esta parece la única vía transitable hacia una sociedad donde los derechos y valores reconocidos en el papel se conviertan en fuente de expectativas reales.

Tener el honor de redactar este prólogo me concede una inmejorable oportunidad para manifestar mi gratitud a diversas personas e instituciones. En primer lugar, a la Universidad Santo Tomás, de la que tengo el privilegio de ser profesor desde hace casi diez años, concretamente en la Maestría de Derecho penal que dirige mi querido colega Alejandro Gómez Jaramillo y coordina con una eficiencia ejemplar Maite Bayona. Este libro proviene de una tesis doctoral dirigida por Alejandro y es una inmejorable muestra de los resultados de su apuesta científica por vincular los resultados de la investigación jurídica y la sociológica.

En segundo término, es para mí un motivo de especial alegría poder prologar al autor de la presente obra, Andrés Felipe Duque, a quien he podido conocer a lo largo de sus estancias en la Universitat Pompeu Fabra en Barcelona y en mis viajes a Medellín, donde soy profesor en la Universidad Pontificia Bolivariana. En esta Universidad, Andrés Felipe realiza una tarea admirable de formación, especialmente en el postgrado. Además, con obras como la presente, demuestra sus excelentes dotes como investigador, que esperemos que nos proporcionen muchos otros trabajos relevantes en el futuro. Mi felicitación a todos ellos por la culminación de este libro.

Ramón Ragués i Vallès
Barcelona, 14 de mayo de 2021

INTRODUCCIÓN

El derecho penal es, a no dudarlo, la parcela del derecho positivo que exige mayor carga de legitimación argumentativa. Esto ocurre, paradójicamente, porque el derecho penal se plantea como la forma de violencia legítima más invasiva posible a valores y libertades fundamentales y existe solo, al parecer, como uno de los medios más importantes para su protección. Esta simple afirmación evidencia el valor de todos los estudios que se planteen en lo penal, más aún de aquellos que, como el presente, pretenden cuestionar los fundamentos teóricos en los que un sistema penal se edifica.

De allí que una justificación general de este libro vendría dada, como afirma Moya (2010), por un intento de investigar el derecho penal, más que investigar en derecho penal[1]. En efecto, de lo que se trata es de explorar una propuesta teórica útil para la construcción de un sistema penal coherente con sus propias consecuencias y premisas.

Si bien es cierto que el sistema penal colombiano no acoge de manera explícita un particular esquema para la construcción normativa del delito, sí se ha adoptado para ello, en no pocas ocasiones, el funcionalismo penal sistémico. Así, puede decirse que el derecho penal colombiano se encuentra, hoy, fuertemente influenciado por perspectivas funcionalistas sistémicas que han desplazado las corrientes clásicas del pensamiento penal y se aferran, cada vez con mayor fuerza, en la doctrina, la jurisprudencia y la legislación nacionales. Ahora, uno de los grandes problemas de estas perspectivas es que, en principio, responden a fenómenos sociales foráneos; esto es, a situaciones que tuvieron origen bajo un horizonte eurocentrado, con lo que pueden plantearse serias dudas en torno a sus legítimas posibilidades de aplicación en nuestra sociedad y a propósito de las fronteras que restringen su uso.

---

[1] La distinción ha sido propiciada por Moya (2010a), quien considera que: "no es igual «investigar en derecho penal», que «investigar el derecho penal». Distinción derivada de la verificación de la trascendencia social y la necesidad social comprometidas simultáneamente a propósito del derecho penal en sí. El primer criterio señala que el investigador que se ocupa de cualquier área o campo del derecho penal opera los procesos respectivos y produce los correspondientes informes, desde luego al cierre de unas conclusiones sustentables. En tanto que investigar el derecho penal compromete asumir un sistema, es decir, el control penal y otorgarle tratamiento integral. Dicha integralidad no fuerza al investigador a asumir la totalidad de los temas o campos que informan el derecho penal, puede dar inicio por cualquiera de ellos, pero siempre teniendo por destino el sistema" (p. 229).

Este esquema de pensamiento encuentra su principal sustento teórico, en su componente sociológico, en la teoría de sistemas de Luhmann y, en materia de dogmática penal, en los planteamientos de Jakobs. Con este horizonte epistemológico, los conceptos jurídico penales se normativizan en su totalidad. Esta normativización dota al sistema penal de un significado que le permite autorreferenciarse y otorgar identidad a la sociedad en la que se estructura.

Con el referente propio de una teoría funcional de sistemas, este texto busca estudiar, para el caso específico de la realidad colombiana, qué condiciones harían posible la aplicación del funcionalismo penal sistémico para demarcar los límites que definirían su eventual uso legítimo. Se tratará, por tanto, de un estudio crítico del funcionalismo penal sistémico, particularmente circunscrito para el caso de Colombia. De lo que se trata es de poner a prueba este modelo teórico teniendo como base la propia conceptualización que este hace de la confianza social.

La confianza social, desde el punto de vista sociológico, es la condición de posibilidad del método funcionalista sistémico; mientras que los límites de validez o legitimidad vendrán dados por los fundamentos dogmáticos y de política criminal que se desprenden del modelo de Estado colombiano y de la Constitución Política.

En un sentido global, este libro se inspira en una perspectiva crítica sobre el funcionalismo penal sistémico[2] y pretende servir de aporte a la discusión de las ciencias penales, las cuales, en Colombia, se han debatido entre los extremos de una crítica ciega y una recepción acrítica de los desarrollos teóricos y prácticos de este esquema de pensamiento. Por ende, de lo que se trata es de examinar las condiciones de posibilidad y los límites de validez para su legítima aplicación.

Con este panorama, la pregunta de investigación que guiará este libro es la siguiente: ¿Cuáles son las condiciones de posibilidad y los límites de validez para la aplicación del funcionalismo penal sistémico en Colombia?

---

[2]   Habría que comenzar por establecer qué se entiende por crítica para los efectos de la presente investigación, más aún, debido a que este concepto permite explicar el alcance del título del presente libro, el cual fue el producto de la tesis doctoral titulada: "Condiciones de posibilidad y límites de validez del funcionalismo penal sistémico". En el Prefacio de la *Crítica del juicio*, afirma Kant: "Podemos llamar razón pura la facultad de conocer por principios a priori; y Crítica de la razón pura el examen de la posibilidad y límites de esta facultad en general" (1991, p. 185). En este orden de ideas, nuestra voz se suma a la propuesta de Kant (1991), Sartre (2004), Foucault (1995) y Deleuze (2008), en el sentido de concebir la crítica como el estudio de las condiciones de posibilidad y los límites de validez de una realidad, saber o fenómeno. En nuestro caso, ello implica la interpelación de las condiciones que hacen posible y legítimo concebir el funcionalismo penal sistémico en Colombia.

Por tratarse de un libro de investigación, como hipótesis de trabajo se sostendrá que, si la confianza social es la principal condición de posibilidad del funcionalismo penal sistémico, los déficits que en Colombia se presentan en esta materia impiden el uso incondicionado de este modelo teórico. Sin embargo, si acudimos a los presupuestos sociológicos de la teoría de sistemas, encontramos que, en estos contextos, se podrían utilizar equivalentes funcionales que reemplazan, en parte, la ausencia de confianza plena. Esta tarea de equivalencia funcional, Luhmann se la asigna a los derechos fundamentales, que tienen por función estabilizar la diferenciación funcional ante experiencias de desdiferenciación vinculadas con la desconfianza social. Ahora bien, el reconocimiento de los derechos fundamentales tampoco haría posible el uso indiscriminado del funcionalismo penal sistémico. Los derechos fundamentales, a la vez que posibilitan, parcialmente, el uso del modelo funcionalista, también lo limitan a aquellos casos en los que, pese a los márgenes significativos de desconfianza, y aún con mayor razón, se le asigna al derecho la función de garantizar la diferenciación funcional. Esto nos llevará a proponer posibles usos legítimos de un funcionalismo penal sistémico garantista y revelar aquellos usos ilegítimos de un funcionalismo penal sistémico expansionista en contextos sociales que reportan bajos indicadores de confianza social.

Para fundamentar esta hipótesis, nuestra de investigación tiene como objetivo formular una propuesta para la aplicación legítima del funcionalismo penal sistémico en Colombia, coherente con los bajos niveles de confianza social que existen y consistente con el modelo de Estado asumido en nuestra Constitución Política. El cumplimiento de esta finalidad requiere del despliegue de varios objetivos específicos que delimitan el itinerario investigativo, así: en primer lugar, se buscamos determinar, a partir de los presupuestos de la teoría funcional sistémica de Luhmann, cuáles son las condiciones sociales que se requieren para la aplicación del funcionalismo sistémico en materia penal. En un segundo momento, expusimos el método y la recepción del funcionalismo sistémico en la dogmática penal contemporánea, particularmente para el caso colombiano. En un tercer momento, establecimos si, en términos de los niveles de confianza social en Colombia, se dan las condiciones que avalan la aplicación del funcionalismo penal sistémico en nuestro país y, si no están dadas plenamente, cuál sería el equivalente funcional que permitiría un uso parcial. Por último, buscamos precisar los límites político criminales que demarcan la legitimidad en la aplicación del funcionalismo penal sistémico en Colombia para trazar los lineamientos generales de una propuesta dogmática coherente con la realidad social y consistente con el modelo de Estado asumido en la Constitución Política. Cada uno de estos objetivos se corresponde, respectivamente, con los capítulos que se despliegan en este libro.

De esta manera, en el primer capítulo esbozamos los presupuestos teóricos que operan como condiciones de posibilidad para la aplicación de la teoría de sistemas en el campo penal. Por ser el capítulo inicial, en este no solo se demarca el horizonte de proyección por el que discurre toda la empresa investigativa a la que nos aventuramos, sino que, además, nos facilitó el uso de un mayor nivel de abstracción de conceptos, con la finalidad de especificar la exposición con un marco discursivo claramente definido. Para ello, inicialmente, realizamos una aproximación a los pilares teóricos de la sociología sistémica, a través de los desarrollos que en este campo realizó Luhmann. Con todo, de esta forma, se evidencian las condiciones de posibilidad que exige esta teoría para su aplicación. Así, en el primer capítulo concluimos que la confianza social y, parcialmente, el equivalente funcional del reconocimiento normativo de los derechos fundamentales, son las condiciones de posibilidad del modelo dogmático penal que se sustenta en la teoría de los sistemas sociales de Luhmann.

En el segundo capítulo, a partir del marco teórico definido, analizamos la función que cumple el sistema jurídico dentro de la sociedad y su relación con la confianza social, para centrar la atención del lector en la particular función que se le asigna al derecho penal, con el entendimiento de los conceptos de pena y delito que se asumen en el funcionalismo penal sistémico. Asimismo, explicamos la recepción que se ha hecho del modelo teórico funcionalista en la jurisprudencia colombiana, para poner de manifiesto que dichos planteamientos se han acogido, en diversas ocasiones, sin verificar las reales condiciones de posibilidad que exige este esquema dogmático.

En el tercer capítulo realizamos un análisis empírico indirecto de los niveles perceptivos de confianza social que existen en Colombia, particularmente referidos a la confianza en las demás personas, la confianza en las instituciones y las percepciones de corrupción. Con ello, se logra poner a prueba la condición de posibilidad teóricamente afirmada con la realidad social de Colombia.

Por último, en los términos de la teoría de sistemas, en el capítulo final caracterizamos a Colombia como una periferia de la modernidad. Por esta manifestación, coherente con los bajos niveles de confianza social, pero, además, a partir de la simbolización normativa de los derechos fundamentales, entendimos que estos, además de posibilitar la aplicación parcial del funcionalismo penal sistémico, restringen su aplicación solo a ciertos contextos. Así las cosas, nuestra propuesta sostiene que no es contradictorio asumir una política criminal garantista que converse con una aplicación limitada del funcionalismo penal sistémico en Colombia. Es por ello que hemos denominado usos a los casos en los que, a pesar de los déficits de confianza social, es posible —por vía de la normativización de los derechos fundamentales y los roles institucionales—; y también legítimo, adjudicar, crear e interpretar el derecho positivo a través del método propio del funcionalismo penal sistémico. En contraste con ello, la expresión abusos sirve como referente para identificar los casos en los que la legitimidad se pone en entredicho.

Para cerrar esta introducción, es menester inferir que, en términos metodológicos, y en atención a la diversidad del objeto de estudio, en esta investigación se asumió el paradigma de la complejidad (Morin y Le Moigne, 1999). Por esta razón, para analizar los fenómenos normativos y fácticos se usaron, respectivamente, metodologías y técnicas de corte hermenéutico-documental y cuantitativo-cualitativo.

Para el análisis de las fuentes normativas y teóricas utilizamos la hermenéutica analógica como método de investigación (Beuchot, 2000; 2013). El ejercicio hermenéutico estuvo motivado por la intención de evaluar los presupuestos sociológicos del modelo funcionalista penal sistémico jakobsiano y sus recepciones doctrinales y jurisprudenciales en Colombia.

En otro sentido, se utilizó el método empírico-positivo para el análisis estadístico de carácter indirecto de la información perceptiva obtenida a partir de: (i.) el Instrumento de Medición para la Reconciliación (IMR), realizado por Infométrika para la Usaid y ACDI/VOCA para el año 2019; (ii.) la Encuesta Mundial en Valores (World Values Survey en inglés) en Colombia realizada por Invamer y Raddar para el año 2019; (iii.) la Encuesta de Cultura Política en Colombia realizada por el DANE para el año 2019; (iv.) la Encuesta realizada por Invamer Gallup Poll Colombia # 134 del mes de diciembre de 2019 y; (v.) el Barómetro de las Américas de la Universidad de Vanderbilt de 2016.

Los datos que se presentan en este libro fueron calculados, a grandes rasgos, de la siguiente forma. La agregación de las variables que dan cuenta de información cuantitativa o cualitativa se muestra a partir de porcentajes simples o a través de la indicación de valores absolutos. En el caso de los valores porcentuales, el dato que se presenta depende del denominador que denota la variable calculada, la cual, usualmente, se reporta sobre el total anualizado. Cabe anotar que, para estas agregaciones, hicimos observaciones con base en los registros disponibles.

Aunque la ventana de tiempo de cada una de estas observaciones no necesariamente coincide, en general, como veremos, los datos son coherentes, lo que permite asumir una mayor fiabilidad de las diferentes muestras. Usamos, pues, la mayor información a la que tuvimos acceso. Por tratarse de un análisis indirecto, focalizado en la percepción de las personas, accedimos a esta información a través de la consulta de estudios publicados o sistemas de información.

En atención a estas consideraciones, es necesario poner de manifiesto algunas precauciones metodológicas.

En primer lugar, respecto de la información suministrada por el Instrumento de Medición para la Reconciliación (IMR), tuvimos en cuenta la información medida para el 2019, en tanto que ha sido la primera y única medición que se ha realizado. En lo que tiene que ver con la Encuesta Mundial en Valores, se consideraron los datos medidos para el año 2019, pues, además de su novedad, logramos hacer una comparación con los datos reportados por el (IMR). Por su parte, la Encuesta Invamer Gallup Poll Colombia # 134 da cuenta de datos históricos a partir de comienzos de la década del 2000, lo que facilitó realizar una trazabilidad de la información. Los datos registrados por la Encuesta del DANE, realizada en diciembre de 2019, además de ser los últimos disponibles en el momento de escribir este libro de investigación, a finales de 2020, coinciden en la anualidad con las encuestas anteriores y, además, esta encuesta es particularmente relevante debido a que, por primera vez, el DANE buscó medir datos asociados con el capital social. Así, como señaló el DANE (2019) por primera vez en esta encuesta, "la confianza en los otros y en las instituciones es un atributo que facilita las acciones colectivas generando Capital Social" (p. 10). Por último, los datos registrados por el Barómetro de las Américas de la Universidad de Vanderbilt de 2016 contienen registros, en general, desde el año 2010, lo que, al proyectar datos históricos y teniendo en cuenta su alta fiabilidad, nos facilitó, también, hacer comparaciones objetivas. De esta última encuesta solo tuvimos en cuenta los últimos datos disponibles en el momento de realizar el procesamiento inicial de la información (2016).

Los diseños metodológicos de cada uno de estos instrumentos de medición los desarrollamos en el tercer capítulo.

CAPÍTULO 1
El funcionalismo sociológico sistémico

En este capítulo pretendemos revelar aquellos presupuestos teóricos que actúan como condiciones de posibilidad para la aplicación de la teoría de sistemas en el campo penal. Por tratarse del capítulo inicial, en él demarcamos el horizonte de proyección por el que discurrirá toda la empresa investigativa a la que nos aventuramos. Para ello, comenzaremos con una aproximación al autor que ha dado lugar, a nuestro juicio, al más puro y preciso alcance que, hasta el momento en la sociología, se ha hecho de la teoría de sistemas: Luhmann. En un segundo momento, analizaremos las premisas conceptuales del funcionalismo y la teoría de sistemas, para finalizar, de esta forma, con el análisis de las condiciones de posibilidad que exige esta teoría.

1.1. NIKLAS LUHMANN: EN LOS INTERSTICIOS DEL DERECHO Y LA SOCIOLOGÍA

Luhmann es, sin lugar a dudas, un teórico paradigmático. Su formación como abogado y sociólogo determinaron su pretensión de comprensión "macro" del objeto social. El derecho y la sociedad, para él, solo se entendían adecuadamente si se observaban como sistemas y logró definir sus contornos y alcances.

Desde el derecho, Luhmann emprendió el estudio riguroso de aquello que daría sentido a toda su construcción teórica: los sistemas sociales y, concretamente, la sociedad. Quizás, en la medida en que fue primero abogado y luego sociólogo, recibió del sistema jurídico insumos, necesariamente complejos, para concluir que las organizaciones —como ocurre con la sociedad—, guardaban aspectos identitarios con el derecho.

No fue casual que las primeras publicaciones de Luhmann, como abogado, se enmarcaran en la teoría de la organización. Trabajó en el servicio público, por lo que desde su juventud académica pudo conocer, con particular detalle, los procesos de clara diferenciación funcional que operaban en Alemania luego de finalizada la Segunda Guerra Mundial. Dicha organización estatal favoreció su pensamiento de sistemas como conjuntos de acontecimientos reales en los que existían dinámicas propias: así, la organización sería una forma, más que una simple agrupación.

De allí su interés en re-pensar la sociología tradicional que, para la época de su brillantez intelectual (segunda mitad del siglo pasado), se solía corresponder con una unívoca relación con los estudios esencialmente empíricos. Su preocupación guardaba una parcial semejanza con algunos pensadores anteriores (Parsons) y contemporáneos (Habermas), quienes propugnaban por esquemas de pensamiento sociológico. Sin embargo, al margen de todos y sin desconocer su importancia y, obviamente, su influencia, Luhmann propuso, para entender la sociedad, un concepto a partir del cual se levanta todo su modelo de explicación científica: la comunicación. Podríamos decir que se trata, pues, de una categoría paradigmática.

Los paradigmas, según Kuhn (1971), suponen "realizaciones científicas universalmente reconocidas que, durante cierto tiempo, proporcionan modelos de problemas y soluciones a una comunidad científica" (p. 13). Para la sociología tradicional, lo paradigmático se vinculaba con el estudio inductivo del fenómeno. El derecho, la economía, la política y cualquier otra ciencia, vistas desde una lente sociológica, requerían siempre del suceso fáctico. La primacía de los datos, por encima de la teoría, identificaban la orientación de los estudios sociológicos de la primera mitad del siglo XX.

Luhmann quiso —y lo logró— observar la sociedad al margen del hecho-fáctico que en ella se produce y describir los presupuestos teóricos que pudieran explicar todo fenómeno social. Con su cambio de paradigma explicó cómo es posible y cómo funciona la sociedad moderna, el derecho, la política, la ciencia, y todo lo que pudiera hacer parte de los denominados sistemas sociales. Luhmann no utilizó cifras, encuestas o datos duros que dieran sustento a su teoría; creó, sí, conceptos y relaciones de coherencia que explicaran lo social y únicamente lo social.

En dicha construcción el derecho fue bien recibido y, necesario es decirlo, ocupó un lugar privilegiado. No en vano, sus indagaciones primarias se dieron para el sistema jurídico, escenario en el que supo combinar su valiosa lucidez intelectual con el ejercicio profesional que, en sus primeros años de realización laboral, lo vincularon con organizaciones jurídicas al servicio del Estado alemán. En esas complejidades encontró que en los intersticios del derecho y la sociología había coincidencias y diferencias que delimitó a partir de la teoría de los sistemas sociales.

Lo complejo que pudiere parecer su pensamiento se facilita por una simple ilustración: la gráfica de cualquier sistema, con independencia de su forma y contenido, exige siempre del claro trazo de sus límites. Los límites constituyen la diferencia y, asimismo, encierran la unidad. Su teoría de sistemas es, en últimas, una teoría de la diferenciación.

Como un verdadero teórico pudo explicar, de forma coherente, cada uno los conceptos de su construcción. Es más, muchos de sus conceptos le son propios solo a su teoría. En efecto, para leer a Luhmann es necesario, primero, entender el significado que él le atribuye a ciertas expresiones: sistema, modernidad, comunicación, observador, operación, norma, sentido, son solo apenas algunas de las formas que utilizó para dar consistencia a lo que pretendía exponer. Esta manera, criticada por algunos e incomprendida por otros, tenía una finalidad: con sus términos reconocía relaciones con autores, teorías o fenómenos, pero, asimismo, se apartaba de ellos y otorgaba autenticidad y coherencia a su propia concepción. Para dar forma a su pensamiento Luhmann construyó una gramática propia.

Como todo prolífico y reconocido autor que la historia somete a la valoración constante de sus intérpretes, Luhmann fue, es y será criticado. Algunas de las críticas parten del desconocimiento de sus aportes; otras, más responsables, parten de otra forma de observar la sociedad diferente a la planteada por él. El lector de estas líneas podrá acercarse a la forma en que Luhmann observó el fenómeno jurídico penal, para lo cual podrá, luego, criticar o apoyar sus planteamientos. Sin embargo, aquel que verdaderamente comprende a Luhmann, con independencia de sus críticas, jamás podría tachar su pensamiento de incoherente. Su pensamiento constituye, sin lugar a dudas, una verdadera teoría. Allí está, además, aquello que otorga la pureza y la distancia espiritual propia para intentar comprender la sociedad sin exigir más de ella; sin pensar en ella como algo distinto a lo que es y sin obstáculos epistemológicos que obnubilen al observador del fenómeno social[3].

Hoy, su teoría, irradia no solo al derecho penal, subsistema al que le asiste nuestro particular interés, sino, también, a diversas parcelas del conocimiento. Es común ver cómo sus presupuestos se utilizan en la economía, la pedagogía, la política e, incluso, el arte, por mencionar algunos campos.

Como abogado, Luhmann no fue penalista o, por lo menos, en sus notas biográficas no se le reconoce así. Sin embargo, si ya dijimos que el derecho ocupó un lugar preponderante en su empresa, más aún lo fue el derecho penal. Es en este campo en el que uno de sus pilares teóricos, como veremos, adquiere mayor justificación: la defraudación de las expectativas.

---

[3] Ortega y Gasset (1983) afirma que, para la correcta comprensión de cualquier realidad, se requiere de la "castidad de una distancia" (p. 344). En muchos casos esto es lo que se pierde en las ciencias sociales, pues, sin desconocer el trasfondo ideológico que subyace a cualquier opción vital, el científico social no debería hacer a un lado el arsenal metodológico y teórico cuya existencia se justifica, precisamente, para que conserve su distancia.

Como se explicará en esta investigación, las expectativas normativas requieren de la comunicación, y es esta la que da sentido y reproducción a la sociedad. La relevancia que, para la teoría penal funcionalista sistémica le asiste al reforzamiento de la vigencia de la norma, se compadece plenamente con los supuestos sociológicos de Luhmann para la garantía del orden y la identidad sociales. Como veremos, la pregunta sobre cómo es posible el orden social exige la vinculación de conceptos como los de diferenciación funcional, expectativas y, por ende, comunicación.

En esta posibilidad interviene el derecho penal. La sociedad es sociedad, normativamente, porque se sabe qué esperar. La pena, consecuencia propia del derecho penal ante la verificación de un acto delictivo, existe, en el funcionalismo penal sistémico, para reaccionar ante comportamientos que ponen en peligro la identidad social. No sería responsable, en este sentido, asumir una posición crítica del funcionalismo penal sistémico sin preguntarse, así sea de una forma indirecta, por sus presupuestos sociológicos. Este camino se lo debemos a Luhmann.

Nos preguntamos, a manera de colofón de estas iniciales líneas, si los operadores jurídicos en materia penal deberían re-pensar las relaciones entre el derecho penal y la sociología. Si la respuesta es afirmativa, y si se quiere ofrecer otra mirada sociológica (que no la única), que no parta del proceso inductivo con la lente puesta en el suceso fáctico y que busque una comprensión global de lo social, una opción, que palpita en el derecho penal contemporáneo, será Luhmann. Y ello es particularmente útil porque, aunque constituye tan solo un punto de vista, la teoría luhmanniana da cuenta de los intersticios entre el derecho penal y la sociología, esto es, los límites, pero, a su vez, las irrigaciones entre ambas parcelas del conocimiento.

A partir de esos límites, fue pregunta constante en Luhmann el cómo de lo social, más que el qué de ella. El cómo, la forma, sus condiciones y relaciones, determinaron su particular forma de pensar y vincularon el estudio dogmático contemporáneo que viene haciéndose con gran fuerza en la teoría del delito.

Si ya evidenciamos porqué Luhmann fue un verdadero sociólogo y teórico del derecho, ahora nos corresponderá responder, bajo su lente y con detalle, las siguientes preguntas: ¿Cómo es la sociedad? ¿Cómo es el derecho? ¿Cómo observar la relación derecho penal y sociedad? Y, por último, ¿en qué consiste el funcionalismo penal sistémico?

1.2. EL PUNTO DE PARTIDA: EL FUNCIONALISMO SOCIOLÓGICO Y LA TEORÍA DE SISTEMAS

La sociología surgió entre finales del siglo XVIII y comienzos del siglo XIX como un intento limitado para dar explicación de los hechos sociales (Giddens, 2014). Desde esta amplia mirada, el funcionalismo es apenas una de las tantas teorías sociológicas que se han formulado para intentar explicar lo social.

Con matices particulares entre algunos tipos de funcionalismo, podemos decir, en términos generales, que sus raíces históricas se remontan a ciertos presupuestos conceptuales de grandes teorías clásicas del pensamiento sociológico. Particularmente, sus inicios pasan por específicos alcances de reflexiones ya vislumbradas por Marx, Weber, Spencer, Durkheim, Pareto y Comte.

Weber (1964) delimitó el marco de la sociología comprensiva para irradiar de ese modo los planteamientos de Parsons sobre la acción socialmente considerada y Marx (2005) realizó valiosos aportes en torno a la estratificación social. Desde este último esquema consiguió algún funcionalismo, como se verá, establecer diferencias sociales conforme a "estructuras" que, en parte, obedecían a estratificaciones o clases sociales.

De Spencer (1898), quien consideró la sociedad como un organismo vivo y relacionó la sociología con la biología, pudo el funcionalismo luego concluir a través de la denominada autopoiesis o autoproducción del sistema.

De Durkheim (1985), a partir de los elementos propios de la solidaridad orgánica, basada en la individualización de tareas y la división del trabajo social; el funcionalismo logró edificar sólidos planteamientos de diferenciación social por funciones, más que por clases, estratos, estatus o características de individuos. Según Durkheim, si la cohesión social resultara únicamente de las semejanzas (solidaridad mecánica), debería concebirse a la sociedad como una masa homogénea en la que las partes no se distinguirían unas de otras. La sociedad solo sería una repetición de segmentos similares y homogéneos. En la solidaridad orgánica, por el contrario, la estructura social se compone por órganos diferentes, cada uno con su función especial y formados, ellos mismos, por partes diferenciadas (Durkheim, 1985).

Del sociólogo italiano Pareto (1980), quien concibió la sociedad como un sistema en equilibrio dinámico producto de fuerzas internas y externas a él; el funcionalismo consiguió estimar que hay posibles relaciones entre aquello que está dentro de la sociedad y aquello que está por fuera de ella, que, en últimas, determinan el funcionamiento de lo social, a modo de equilibrio.

Por último, citaremos a Comte (2017), a través del sentido central de su tesis sobre el positivismo científico, corriente epistemológica en la que descansa todo el funcionalismo como método, mediante el reconocimiento de la construcción teórica al margen de cualquier determinación ontológica previa de sus conceptos.

A partir de todas estas raíces, el funcionalismo sociológico se acercó al estudio del objeto social sin consideración a esencias previas que lo determinaran[4]. A pesar de ser una corriente teórica con fuertes influjos de las ciencias naturales, no por ello en el funcionalismo los hechos sociales se conciben como una realidad natural.

El funcionalismo, en mayor o menor medida, en atención a las corrientes específicas que pueden encontrarse en él, desontologizó el entendimiento de lo social, con lo cual, en sentido estricto, tal y como sugiere Mascareño (2017b), más que de un naturalismo social, sería apropiado referirse al funcionalismo como un tipo de constructivismo, como el mismo Luhmann (2005b) lo reconocería[5]. Esto es, no es que el funcionalismo sociológico desconozca que hay acontecimientos reales en la sociedad[6]; lo que ocurre es que lo que "realmente es sociedad", depende de una forma, de una valoración, de un acto de sentido o de imputación, en

---

[4]   Para nosotros, en este escrito, cuando se afirma la *desontologización* propia del funcionalismo, hacemos referencia al no reconocimiento de esencias previas que en él determinan lo social. Todo, en lo social, es producto de una construcción. La *desontologización* en el funcionalismo sociológico es, haciendo un símil, la propia del positivismo en el derecho. La razón de ser de esto, según Solano (2016), sería la siguiente: "Parménides hubo de influir sobre los filósofos, Sócrates, Platón y Aristóteles, pues sostuvieron que la verdad, la bondad y la belleza son absolutas, pues no dependen de las opiniones de los individuos, sino de unas esencias inmutables y universales. Para Platón, por ejemplo, existe el mundo de las ideas, paralelo al mundo de las apariencias, compuesto por unas esencias, las ideas, que constituyen la realidad o ser perfecto de las cosas, cuya existencia, la de las cosas, se verifica en el mundo de las apariencias. Por su parte, Heráclito hubo de influir sobre los sofistas, esto es, sobre aquellos que, a diferencia de los filósofos (amantes de la sabiduría; quienes la buscaban), decían poseer ya la sabiduría, pues, según ellos, el sentido, el significado y el valor de las cosas son relativos, sin que sea menester buscarlos por fuera del individuo. Para Protágoras, el más ilustre de ellos, por ejemplo, "el hombre es la medida de todas las cosas; de las que son en cuanto que son, y de las que no son en cuanto que no son"; es el hombre quien determina el ser de las cosas; es el hombre quien determina su verdad, bondad y belleza" (p. 236). Desde esta línea, el problema de la ontología o, mejor dicho, la *desontologización* del funcionalismo, se adscribiría al movimiento filosófico propio de los sofistas.

[5]   Desde otro punto de vista, nos parece oportuno resaltar lo que un sociólogo contemporáneo, Sergio Pignuoli, recientemente publicó para explicar la relación entre algunas teorías sociológicas y el concepto filosófico de ontología. Estimó Pignuoli (2016) que: "No pretendemos contrariar las explícitas críticas de estos autores —entre ellos Luhmann— contra la "metafísica" y la "ontología. Más bien nos interesa establecer las premisas teórico-metodológicas para comparar sus conceptos primordiales respecto de la estructuración de lo real, en cuyo marco critican la "ontología" (p. 156).

[6]   En la presentación a la edición en castellano de la obra de Luhmann, *La sociedad de la sociedad,* Rodríguez (2006) expresa: "El enfoque luhmanniano es decididamente no ontológico, lo que probablemente quede en evidencia es que su punto de partida no es la identidad, sino la diferencia." (p. 14).

últimas, de la propia construcción social. Se entenderá, como diremos posteriormente, que para Luhmann la sociedad es solo comunicación y no una agrupación de individuos, de la misma forma que, por ejemplo, a partir del mismo supuesto teórico, para Kelsen (1995a) el derecho es una forma constante respecto de un contenido generalmente variable.

Al continuar con el discurso que plantea las bases estructurales del funcionalismo sistémico, debemos decirse que sus pilares también se encuentran en campos diferentes a la sociología. Desde este punto de vista, las bases de dicho pensamiento se remontan hacia finales del siglo XIX y comienzos del XX, desde ciencias como la biología, la física, las matemáticas y la cibernética. Así lo hace notar Ritzer (1993):

> La teoría de sistemas se deriva de las ciencias duras, que consideran tanto las entidades orgánicas como las mecánicas en términos de sistemas. La teoría de sistemas ve la sociedad como un enorme sistema constituido por una serie de partes interrelacionadas. Es necesario examinar la relación entre las partes, así como también las relaciones entre el sistema y otros sistemas sociales. También se estudian de las entradas [impuls] que penetran en el sistema social, el modo en que la sociedad procesa esas entradas y los productos resultantes. (p. 88)

Sí puede encontrarse su auge a partir de la incorporación en el análisis científico de otro método que no partiera de la descomposición del todo en partes con finalidades conclusivas. Con mucha razón, se ha dicho, por ende, que:

> El concepto de sistema tiene una larga historia, pero fue olvidado en los comienzos del desarrollo del pensamiento científico, en tanto la ciencia pretendió hacer un análisis fragmentado de los problemas en sus partes y trató de explicar los fenómenos a través de la explicación de sus elementos. (Rodríguez y Arnold,1999, p. 20)

Con un poco más de detalle, de acuerdo con Rodríguez y Arnold (1999), describamos las relaciones entre el método funcionalista y otros saberes.

Desde la antropología, Malinowski (1961) y Radcliffe-Brown (2013) analizaron las estrechas relaciones que existían entre el funcionalismo antropológico y las nociones de sistema. Para ellos, estas nociones sistémicas fueron asumidas de modo natural, dado que basaron sus estudios, por lo general, en culturas insulares, en las que el problema por definir los límites del sistema estaba resuelto del mismo modo, desencadenando una ruptura total con la tradición de los estudios etnológicos, abriendo camino a concepciones teóricas y metodológicas globalizantes. Desde la biología, por un lado, fue Bertalanffy (1968) quien planteó la necesidad de construir una teoría general de sistemas con el propósito de resolver las dificultades que, para la época, encontraban las ciencias naturales para explicar sus fenómenos mediante un método puramente reduccionista.

También, Maturana y Varela (2013) utilizaron el concepto de autopoiesis para referirse a sistemas dinámicos que pueden distinguirse como unidades mediante una red de producción de componentes que constituyen, con sus operaciones, la red de producción que los originan, que especifican, como componentes, los límites de esa red y que constituyen esa red como unidad en su dominio de existencia. En la cibernética, el concepto de sistema fue introducido por el matemático Wiener (1948), con la finalidad de hacer referencia a los problemas de la organización y de control y transmisión de informaciones (comunicación, en sentido estricto). Desde el mismo concepto, a partir de la aplicación que la teoría de sistemas hizo de la observación en varios órdenes o niveles para delimitar, en últimas, el sistema del entorno y poder definir el sistema de una forma cerrada y autopoiética. Por otro lado, el científico Von-Foerster (1991), estimó que era exigencia de los sistemas auto-organizadores la idea del entorno, esto es, la diferencia misma con el sistema. En esta misma línea, el matemático Spencer-Brown (1969), planteó una forma de observación que permitiera comprender los límites, a través de la distinción y selección que separa y garantiza identidad en los objetos separados.

Puede establecerse que la teoría de sistemas constantemente ha sido puesta a prueba, en tanto ha servido para explicar fenómenos sociales, biológicos, médicos, físicos, matemáticos, antropológicos, etc. Se trata de una teoría abarcadora, que brinda los presupuestos para comprender el fenómeno como un todo y, consecuentemente, dentro de un todo. Esto lo logra con la ya afirmada premisa: unidad/diferencia.

Con estas bases teóricas, entre otras, se estructuró el funcionalismo. Ahora bien, con rigor, a su vez, en este esquema pueden diferenciarse dos grandes campos de pensamiento: (i). el funcionalismo estructural y (ii). el funcionalismo sistémico.

En su concepción más clásica, y sobre todo hasta la década del sesenta, el funcionalismo se caracterizó por un análisis estructural. En este se ubica como su más grande exponente a Parsons, sociólogo norteamericano a quien se le reconoce no solo por su evidente contribución a la sociología, sino, además, por sus reconocidos estudiantes, muchos de los cuales alcanzaron notable prestigio por sus particulares y posteriores teorías explicativas de los fenómenos sociales. Dentro de estos se destacan Merton, Habermas y, por supuesto, a Luhmann.

Con lo expuesto, es necesario distinguir el pensamiento de Parsons en dos momentos: aquel, inicial, en el que otorgó preponderancia al concepto de acción social como nota medular de su teoría y, el último, vinculado con su ideal de teoría de sistemas, a partir de la publicación de su obra cumbre, *El sistema social*, en 1951. Parsons pretendió construir una macroteoría sociológica que explicara la sociedad y todo fenómeno social. En términos generales, para esto, relacionó, entre otros, los siguientes conceptos: estructura, función, acción social y orden.

Cuando centró la atención de su teoría en la acción social, afirmaba que:

> En la teoría de la acción, el punto de referencia de todos los términos es la acción de un autor o de una colectividad de autores. El interés de la teoría no estaría dirigido, sin embargo, a los procesos fisiológicos del organismo, sino más bien a la organización de las orientaciones del actor respecto de una situación. (Parsons y Shils, 1968, p. 20)

Su proyección en este campo fue concretada en su texto *La estructura de la acción social*, en 1937. En este sentido, debe decirse que el funcionalismo estructural de Parsons se agrupa en las denominadas teorías del consenso. Estas teorías consideran que las normas y los valores comunes son fundamentales para la sociedad, por lo que presuponen que el orden social se basa en un acuerdo tácito respecto de ellos (Ritzer, 1993).

El funcionalismo estructuralista explicaba las relaciones entre las estructuras y las instituciones sociales. Con algunas diferencias entre Parsons y Merton, a partir, sobre todo, del reconocimiento que el último hacía de las consecuencias imprevistas de la acción (disfuncionales); ambos buscaron crear una macroteoría sociológica que explicara los grandes sistemas sociales con el lente de una problematización eminentemente teórica. Esto, a todas, luces, ya revolucionaba el estudio sociológico imperante para la fecha.

Según Merton, partidario de un funcionalismo estructural, la sociología requería de un análisis funcional. Este método, utilizado por Durkheim, buscaba encontrar la coherencia entre el hecho y las necesidades sociales que lo originaron. En Merton (2002) dicho análisis exigía una concreción de las funciones (consecuencias observadas que favorecen la adaptación o ajuste a un sistema dado); y de las disfunciones (consecuencias observadas que aminoran la adaptación o ajuste al sistema).

Para explicar su planteamiento, a través de los conceptos de funciones manifiestas (motivación), latentes (sin motivación) y anomia del sistema (disyunción aguda entre las normas y los objetivos culturales y las capacidades socialmente estructuradas de los individuos del grupo para obrar de acuerdo con aquéllos), Merton (2002) utilizó las bases teóricas formuladas por su maestro, Parsons, quien edificó su tesis a partir de los conceptos de acción social y estructura.

Si retomamos los apuntes que hacíamos a Parsons, podemos decir que alcanzó su culmen teórico cuando publicó *El sistema social*, donde replanteó su tesis y estudió la acción social dentro de su concepción de la sociedad como sistema. Este viraje conceptual obedeció a un replanteamiento del modelo teórico. En el concepto de acción social, en el que se integra el actor, los medios y las condiciones de actuación, se le daba demasiado protagonismo a la elección consciente e individual del agente, de tal suerte que las estructuras sociales pasaban a un segundo plano. Por eso precisó su planteamiento:

(...) el punto de partida fundamental sería el concepto de los sistemas sociales de acción. En ese sentido, la interacción de los actores individuales tiene lugar en condiciones tales que es posible considerar ese sistema de interacción como un sistema (en el sentido científico) y someterlo al mismo orden de análisis teórico que ha sido aplicado con éxito a otros tipos de sistema en otras ciencias. (Parsons, 1966, p. 23)

En esta proyección, el decaimiento del funcionalismo estructural inició cuando el mismo Parsons revaluó su teoría; como se intuye, en el funcionalismo estructural la problematización de la acción pasaba por una confusión entre lo humano y lo social. A partir de esta confusión se comenzó a pensar que lo social podría ser claramente social sin requerir de lo humano, premisa con la que podría diferenciarse la sociología de ciencias puramente humanas, como la psicología.

De esta suerte, la teoría de sistemas, o el funcionalismo sistémico, surge cuando el funcionalismo estructural se replantea a sí mismo a partir del segundo Parsons, es decir, el cambio en su teoría se dio cuando entendió que, en el concepto de acción social, que Parsons tomó de Weber[7], se vinculaba, necesariamente, al agente social. Esto, por supuesto, identificaba lo social visto desde el acto humano: la conciencia y la selección de medios y fines constituían el terreno cardinal de lo social para el primer Parsons y daban sentido al funcionalismo estructural.

En este punto, y de una forma más radical, se inscribe Luhmann, quien afirma no solo la diferencia entre lo humano y lo social, sino que, incluso, niega cualquier vinculación humana con la sociedad[8]. De entrada, para Luhmann, la sociedad no está determinada por el concepto de acción social, categoría trascendental tanto en Weber (1993) como en el primer Parsons (1968). Por el contrario, el funcionalismo sistémico busca agrupar las operaciones puramente sociales con

---

[7]   Sobre el actuar en comunidad y la acción desde una teoría del consenso, puede verse la relación que hacen Gómez y Germán Silva (2015). De allí se destaca aquello que en este escrito hemos identificado para el funcionalismo estructural parsoniano: la subjetividad en el concepto de acción aislada de lo propiamente social que caracteriza a Luhmann.

[8]   Más exactamente, como diría Ortega y Gasset (1964), desde el punto de vista filosófico, lo social es lo inhumano en lo que se inserta lo humano. En palabras del Maestro del Escorial: "Al seguir los usos nos comportamos como autómatas, vivimos a cuenta de la sociedad o colectividad. Pero ésta no es algo humano ni sobrehumano, sino que actúa exclusivamente mediante el puro mecanismo de los usos, de los cuales nadie es sujeto creador responsable y consciente. Y como la «vida social o colectiva» consiste en los usos, esa vida no es humana, es algo intermedio entre la naturaleza y el hombre, es una casi-naturaleza, y, como la naturaleza, irracional, mecánica y brutal. No hay un «alma colectiva». La sociedad, la colectividad es la gran desalmada –ya que es lo humano naturalizado, mecanizado y como mineralizado. Por eso está justificado que a la sociedad se la llame «mundo» social. No es, en efecto, tanto «humanidad» como «elemento inhumano» en que la persona se encuentra. La sociedad, sin embargo, al ser mecanismo, es una formidable máquina de hacer hombres" (p. 77).

el propósito de relacionarlas con otros sistemas o entornos. De allí que, en Luhmann, como veremos, el acto social por excelencia es la comunicación y nunca lo humano o las relaciones entre estos, situación en la que se ubicó, inicialmente, su maestro, Parsons.

Desde la comunicación, la teoría de sistemas alcanza su cúspide argumentativa. La comunicación logra poner de manifiesto el carácter relacional de los sistemas, es decir, la comunicación no niega el acoplamiento entre el sistema social y el sistema psíquico, pero nunca los confunde. En este sentido afirma Ritzer (1993): "desde el punto de vista de la teoría de sistemas se puede criticar al estructuralismo calificándole de reduccionista, no relacional y estático" (p. 438). Es decir, lo funcional, en Luhmann, parte de su concepción misma de sistema. Dentro de este hay operaciones funcionales en tanto lo reproducen. Solo la función podía autoproducir el sistema y demarcar sus límites.

En virtud de ello, a diferencia de Parsons, lo necesario para la teoría de sistemas no es el consenso, sino la diferencia. Por este, se entiende a la sociedad como funcionalmente diferenciada. La sociedad moderna no se comprende por diferenciaciones basadas en estratos o segmentos sino, mejor, en funciones, que se traducen, con mejor precisión, en roles sociales. Se trata, si se quiere, de una diferenciación funcional.

Hecha esta digresión, puede decirse que, aunque es cierta la relación existente entre el segundo Parsons y Luhmann, no es exacto expresar que el último solo reproduce la obra del primero. La originalidad y crítica expresa de Luhmann hacia Parsons puede encontrarse en muchos aspectos:

Tabla 1. Diferencias de la teoría de sistemas
(T. Parsons – N. Luhmann)

Teoría de sistemas en Parsons	Teoría de sistemas en Luhmann
No diferencia, con claridad, a la sociedad del sistema social.	La sociedad es el sistema abarcador de los sistemas sociales. Junto a ella están, además, los sistemas de interacción y los sistemas de organización.
En su construcción, prima la estructura sobre el sistema.	En su construcción lo determinante no es la estructura sino la diferencia entre sistema y entorno, por lo que privilegia el sistematismo funcional.
Se parte de la acción social, por lo que prima el sistema simbólico sobre la contingencia.	Se parte del constante mantenimiento de la complejidad y el dinamismo social. De allí la importancia de la función.

Teoría de sistemas en Parsons	Teoría de sistemas en Luhmann
Parsons presenta una propuesta analítica y el término «función», a pesar de su importancia, queda subordinada a la estructura.	La función es estelar en su planteamiento, tanto así que es la que otorga la identidad autopoiética al sistema.
Los sistemas sociales están constituidos por estados y procesos de interacción social entre unidades actuantes. Son necesariamente abiertos y participan en un intercambio continuo de insumos y productos con sus ambientes. El sistema social es un componente más del general de la acción.	Luhmann concibe la sociedad como el «sistema social omnicomprensivo» que ordena todas las comunicaciones posibles entre los hombres. Esta afirmación plantea criterios fundamentales para la construcción de su teoría. En la sociedad —sistema social total— existen subsistemas.
Parsons ve al sistema social constituido por actores individuales o colectividades de actores: parte de elaborar una teoría de la sociedad en la que es central una teoría general de la acción.	Para Luhmann no hay sujetos en la sociedad porque ella no se compone de personas sino de comunicaciones. El interés luhmanniano está más dirigido a elaborar una teoría de los sistemas sociales.
Parsons fue capaz de elaborar una teoría que integrara elementos psicológicos para el análisis del sistema social.	Luhmann, en otro sentido, excluye todo elemento subjetivo del análisis del sistema social para incorporar el término «comunicación» como elemento constitutivo de la sociedad.
Trabaja, como presupuesto e ideal, con el consenso social.	Requiere de la diferencia para la verificación de la complejidad del proceso social.
Fuente: elaboración propia a partir de González (2003).	

Luego del recorrido hecho por sus presupuestos teóricos fundantes, hemos querido explicar y sintetizar, de una forma accesible, las características del funcionalismo sistémico luhmanniano, así:

(i).   En primer lugar, la teoría de sistemas rechaza la descomposición que se hace del objeto con el propósito de su mejor comprensión: para la teoría de sistemas es evidente que el objeto hace parte de un todo; sin embargo, su estudio se hace cuando se comprendan sus identidades y diferencias con el todo del que hace parte.

(ii). La teoría de sistemas entiende que los componentes del todo lo son en tanto son idénticos a él: lo relevante, pues, es comprender qué es lo que hace idéntico al objeto dentro del sistema.

(iii). Como no todos los objetos de estudio son iguales, la teoría de sistemas entiende que habrá otros independientes que, a su vez, agrupan nuevos campos de estudio, de allí que los límites del sistema están dados por él mismo.

(iv). En los sistemas hay irrigaciones o acoplamientos: la independencia de los sistemas no supone su total aislamiento con los otros.

(v). La teoría de sistemas exige siempre de un observador que distinga el objeto: las distinciones son esenciales a la teoría de sistemas, pero no cualquier distinción, solo aquella que comprenda el cómo del sistema. Según esto, todos los sistemas se equiparan con organismos vivos en los que, entre sus límites, existe autorreproducción de cada una de sus operaciones. Una indebida observación del sistema trazará mal sus límites, impedirá su autorreproducción e imposibilitará su comprensión.

La sociedad, pues, así vista, es un gran insumo para la teoría de sistemas. Luhmann entendió y aplicó lo anterior y, con base en las ideas referenciadas, expuso, con mucho detalle, su propio esquema explicativo de lo social.

Por estas múltiples razones, es necesario reconocer que, aunque llamativo, el lente propio de la teoría de sistemas no es el único existente para observar la sociedad. Compartimos, con Torres[9], que es aquella teoría que, de manera más amplia, comprende la sociedad como forma en la que únicamente lo social haga parte de ella. Vista así, con la teoría de sistemas no solo podemos despojar a la sociedad de aquello que afecta su comprensión sino que, además, este modelo teórico ofrece los insumos para construir relaciones o acoplamientos entre sistemas, en los que lo relacionado no haga parte, también, del objeto a relacionar.

Desde un punto de vista luhmanniano, la sociedad es uno de los sistemas sociales y, junto a ella se agrupan los sistemas de interacción y los de organización; sin embargo, para él, la sociedad es el sistema social abarcador[10]. Los sistemas

---

[9] La teoría de sistemas, en sociología, consiste en una técnica, un instrumento, un modo de proceder. Decidirse en favor del empleo de la teoría de sistemas para observar la sociedad, lleva implícito un momento de arbitrariedad. Con esto se asienta que la teoría de sistemas, aunque «acaricia el ensueño» de ser universal en el sentido de abarcar todo lo concerniente a lo social, con todo no reclama exclusividad. De facto, la sociedad se ha observado y descrito con otro tipo de distinciones que no se enmarcan dentro de la tradición sistémica: trabajo/capital (Marx); ideas/intereses (Weber); solidaridad orgánica/mecánica (Durkheim); actuar comunicativo/estratégico (Habermas). La teoría de sistemas anheló, después de la Segunda Guerra Mundial, constituirse en una especie de metaconceptuación que le devolviera a la humanidad el paradigma perdido. El concepto de sistema, despojado de las peculiaridades propias de cada disciplina, significaría la gran unificación de la ciencia y, por consiguiente, la comprensión de la estructura más secreta del mundo (Torres-Nafarrate, 1998, p. 17).

[10] Al tenor de lo expuesto, expresa Luhmann: "In the understanding elaborated here, the theory of society is the theory of the comprehensive social system that encompasses all other social systems. Society is therefore understood as a system; and the form of the system, as we have seen, is nothing other than the distinction between system and environment. But this does not mean that general systems theory suffices to deduce by logical inference what society is about. We also have to determine the specificity of social systems, and what within the theory of social systems constitutes the specificity of a system of society; in other words, what is implied when we refer to society as the comprehensive social system" (2012).

sociales existen, precisamente, para diferenciarse de los sistemas vivos, los sistemas psíquicos y los sistemas artificiales. Cada uno es independiente de los otros, aunque cada uno pueda relacionarse y acoplarse mutuamente con ellos. En las primeras páginas de su obra Sistemas sociales: lineamientos para una teoría general (1998a) Luhmann expresa que hay varios tipos de sistemas, entre ellos los sociales, que, a su vez, agrupan a la sociedad:

Gráfico 1. Tipologías de sistemas

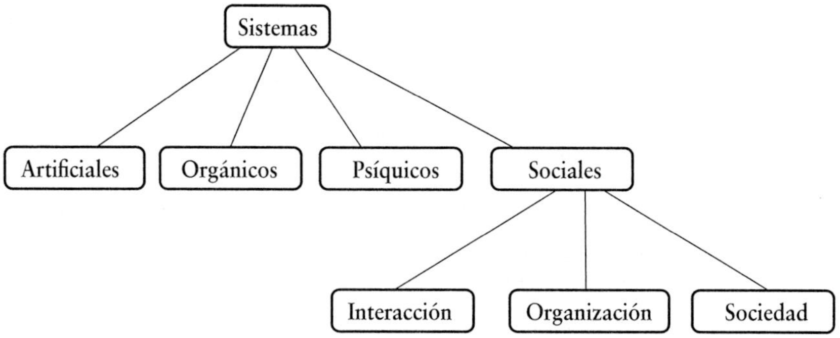

Fuente: elaboración propia a partir de Luhmann (1998a).

Según Luhmann, cuando se verifica que existe la comunicación entre personas, presentes o ausentes, pero en todo caso por ser comunicación, se dan nuevas selecciones que reducen la contingencia en el futuro. Los sistemas sociales, bien mediante interacciones entre presentes, bien mediante el entendimiento de la comunicación que emana de las organizaciones o bien por la misma sociedad, solo son un conjunto de comunicaciones (2013c).

A partir de este criterio diferenciador, los demás sistemas no reúnen, desde ningún punto de vista, la nota ya expresada, es decir, todos los sistemas buscan explicar la realidad comprensible y cada uno lo hará a partir de elementos funcionales al sistema y, por ende, diferenciables del entorno. Los sistemas artificiales comprenden las máquinas que, por tales, no son organismos vivos ni sistemas psíquicos ni mucho menos sociales. Los organismos, por su parte, comprenden el sistema vivo. Los psíquicos agrupan la conciencia y los sociales las comunicaciones.

Hemos afirmado que la sociedad es compleja. Esta expresión, en Luhmann, no significa que la sociedad es un ente confuso y oscuro, es decir, lo complejo no es lo difícil en tanto lo complejo reconoce que en el sistema cada vez hay más posibilidades que son indicadas (Luhmann, 2013a, p. 32). Según Luhmann, la complejidad no es una operación, no es algo que un sistema ejecute ni que suceda en él sino que es un concepto de observación y de descripción —incluidas la autoobservación y la autodescripción—.

Se trata de la unidad de una multiplicidad. Así, una unidad es compleja en la medida en que posee varios elementos y los une mediante varias relaciones. La forma de la complejidad es la necesidad de mantener una relación solo selectiva entre los elementos o, dicho de otro modo, "la organización selectiva de la autopoiesis del sistema" (Luhmann, 2006, p. 103). De una lectura de Luhmann, afirma Urteaga (2010) que se deduce que su concepto de autopoiesis o autorreproducción sistémica tiene que ver con entender que los límites del sistema solo vienen dados por sus propias operaciones. No es, pues, simplemente, una repetición de la misma operación, sino, mejor, la producción de nuevos elementos dentro del sistema vinculados con aquellos que los anteceden.

Por ello, cuando decimos que los sistemas son, para Luhmann, acontecimientos cerrados y complejos, queremos significar que es su condición de autoproducir sus propias operaciones la que delimita qué hace parte del sistema y qué del entorno.

Podemos inferir que la sociedad es compleja no solo porque en sus observaciones se vislumbren multiplicidad de operaciones, elementos, selecciones y contingencias, sino, mejor, porque ella misma selecciona (dentro de lo mencionado) aquello que le permite reproducir el sistema social.

Estas selecciones hacen que el sistema siempre sea menos complejo que el entorno, pero no eliminan la complejidad, pues, por el contrario, la reproducen. Con razón, Castro (2011) sostiene que: "La selección es el elemento central y vital en la reducción de la complejidad y en la forma de cómo la complejidad se desenvuelve en la teoría de Luhmann" (p. 4). El entendimiento, así, de lo social, pasará por el entendimiento de los elementos y relaciones que la constituyen, aquello que hace a la sociedad tal y, por ende, diferente de los demás sistemas no sociales.

Por la complejidad del sistema social es que en Luhmann es necesario el conflicto: su paradoja consiste en determinar por qué su entendimiento del orden social requiere del último. El orden social no es posible, en Luhmann, por un supuesto consenso social, lo cual, a todas luces es utópico. El orden social es posible solo por la diferenciación funcional del sistema social[11]. Es por ello que el conflicto, en términos de no consenso, es esencial en los planteamientos luhmannianos.

---

11   Al respecto, Gonnet (2018) estima que: "Frecuentemente en la historia del pensamiento sociológico se ha entendido al conflicto como un fenómeno contrario y hasta antagónico con respecto al orden social, especialmente, cuando este último es observado como un

Dentro del discurso planteado, en términos de contingencia y complejidad, entendemos por qué la teoría de sistemas de Luhmann es, también, una teoría funcionalista. Dicha expresión parte del concepto mismo de función[12]. Cadenas (2016), cuando hace referencia a la primera formulación de la teoría de sistemas[13], precisa que:

> (…) la teoría funcionalista adopta un modelo organicista de sociedad, donde el concepto de función sirve para explicar las relaciones entre un todo (organismo) y sus partes diferenciadas (órganos). Dicha relación se define en términos de "necesidad", es el todo el que precisa que sus partes satisfagan determinadas necesidades mediante tareas diferenciadas. (p. 201)

De acuerdo con lo mencionado y, en relación con el cambio en el análisis de la complejidad del sistema propuesta por Luhmann, expone Cadenas (2016) que:

> (…) en este último, la sociedad se diferencia de su entorno en términos de complejidad, por lo que la función es un esquema de observación construido por un observador que distingue causas y efectos y no se trata de una propiedad intrínseca a un sistema estable. Este cambio de paradigma implica no solamente mover el concepto de función hacia una teoría de la observación, sino también replantear la teoría de sistemas sociales que está en su base. No se trata de sistemas estables, cuya viabilidad dependa de satisfacer necesidades determinadas, sino de sistemas inestables que operan en el sen-

---

equivalente al consenso. Dicha situación ha propiciado un acercamiento diferenciado a ambos fenómenos dificultando un tratamiento unificado. Aquello que resulta útil para explicar el orden no lo es para el caso del conflicto y viceversa. La teoría de los sistemas sociales de Luhmann busca trascender este abordaje dualista proponiendo una imagen de orden social que resulta compatible con el conflicto. Dicha alternativa teórica encuentra sus fundamentos en los presupuestos de complejidad y contingencia de los que parte esta perspectiva sistémica. Todo sistema social opera en entornos que poseen más complejidad de la que puede abarcar, por lo que debe seleccionar estrategias de reducción de complejidad que, inevitablemente, se presentan como contingentes. De esta manera, todos aquellos acontecimientos que impliquen algún tipo de desviación o desafío con respecto a dichas selecciones son contemplados como alternativas siempre disponibles y, por tanto, plenas de sentido para los sistemas sociales. Por esta razón, el conflicto no puede concebirse como un acontecimiento contradictorio u obturado por el orden social. El mismo aparece como una alternativa siempre disponible en el proceso de su producción y reproducción, sin que esto propicie su disolución" (p. 110).

[12]   Según Merton (2002), diferentes disciplinas y el lenguaje popular se apropiaron de la palabra "función" con el resultado no inesperado de que su significado se hace, con frecuencia, oscuro en la sociología.

[13]   Luhmann criticaba dicho funcionalismo, así: "La vieja teoría funcionalista refería las explicaciones funcionales preferentemente a necesidades y partía de que las tales necesidades, como causa de un acto de satisfacción, se tornan causalmente eficaces. Si se acepta esta equiparación de necesidad y motivo, se llega a una equiparación de efecto y causa respecto a una acción; de tal manera que se cae en un círculo tautológico" (Luhmann, 1973, p. 3).

tido, es decir, que en cada una de sus operaciones producen su propia unidad sistema/entorno y deben enfrentar un horizonte contingente y abierto. La función no es, así, una presión de selección del entorno, sino un programa para manejar la complejidad interna al sistema, una manera entre otras. (p. 202)

La expresión función, en Luhmann, solo puede entenderse de una manera relacional, es decir, la función relaciona los límites del sistema con el entorno. Determinar que algo pertenece al sistema y no al entorno es producto de la función que cumple. No todo puede cumplir todas las funciones. Si la función es autopoiética, que reduce la complejidad del sistema mediante selecciones, por la función, existe pertenencia al sistema. Si se nos pidiera simplificar diríamos que la función es pertenencia al sistema.

En el concepto de función, según Luhmann (1973, p. 20), se fundamenta la idea de clausura operativa del sistema. Para él la función no es el efecto a producir producto de las operaciones, sino que es todo el entramado lógico que regula un ámbito de comparación de los diversos equivalentes y, por ello, cada efecto puede ser entendido como equivalente del otro producido, mediante un postulado de identidad común.

En la medida en que, como hemos visto, todo sistema es, a su vez, complejo, puede ocurrir que el sistema mismo diseñe equivalentes a los que en principio existían y les asigne la función limitante autopoiética. Merton (2002) las denominaba alternativas o sustitutos funcionales sobre el margen de la variación posible en las cosas que pueden, en el caso sometido a estudio, satisfacer una exigencia funcional.

El funcionalismo sistémico siempre exigirá, bien de funciones o bien de equivalentes funcionales, para considerarse como un sistema autopoiético y autorreferente[14] (que se produce y se refiere a sí mismo y se limita de su entorno).

Así concebida la función se entiende, en teoría de sistemas, como el mecanismo que otorga la clausura operativa a cada sistema, es decir, cada función produce, consecuentemente, diferenciación con otras funciones. Por ser la totalidad envolvente de la teoría que aquí referenciamos, quizás, por ello, en la historia de la sociología, se le ha dado a esta teoría el nombre de funcionalismo sistémico, en tanto que cada función concede una identidad y unos límites propios a cada sistema. En los términos propios de Cadenas (2016): "la función no es, así, una presión de selección del entorno, sino una manera de manejar la complejidad in-

---

[14] Esta exigencia hace que, coherentemente, el sistema se entienda como una unidad cerrada, es decir, que no se permea con el entorno. Eso, precisamente, según García-Amado (1997), es lo que ha llevado a criticar estas tesis de altamente conservadoras del statu quo. Estas críticas, por nuestra parte, como algunas críticas a las críticas, serán objeto de consideración en el capítulo cuarto de este escrito.

terna al sistema, una manera entre otras" (p. 204). Esto es: sin función no habría reducción de la complejidad, todo sería caos, todo sería desdiferenciación.

Una causa de lo anterior es que el equivalente funcional ocupa el mismo lugar que en la teoría de sistemas ocuparía la función. El sistema podrá construir equivalentes para lograr su propia clausura operativa. El sistema mismo los crea en tanto es autopoiético. Ahora bien, solo habrá equivalente funcional verdadero cuando cumpla la función propia del sistema. De esta manera, la selección del equivalente depende de algo más que un simple arbitrio. En el fondo: si todo pudiese ser equivalente de todo, afirmaríamos que todas las funciones cumplirían todas las funciones, es decir, que no habría diferenciación y, por tanto, que tampoco habría sistemas. Existiría una sola función agrupadora y existiría un todo sin diferenciación. La equivalencia, de esta perspectiva, es únicamente identidad funcional.

En síntesis, la sociedad moderna, como veremos, es funcionalmente diferenciada en atención a la función o, incluso, al equivalente funcional que se pueda asignar dentro los subsistemas, en el sentido de justificar entre estos limitarse y, necesariamente, también acoplarse, lo que deriva, en todo caso, en comunicaciones para el sistema social.

Como hemos dicho, en contraposición de un Parsons anclado al concepto de acción, en Luhmann el concepto de función va a adquirir mayor relevancia que el de estructura. De hecho, el punto de referencia de los análisis funcionales de Luhmann está dado por el problema de la complejidad del mundo. En este marco, el autor sostiene que los sistemas sociales reducen la complejidad porque se valen de estructuras versátiles, "contingentes", o sea, estructuras que tienen el carácter de "equivalentes funcionales" (Lewkow, 2011, p. 181). Así las cosas, podemos decir que cada sistema, por tanto, con el fin de reducir su complejidad, será un sistema con mayores o menores equivalentes funcionales.

Con estas consideraciones sobre los sistemas sociales podemos pasar al estudio de la sociedad. A partir de esta será posible comprender no solo todos los sistemas sociales, sino, además, lo que es social y su entorno no social.

1.3. LA SOCIEDAD COMO SISTEMA SOCIAL FUNCIONALMENTE DIFERENCIADO

Sociedad es solo comunicación. La sociedad, como sistema social, surge por una particular observación con el objeto de advertir la diferenciación de aquello que no es social. Recordemos que, desde este esquema de pensamiento, una indebida observación supondrá, necesariamente, una indebida comprensión del fenómeno social.

En un primer momento, debemos preguntarnos, ¿qué es observar? Para Luhmann, observar es seleccionar para diferenciar. En las diferencias que surgen se plantean identidades y, correlativamente, exclusiones, tanto que el observador identifica más fácil la diferencia que la unidad. Toda observación es un proceso de diferenciación. En otras palabras, desde su comprensión inicial, la sociedad se plantea por sus límites o diferencias con el entorno: serán entornos todos los demás sistemas diversos al sistema social y, entre ellos, evidentemente, el ser humano.

En la teoría de sistemas la sociedad, entendida como sistema social, no se define por una determinada esencia (*Wesen*) o moral, sino, únicamente, por la operación que la produce y reproduce, esto es, por la comunicación (Luhmann, 2006, p. 48)[15]. En coherencia, el funcionamiento de las relaciones sociales (la autopoiesis de la sociedad), no depende de la "intersubjetividad" ni mucho menos del "consenso" (Luhmann, 2006).

Al margen de cualquier soporte ontológico, en la comprensión de la sociedad que ofrece el funcionalismo sistémico, lo categórico, pues, solo es que la comunicación permanezca. Esto, como se ha visto, para Luhmann, la sociedad no se determina por esencias que preceden a su existencia. El entendimiento de lo humano no es la esencia que determina lo social. Afirmar que Luhmann desontologiza[16] lo social, como lo habíamos insinuado antes, es tanto como afirmar que su esquema de pensamiento reconoce el método positivista de Comte, o que, si se quiere, desde el derecho, que niega cualquier sustento iusnaturalista. De ahí que, a nuestro juicio, lo que fue Luhmann a la sociología lo fue Hans Kelsen a la Teoría del Derecho. Para ambos es la forma lo que da sentido a sus conceptos centrales de análisis (sociedad y derecho), con independencia de su contenido.

Al tenor de lo expresado, tampoco la conciencia —como elemento que hace parte del sistema psíquico— se incorpora en el entendimiento de lo social. Esto es, si la sociedad es comunicación y el sistema psíquico es conciencia, por el carácter diferencial de cada sistema, ni la comunicación estará determinada por la conciencia, ni la conciencia estará determinada por la comunicación. Sin embargo, aun cuando se trata de sistemas distintos e independientes, el sistema solo será tal

---

[15]   Ahora bien, lo anterior no implica l afirmar que la comunicación sea una esencia. La comunicación es una operación, un acontecimiento en contexto, situado históricamente, y que se define, concretamente, con la intervención de saber y de no-saber de los participantes (Luhmann, 2006). Por ende, como todo, es producto último de un acto de entendimiento o de atribución de sentido.

[16]   Recordemos que lo ontológico no puede confundirse con lo fáctico. Por supuesto que la sociedad existe, tanto así que es observable y puede describirse. Lo anterior, sin embargo, nada tiene que ver con lo ontológico de lo social.

si es autorreferente al entorno. La comunicación hace autorreferente al sistema social. Por ello, afirma Luhmann (2006) que: "En la comunicación nunca puede determinarse si los sistemas de conciencia están presentes 'auténticamente' o si tan solo aportan lo necesario para la continuación" (pp. 693-694).

Ello es así por cuanto el funcionalismo sistémico es una teoría de sistemas autorreferenciales, es decir, un modelo teórico según el cual los sistemas solo pueden referirse a sí mismos en la constitución de sus elementos y operaciones elementales, pero, para hacer posible esto, los sistemas tienen que ser capaces de utilizar, dentro del sistema, la diferencia entre sistema y entorno como orientación y principio del procesamiento de información (Luhmann, 1998a). La autorreferencia, como se verá, es la base de los acoplamientos estructurales entre el sistema y el entorno o, dicho de otro modo, entre diversos sistemas.

El hombre es entorno del sistema social (Luhmann, 1998c), precisamente, porque ningún hombre es comunicación. Así, "no es el hombre, sino solo la comunicación, lo que puede comunicar" (Luhmann, 1996b, p. 28) o, para decirlo simplemente, "solo la comunicación comunica" (Luhmann, 2002, p. 169). Desde esta perspectiva y de manera distinta a lo que con frecuencia suele afirmarse por los críticos, la denominada deshumanización de la sociedad no conlleva la negación rotunda o la eliminación existencial de los individuos. Los hombres de carne y hueso y la conciencia que los soporta, siguen existiendo en la teoría de sistemas luhmanniana, pero ahora ocupan el lugar que les corresponde. Ahora bien, si se insiste en llevar la discusión epistemológica al plano moral, habría que decir que el humanismo negativo de Luhmann, que deshumaniza a la sociedad, "es más humanista que el mismo humanismo" (Arrieta-Burgos y Duque-Pedroza, 2018, p. 29)[17].

La relación entre la diferenciación funcional de la sociedad moderna y la exclusión del individuo del sistema social alcanza su mayor expresión en este punto, incluso, como garantía al ser humano en cuanto humano que, paradójicamente, no existiría al vincularse al individuo con el sistema social. Por ello, estima Luhmann, que:

> La idealización del postulado de inclusión total de todos los seres humanos en la sociedad encubre graves problemas. Con la diferenciación funcional del sistema de la sociedad, la regulación de las relaciones de inclusión/exclusión pasa a los sistemas funcionales; ya no existe instancia central alguna (aunque guste a la política verse en

---

[17] Esta idea fue, con detalle, explicada por el mismo autor del escrito en el texto que se cita. De la misma forma, Mascareño (2012a) ya lo identificaba, el antihumanismo de Luhmann debe ser entendido, paradójicamente, como un "negativamente humanista antihumanismo teórico" (p. 21).

esa función) que supervise a este respecto a los sistemas parciales. Si el individuo quiere saber si dispone de dinero, y de cuánto, es algo que se decide en el sistema económico. Qué exigencias jurídicas y con qué éxito se pueden validar, es asunto del sistema del derecho. Qué se toma por obra de arte, se decide en el sistema del arte; y el sistema de la religión establece las condiciones bajo las cuales el individuo puede reasumirse como religioso. De qué dispone el particular como saber científico y en qué formas (por ejemplo, en forma de tabletas), es resultado de los programas y de los éxitos del sistema de la ciencia. Puesto que la participación es posible bajo todas estas condiciones, puede despertarse la ilusión de un estado de inclusión nunca antes logrado. (Luhmann, 2006, p. 499)

La separación que en la sociología tradicional se hacía entre sujeto/objeto o, entre parte/todo, resulta, a partir de la dinámica propia de las sociedades funcionalmente diferenciadas, insuficiente para su explicación.

Con estas consideraciones es necesario que volvamos, pues, a lo ya mencionado en párrafos anteriores: la sociedad moderna, también conocida como sociedad mundial, es una sociedad funcionalmente diferenciada, por lo que, necesariamente, excluye al individuo del entendimiento de lo social.

Que se entienda al individuo como entorno de lo social no quiere decir que nada suyo haga parte de lo social. Mejor, cabría aquí preguntarse: ¿Qué de la conciencia del individuo puede hacer parte del sistema social? Esta pregunta podría reformularse así: ¿qué puede comunicar socialmente la conciencia? La respuesta viene dada por el concepto de persona. Esto es, en el fenómeno social, los actos propios del sistema psíquico se personalizan en atención a un rol. Por ello es que, para la teoría de sistemas, la persona es diferente al individuo. La persona, diferente al último, sí hace parte de la sociedad. Solo la persona puede emitir actos de sentido social.

En el funcionalismo luhmanniano las personas actúan socialmente dependiendo de cómo lo hacen las demás. Aunque en este punto el pensamiento de Luhmann coincide con el de Hegel, la diferencia, no obstante, radica en que para Luhmann las interdependencias sociales inundan el futuro con más incertidumbres. Así, la personalización es, de esta manera, un proceso histórico que busca hacer plausibles y predecibles las comunicaciones (Arrieta-Burgos y Duque-Pedroza, 2018)[18].

De acuerdo con Luhmann (2006), en la Modernidad los individuos emergen como personas, es decir, "pueden simbolizar el carácter desconocido del futuro.

---

[18]   En el escrito que se cita se planteó, por parte del mismo autor del actual, la idea de la deshumanización como característica propia del funcionalismo. Aquí se sintetiza el problema solo al tratarse como un marco de entendimiento para lo que sigue.

Puede conocerse a las personas, aunque sin saber cómo actuarán" (p. 807). La cuestión sobre el humanismo atraviesa la discusión entre Modernidad y Posmodernidad[19]. Sin sujeto, surge la pregunta de si es posible hablar de Modernidad, o si conviene migrar hacia una categoría distinta (Luhmann, 2006, p. 815). En este sentido, las personas actúan socialmente de acuerdo a cómo lo hacen las demás. La personalización es, de esta manera, un proceso histórico que busca hacer plausibles y predecibles las comunicaciones. Así, la persona es una "forma" que no responde tanto a las necesidades psíquicas de la conciencia, sino, más bien, a las expectativas de los sistemas sociales (Luhmann, 1998b, p. 239)[20].

Para efectos de entender lo dicho, esto es, en qué consiste y cómo se crea la condición de persona, exponer el fenómeno de los acoplamientos estructurales entre sistemas. Esto, pues, como ya expusimos, la persona es el resultado de un particular acoplamiento entre la sociedad y el sistema psíquico.

Acoplar, en términos generales, es adecuar. Hemos visto que los sistemas son independientes entre sí. Ya dijimos cómo operan los límites del sistema para diferenciarse del entorno. Esto requiere un detallado análisis: el entorno requiere del sistema y el sistema requiere del entorno. No hay teoría de sistemas posible en otro escenario. El entorno siempre será más complejo que el sistema, en términos de producirse en él más y distintas operaciones que las que se producen en el sistema mismo. Esto es así pues el sistema es autopoiético a sí mismo y no frente

---

[19]   Es necesario anotar que Luhmann es reacio a aceptar un concepto de posmodernidad que se oponga, por completo, a partir de nuevas características, al concepto de sociedad moderna: "El que se hable de "posmodernidad" tal vez haya surgido del hecho de que se subestimó la dinámica de la sociedad moderna y que sus descripciones resultaron demasiado estáticas. Esto es válido para la prominencia del sujeto cartesiano, para la idea de los derechos humanos e incluso para el supuesto de Habermas de que la modernidad es un proyecto inacabado. Cuando las señales de la modernidad se fijan de esta manera es obvio que se reaccione con una teoría de la posmodernidad. Fácticamente, sin embargo, las cesuras que con ello se postulan no pueden reconocerse y, por eso, el camino más correcto sería dinamizar la comprensión de la sociedad moderna junto con su autodescripción (Luhmann, 2006, p. 906). Desde otro punto de vista, la significación que para el derecho penal supuso el cambio de la modernidad (entendida esta en su versión clásica: como la cúspide en la concepción del sujeto racional) a la posmodernidad, puede encontrarse, de forma muy detallada, en el texto de Portilla-Contreras (2007).

[20]   Como expresaron Arrieta-Burgos y Duque-Pedroza (2018), para Luhmann, el problema teórico más relevante no consiste tanto en determinar qué es la forma-persona, sino, más bien, en "aclarar en qué específico sentido una persona puede ser no-persona, sin que por ello deje de ser hombre, individuo" (Luhmann, 1998b, p. 237). Podría pensarse que esta distinción entre persona y no-persona es inmoral. Contrario a ello, responde Luhmann (1998b): "Una ética que no distinga entre sistema psíquico y persona, porque los aúna en el concepto de sujeto, tiene que ignorar tales matices o devaluarlos éticamente como dobleces" (p. 240).

su entorno. La autopoiesis y, por ende, la comunicación, reduce la complejidad del sistema (las posibilidades o contingencias en el sistema serán menores que las que existen en el entorno); sin embargo, es perfectamente posible y, además, necesario, que el sistema requiera del entorno una irrigación, un input, una dosis de energía con la pueda operar o, lo que es lo mismo, funcionalizar.

Por ejemplo, si el sistema jurídico penal se irriga a partir de una decisión del sistema político, se afirma que el sistema jurídico se acopló con el político, esto es, se afirma que se creó un acto de política criminal. Por su parte, para poner otro ejemplo, el sistema político se puede acoplar con el sistema económico mediante una política tributaria, entre otras formas.

Para describir lo anterior, se pregunta Luhmann: ¿cómo se comportan los distintos sistemas entre sí, cuando se trata de que cada uno proteja su modo de operación, su autonomía, su especificación funcional? Su respuesta explica, con bastante claridad, aquello que venimos de enunciar: dado que ningún sistema de funciones puede operar dentro de otro, sino que cada uno puede reproducir solo sus operaciones con la propia condición de clausura, los acoplamientos estructurales entre los sistemas solo pueden funcionar si se respetan sus respectivas autopoiesis. Cada sistema puede ser irritado por otro, pero no determinado; cada sistema tiene que producir su propia información con el fin de aprehender y procesar tales irritaciones (Luhmann, 1998f).

Los acoplamientos[21] se producen, precisamente, por el sentido atribuido, —expresión que se expondrá, con detalle, con posterioridad—, a una particular operación para un sistema. El sentido que se le asigne a un acto, por ello, será funcional al sistema, esto es, lo reproducirá. Por eso mismo, expresa Luhmann, los sistemas que operan con sentido quedan atados al *medium*[22]

---

[21] Torres-Nafarrate (1996), en relación con los acoplamientos estructurales, formula el siguiente ejemplo: "El acoplamiento que el cerebro lleva a cabo con el medio ambiente lo realiza a través de los sentidos de la vista y del oído, los que, a su vez, tienen posibilidades muy reducidas de contacto con el entorno (gama estrecha de colores para la vista; cota de decibeles, para el oído). Gracias a esta especificación, el sistema no está sobrecargado por el exterior, y puede procesar efectos que llevan al surgimiento de estructuras complejas en el cerebro. Por tanto, a un espectro reducido hacia afuera corresponde una enorme capacidad de creación de estructura hacia adentro: alto aforo de valoración, a partir de la selección de la propia irritabilidad de la que el sistema dispone. El mecanismo del cerebro acontece en un acuerdo total con la clausura de operación, lo que significa que el sistema mismo no pueda ponerse en contacto con el medio ambiente, por lo que debe recurrir a procesos foto químicos y de ondas acústicas, para producir información mediante disposiciones propias que no pueden ser importadas desde el entorno" (p. 100).

[22] El concepto de *médium* solo se entiende en su diferencia con el concepto de forma. Cuando Luhmann analiza la comunicación y, por ende, la autopoiesis, se pregunta cómo esta es posible si es evidente que a un acto de comunicación (entendimiento y sentido) podría

del sentido. Solo el sentido les confiere realidad en la forma de actualización secuencial de su propio operar. No pueden entender los sistemas que existen sin sentido ni pueden simularlos. Están destinados al sentido como su forma específica de reducir complejidad (Luhmann, 2006).

Si se mira más atrás, de una forma histórica y descriptiva, en la búsqueda de la comprensión de sociedad moderna como sociedad funcionalmente diferenciada, a continuación se explicarán los distintos tipos de sociedad, a partir de los cuales y en línea con sus diferencias, surgió este concepto central en la obra de Luhmann. Para entender que la sociedad se conciba como un sistema funcionalmente diferenciado es necesario comprender las anteriores formas de organización societaria en el modelo teórico propuesto por Luhmann.

1.3.1. Premisas conceptuales

De lo dicho podemos explicar, por lo menos, dos premisas fundamentales en Luhmann: (i). la sociedad se entiende como una sociedad mundial y (ii). la sociedad mundial es una sociedad funcionalmente diferenciada. Veamos cómo se manifiestan y qué consecuencias trae cada una de estas afirmaciones.

En primer lugar, la precisión de que la sociedad es un sistema social omniabarcador trae como consecuencia que para cada comunicación con capacidad de enlace haya solo un sistema único de sociedad. En el plano meramente fáctico pueden existir diversos sistemas de sociedad, o diversos números de territorios, de Estados o de parcelas espacialmente diferenciadas. Pero si estos espacios existieran como verdaderas sociedades, todas estarían sin relación comunicativa o bien, en la perspectiva de cada una de ellas, una comunicación con las otras sociedades

---

seguirle un acto improbable, es decir, no esperado. Esto, a su juicio, haría que la comunicación no comunique. Esto es así porque existirán "medios" que pueden generar contingencias dentro del sistema. Las palabras, en el lenguaje, por ejemplo, serán unos de ellos. Para solucionar este problema y evidenciar que la comunicación comunique, Luhmann utiliza el concepto de forma. La forma acopla el medio con el sistema donde se incorpora y hacer que la comunicación comunique. Según Luhmann, la diferencia entre médium y forma es la respuesta al problema de la improbabilidad de la comunicación. A su juicio "La distinción sustrato medial/forma descompone el problema general de la complejidad estructural con ayuda de una distinción ulterior: elementos acoplados de manera floja/ elementos acoplados de manera firme. Las palabras, acopladas de manera floja, se recogen en oraciones y adquieren de esa manera una forma temporal en la comunicación que, en lugar de disminuir el material de las palabras, más bien, lo reproduce. La distinción medium/forma traduce la improbabilidad de continuación operativa del sistema en una *diferencia que puede ser tratada en el sistema* —y con eso se transforma en marco de posibilidad de la autopoiesis del sistema" (Luhmann, 2006, p. 151).

sería imposible o no tendría consecuencias (Luhmann, 2006). La sociedad, así concebida, como sistema mundial, hace que en ella pueda existir comunicación. Si hay diversas sociedades ello implica, necesariamente, afirmar que hay varios sistemas y, por ende, no podría un sistema comunicarse con otro, pues, ese otro, tendría una operación distinta a la comunicación. En tal virtud, Lewkow (2017b) precisa con razón que: "La 'sociedad-mundo' es aquella sociedad de alcance global, donde la ciencia, la economía, la educación, el arte, las relaciones íntimas y la religión, carecen de cualquier particularidad regional y/o nacional" (p. 203).

Luhmann formula el término sociedad global para evitar los problemas epistémicos que conllevaría demarcar límites sociales donde no existen. De hacerse, la sociedad no podría conocerse ni explicarse. Por no existir, en este último caso, un sistema social determinado, sino varios sistemas, tampoco los efectos de los acoplamientos estructurales se alcanzarían: solo la debida diferencia justifica las relaciones intra y extrasistémicas.

Para poner solo un ejemplo, la relación entre sociedad y Estado no ubica al último por encima de la primera, ni hace que existan diversas sociedades en atención a diversos Estados. Si el Estado hace parte del sistema político, ergo, el Estado no está por encima de la sociedad, en tanto esta comprende, también el Estado.

La sociedad mundial no es un orden estático y jerárquico, ni una comunidad de naciones que simbolizan el todo, sino la emergencia de un orden social basado en la interconexión, interdependencia y aumento de la intensidad y del rango de la comunicación social mundial. Dicho horizonte recursivo de comunicaciones ya no es asociable a una región particular ni a un contexto específico, ni, tampoco, es conceptualizable como una parcelación regional de comunicaciones en tanto la constitución de la sociedad global intensifica hasta un punto irreversible la interdependencia de las comunicaciones sociales (Chávez y Mujica, 2014).

En segundo lugar, como premisa del modelo teórico, tenemos que la sociedad mundial es un sistema funcionalmente diferenciado (Luhmann, 2006). Hablar de modernidad es hablar de órdenes sociales de comunicación plenamente separados: que el sistema de la política se atrae cada vez más por la política; que el derecho, cada vez más por el derecho; que el arte, por el arte; que la ciencia, por la ciencia, etc., como bien afirma Torres-Nafarrate (2012).

De acuerdo con Gallego (2015) y en línea con lo expuesto para la sociedad mundial, la diferenciación de la sociedad propuesta por Luhmann es un medio de observar la sociedad más allá de la estratificación y fragmentación social que surgió para fundamentar el Estado-nación desde el siglo XV. Por eso mismo, la idea de Luhmann de la sociedad actual (moderna) está basada en una diferenciación de tipo funcional como sustento para la comprensión de la sociedad como un sistema autopoiético. La sociedad moderna está formada por niveles de sistemas internos ¾subsistemas¾ y por relaciones con otros sistemas ¾sistema/entorno¾ de inclusión/ exclusión (Gallego, 2015).

Pueden diferenciarse, en las explicaciones del funcionalismo sistémico, los siguientes tipos de sociedades: (i). sociedades segmentarias (ii). sociedades centro-periferia (iii) sociedades estratificadas y (iv). sociedades funcionalmente diferenciadas. Esta clasificación se compadece con la evolución propia de todo organismo, en lo que, naturalmente, se producen límites o diferenciaciones en atención a lo que las caracteriza. Esta evolución, así vista, solo es una forma de plantear diferenciaciones e igualdades.

Expresa Luhmann, en su obra cumbre, *La sociedad de la sociedad* (2006), sobre el primer tipo societario:

> Sociedades diferenciadas segmentariamente: La diferenciación segmentaria se caracteriza por la igualdad de los sistemas parciales de la sociedad —sistemas que se distinguen o a partir de la descendencia o a partir de las comunidades habitacionales, o combinando ambos criterios. La diferenciación segmentaria surge por el hecho de que la sociedad se articula en sistemas parciales —en principio igualitarios— que forman recíprocamente entornos unos de otros. Esto presupone, de alguna manera, la constitución de familias. La familia constituye una unidad artificial por encima de las diferencias naturales de edad y sexo —incorporando precisamente dichas diferencias. (Luhmann, 2006, p. 503)

Este tipo de sociedad, como es apenas natural, se compone de seres humanos y no de comunicaciones. La familia es el eje central de la diferenciación que se hace dentro de la sociedad. Esos grupos diferenciables lo son en atención a los rasgos propios que les otorga el parentesco y la ubicación geográficamente delimitada. Así las cosas, las sociedades, también, se delimitarían geográficamente. Los límites mencionados (por territorios), las diferencias basadas en aspectos propios del aspecto humano (el parentesco) y el común agrupador de la sociedad (el ser humano), hacen, de conformidad con lo ya visto, inviable la existencia y funcionamiento de la teoría de sistemas en estos tipos de sociedades.

El segundo tipo societario, según Luhmann, es el de las sociedades que se edifican en torno a la distinción entre centro y periferia.

> Se admite un caso de desigualdad que transpone —al mismo tiempo— el principio de la segmentación y, por tanto, prevé una pluralidad de segmentos (casas familiares) en ambos lados de la nueva forma.... La diferenciación centro/periferia resulta de la diferenciación de los centros. En el centro —por decirlo así— está como en su casa. El centro con sus propios logros y diferenciaciones depende en mayor medida de esta forma que la periferia. La periferia mantiene la diferenciación segmentaria de las economías domésticas y por eso puede sobrevivir sin centro. En la periferia —dependiendo de la intensidad de los contactos— pueden darse diferenciaciones sucesivas. (Luhmann, 2006, p. 526)

Esta diferenciación, como se vio, parte de los presupuestos ya expuestos por Luhmann en las sociedades segmentarias. Los límites sociales se conciben a partir del concepto de familia, por lo que, naturalmente, será también el ser humano el común denominador de la sociedad. El rasgo adicional de esta diferenciación, que hace que se entienda solo como un alcance de la anterior, se da por los conceptos de centro y periferia. Estos conceptos encuentran su mejor explicación a partir de aquello que está en el centro y no en la periferia. La periferia, así concebida, se entenderá como el estadio que existe por fuera del centro y abarcará los segmentos familiares excluidos. Este particular énfasis teórico de Luhmann se entiende como un paso al siguiente modelo de diferenciación en el que aquello que se explica aquí como centro, pasará luego a explicarse conforme con el criterio de estrato superior en atención, ya no de la familia y el parentesco, sino de la riqueza, clase o posición social[23].

Por su parte, la diferenciación estratificada se caracteriza por la desigualdad de rango de los sistemas parciales; sin embargo, por estrato superior (o sea, diferenciación estratificada) se entiende un orden de familias, no de individuos, es decir, una preponderancia social de la ascendencia y el parentesco. Se alude a la estratificación solamente cuando la sociedad se representa como orden de rangos. Como el estrato superior ya no reconoce relaciones de parentesco con miembros del estrato inferior —o las aprecia como anomalías vergonzosas—, la sociedad ya no puede describirse como un sistema de parentesco con un origen común. Una sociedad estratificada rompe, entonces, forzosamente con la idea de que la sociedad misma es un tejido de parentesco. La estratificación se basa en diferencias aceptadas de riqueza. Para la estratificación es necesario, además —y eso también manifiesta rango—, que el estrato superior sea relativamente pequeño y que, a pesar de ello, pueda imponerse (Luhmann, 2006).

Los estratos, en Luhmann, tienen un fundamento común con aquel funcionalismo que pregona la diferenciación a partir del trabajo, brevemente explicado aquí desde Durkheim y, por supuesto, del modelo marxista, del que recoge, como es apenas obvio, su concepción de clases sociales. Estos modelos son el inicio del entendimiento de lo social por fuera de lo humano, pues, ya no es tanto la familia y el individuo los criterios diferenciadores, sino que, mejor, lo será el estatus. Desde aquí puede afirmarse que se va objetivando al individuo en el fenómeno social.

---

[23] A partir del concepto de centro/periferia y de sociedades segmentadas se podrá concluir luego, con base en los análisis empíricos que se evidencian en el capítulo tercero de este libro, así como en los análisis de tipo cualitativo que se relacionan en el cuarto, que en este proceso de evolución Colombia es aún, por sus particulares realidades, un tipo de sociedad segmentada (en proceso de diferenciación funcional).

El estatus otorgará un rol y este, a su vez, delimitará un estrato que comunicará socialmente, generalmente, en términos de poder, riqueza o cultura. Ahora, bien, el estatus, por sí solo, es insuficiente en Luhmann para explicar la diferenciación propia de la modernidad: la diferenciación funcional. Por ello, el salto a la modernidad solo se entiende a través del mencionado modelo verdaderamente social.

De la lectura no puede deducirse, erradamente, que Luhmann niegue la existecia de clases sociales dentro de la sociedad. Por supuesto que se trata de una realidad que no se desconoce desde el funcionalismo sistémico y que aún opera en la modernidad. Lo que sí ocurre es que en la modernidad se conquista una idea expresada en términos simples: nadie nace con un status.

Finalmente, en la observación realizada por el sociólogo alemán que, desde luego, no será la última forma histórica que asuma lo social, tenemos las sociedades funcionalmente diferenciadas. Esta diferenciación, según Luhmann, es caracterizada tanto por la desigualdad como por la igualdad de los sistemas parciales. En sus palabras, los sistemas de funciones son iguales en su desigualdad. De aquí su renuncia a asumir cualquier prioridad de la sociedad total en sus relaciones recíprocas. Aquí ni existe una desigualdad única (como en el caso centro/periferia), ni una forma de la sociedad total para relacionar transitivamente todas las desigualdades. Cuando la sociedad pasa de la estratificación a la diferenciación funcional debe renunciar a los correlatos demográficos de su patrón interno de diferenciación. Ya no puede distribuir a los seres humanos, que contribuyen a la comunicación, en sus sistemas parciales —tal como había sido posible en el esquema de la estratificación o de las diferenciaciones centro/periferia¾. No es posible poner a los seres humanos de modo que cada uno de ellos pertenezca a un solo sistema, es decir, que participe del derecho, pero no de la economía, de la política ni del sistema educativo. Esto trae finalmente como consecuencia que ya no se puede afirmar que la sociedad consista en seres humanos porque ya no se pueden ubicar en ningún sistema parcial ni en ninguna otra parte de la sociedad. Como consecuencia resulta que los seres humanos deben conceptuarse como entorno del sistema de la sociedad. La diferenciación funcional se basa en una clausura operativa de los sistemas-función incluida la autorreferencia (Luhmann, 2006, p. 588).

Es posible concluir que los tipos de sociedades no se corresponden, necesariamente, con un modelo lineal histórico. Esto es, en una misma sociedad pueden existir, de forma más o menos latente y fuerte, los distintos tipos sociales. Por tanto, una de las conclusiones de este escrito tendrá que ver con categorizar a Colombia dentro de alguna de las posibles manifestaciones sociales, incluida la diferenciación funcional.

Lo dicho puede entenderse si, primero, se desvincula al individuo del entendimiento de lo social. No hay individuos, solo habrá subsistemas sociales que cumplen funciones que reproducen el sistema social en tanto comunican para él. Por ejemplo, el subsistema jurídico tiene una función, de la misma forma que el económico y el político. Por eso todos son subsistemas parciales del sistema social abarcador: la sociedad funcionalmente diferenciada. En segundo lugar, si se comprende que entre cada uno de estos sistemas ninguno puede asumir la función del otro, y de allí sus límites y diferencias. Aun así, todos comunican autopoiéticamente a la sociedad y por ello están dentro de ella. Es decir, hay desigualdad de los sistemas de función (la política no hace lo que el derecho y el derecho no hace lo que la economía), pero, asimismo, hay igualdad en la función global abarcadora de lo social: la autopoiesis. Como veremos en detalle cuando hagamos el análisis del subsistema jurídico en Luhmann, las diferencias se concretan en las formas que cada subsistema utiliza para comunicar al sistema social lo propio de su función parcial.

Así las cosas, y retomando el concepto de persona del que partíamos, la sociedad y el sistema psíquico se acoplan mediante las comunicaciones de sentido que emanan de la personalidad. Esto es, y a manera de conclusión, que cuando la conciencia opera conforme a las expectativas socialmente surgidas, en atención al sentido a ella esperado, afirmamos que se obra como persona.

Es por eso que el concepto de persona, en Luhmann, al igual que ocurre con los demás conceptos de su teoría, solo se entiende como un fenómeno desprovisto de consideraciones ontológicas, es decir, no hay en este concepto ningún sustrato previo de la realidad que califique a alguien como una persona[24]. Es totalmente producto de una valoración o, como se diría por el derecho penal, por un acto de imputación o atribución. De acuerdo con Solano (2018), en estos casos, al derecho no le interesa el ser humano de carne y hueso, sino el personaje que, según las normas, él ha de representar; el ser humano, en su compleja individualidad, es inasible para las formas jurídicas; el derecho lo des-individualiza, lo transforma en personaje para posibilitar la existencia en coexistencia (Solano, 2018).

Podemos afirmar que una de las claras relaciones existentes entre las obras de Luhmann y Hegel se da en su entendimiento de la persona. Según Luhmann (2006): "la manera como las personas actúen dependerá de cómo otras personas lo hagan" (p. 807). Este punto se compadece plenamente con la formulación hegeliana "sé persona y compórtate como persona" (Hegel, 2000, p. 119)[25]. La per-

---

[24]   En igual sentido, Hans Kelsen (1995b).

[25]   Con mucha razón, Moya ha caracterizado el sistema jurídico en el sistema hegeliano, a partir de la posición del agente; sin consideración a esencias previas que determinen su posición. Por ello, nadie discute la relación entre el idealismo hegeliano y la teoría de sistemas luhmanniana. En el concepto de persona, en el concepto de libertad o, en síntesis, en lo relacionado con su concepción social, Luhmann, como muchos de los más reconocidos

sona se sabe social en tanto actúa conforme a derechos y deberes; sin embargo, en Luhmann (2006); no en Hegel (2000), "las interdependencias sociales multiplican entonces la incertidumbre" (p. 807). Esto es apenas lógico si se entiende que una de las paradojas de la teoría de los sistemas sociales radica en entender cómo la reducción de la complejidad produce, a su vez, más complejidad. Es lo propio de toda operación autopoiética.

Desde este último punto de vista, tanto el pensamiento de Luhmann como el de cualquier otro modelo de pensamiento contemporáneo, se nutre, en alguna parte, de Hegel. En Luhmann puede encontrarse la referencia directa o indirecta a Hegel, bien para apoyar o, quizás con más frecuencia, para encontrarle alguna particular diferencia con su pensamiento.

No sería ajeno, eso sí, el positivismo también acogido por Hegel de aquel mismo que reclama Luhmann para el entendimiento de la sociedad. Lo social, por tanto, en ambos, no vendrá determinado por esencias o estructuras ontológicas previas. Con bastante claridad introductoria a la obra hegeliana, expresa Siep (2003) que:

> La filosofía de Hegel parte del pensamiento básico de que la realidad es espiritual, que ella es constituida por un sistema holístico de conceptos que se autodiferencian y autorreflejan. Esto se muestra particularmente en la filosofía de lo social, cuyo objeto son las pretensiones e interacciones de los individuos, pero también los procesos sociales, las leyes jurídicas y las instituciones estatales. Hegel resume todo esto, como es sabido, bajo el concepto de espíritu objetivo. Objetivo se llama aquí, por una parte, a que la realidad social y las normas sociales no son reducibles a las acciones, intenciones e intereses de los individuos y, por otra parte, a que las leyes y normas de la sociedad y el Estado no son meras convenciones, sino determinaciones necesarias de razón, que por cierto se han desarrollado históricamente. (Siep, 2003, p. 263)

Ni en Luhmann el concepto de sociedad ni en Hegel el concepto de espíritu se conforma por una sumatoria de intereses individuales de los sujetos que actúan de forma consciente. A partir de este hecho, compartimos, con Casanova (2016),

---

teóricos alemanes, bebe de Hegel. En este sentido, *in extenso,* expresa Moya (2010b): "La importancia que Kant otorgó a la justicia en tanto principio parece convertirse en Hegel hacia la vigencia de un valor. Aquél en presente, este en futuro, evidencia una más clara comunión del derecho con su fuente suprahumana, en tanto para Hegel el derecho no puede ser otra cosa que un empoderamiento del hombre sobre su naturaleza, una vuelta a sí, una necesidad que surge del hecho mismo de ser no solo criatura consciente, sino ante todo ser social, mientras que, en Kant, en tanto imperativo categórico, trasciende la naturaleza humana. Como se sabe, al operar sus análisis de los fenómenos sociales Hegel distinguió el concepto de la representación (*Vorstellung)*, ubicando ciertamente en aquel la esencia, pero denotando que el sentido que adquiere para las personas hace parte integral de ellos, al tiempo que resulta o debe resultar diferenciable" (p. 64).

que el argumento de Luhmann para el inicio del pensamiento sociológico es similar al de Hegel para la filosofía. En ambos casos se alude a la discordancia entre la realidad —en este caso, de la sociedad— y el pensamiento. Ya no es posible pensar en una sociedad centrada en la moral o esencia, en una élite social o en un criterio racional universal debido a que en la sociedad misma ya no existe un centro. Para Luhmann, la sociedad moderna se caracteriza por la autonomización funcional y la clausura operativa de sus sistemas. Por haberse transformado la sociedad, el pensamiento ya no concuerda con esta, por lo que se hace necesaria, entre otras, la teoría social de sistemas. En parte es el mismo reclamo de Hegel hacia la filosofía que separaba lo finito de lo infinito, lo subjetivo de lo objetivo, lo material de lo ideal. Por ello, tanto en Hegel como en Luhmann, es menester reflexionar desde dentro (Casanova, 2016).

A partir de lo mencionado, expresamente vincula Luhmann su particular teoría de la evolución con el idealismo dialéctico hegeliano; sin embargo, esta filiación no es analizada completamente, dejándolo para una investigación ulterior que nunca se realizaría (Luhmann, 2006). El vínculo, no obstante, podría situarse en la concepción evolutiva que Luhmann hace de la sociedad:

> (...) la sociedad es el resultado de la evolución. La improbabilidad de supervivencia de individuos aislados (y aun de familias aisladas) se transforma en la (menor) improbabilidad de su coordinación estructural, y con ello empieza la evolución sociocultural. La teoría de la evolución remite el problema al tiempo e intenta explicar cómo es posible que algunas estructuras cargadas cada vez más de presupuestos —es decir, cada vez más improbables— surjan y luego funcionen como normales. (Luhmann, 2006, p. 325)

A modo de cierre del análisis de estas relaciones, consideramos que son innegables los vínculos entre la sociología de Luhmann y la filosofía de Hegel; así como también son notables las diferencias. Para nuestra investigación, es necesario reconocer la herencia hegeliana en Luhmann como un modelo epistemológico que da firmeza a su particular forma de observar la sociedad.

Hasta aquí hemos visto cómo y por qué, en Luhmann, el entendimiento de la sociedad como sistema social abarcador hace que (i) el individuo y el sistema psíquico no hagan parte del sistema social y que (ii) la sociedad se entienda como una sociedad mundial, funcionalmente diferenciada y no territorialmente delimitada. Esta exposición nos ha llevado al plano de la comunicación, pues la sociedad no es más que comunicaciones. En este punto y con la finalidad de entender qué es y qué hace la comunicación en la sociedad, explicaremos, con un poco de detalle, este concepto.

1.3.2. La comunicación

Ya hemos dicho que la sociedad se define como comunicación. Asimismo, hemos afirmado ya que solo la comunicación comunica. Es la comunicación, desde la teoría de sistemas luhmanniana, la que marca los límites de los sistemas sociales con su entorno. Pero, y ¿qué es comunicar? El lector solo podrá entender el sentido del término en Luhmann si lo desprovee de entendimientos que, quizás, tiene apriorísticamente.

Comencemos por decir que, además de Luhmann, también Habermas, otro destacado alumno de Parsons, ha utilizado el concepto de comunicación como medular en su teoría. Sin embargo, cada uno da un sentido diferente al término. Desde este punto de vista, es conocida la disputa teórica que, entre los mencionados discípulos parsonianos, se gestó entre finales de 1960 y comienzos de 1970. Luhmann y Habermas centraron su atención en establecer por qué y cómo es posible el orden social a partir de la comunicación[26]. Para Luhmann, como ya se expresó, dicha posibilidad surge por la comunicación, que se vincula al entendimiento de la complejidad del sistema social, la diferenciación funcional de la moderna sociedad global y la distinción entre sistema y entorno. Para Habermas, dicha posibilidad surge por el lenguaje, esto es, la comunicación lingüística.

De acuerdo con García-Amado (1997; 1998), para Habermas, cada sujeto, al hacer uso del lenguaje, ya no puede pensar solo en sí mismo. Quien actúa en sociedad no puede sustraerse de los presupuestos de dicha comunicación, por lo que, cuando existe lenguaje, existe sociedad. La diferencia general entre Luhmann y Habermas, como puede observarse de lo expresado, se vislumbra en la necesidad que le asiste a la acción comunicativa del sujeto social en el planteamiento de Habermas[27], la cual, por supuesto, por utilizar al sujeto como punto de referencia de lo social, a través del lenguaje, escapa del pensamiento y las premisas teóricas sistémicas de Luhmann. En el último, la comunicación siempre será un proceso social, alejado de cualquier consideración individual al sujeto que la produce[28].

---

[26]   El trasfondo de la discusión, según Cadenas (2016), fue el funcionalismo parsoniano, el cual, para Luhmann debía ser completamente reformulado y, para Habermas debía ser aceptado en su forma ortodoxa solo de manera parcial, es decir, solo al nivel de los sistemas políticos y económicos que, a fin de cuentas, eran los únicos "sistemas" —aunque con signo negativo— para la teoría crítica de Adorno que inspiraba entonces a Habermas.

[27]   Para analizar en detalle las diferencias entre los paradigmas comunicativos de Habermas y Luhmann, véase Pont (2015).

[28]   Esta idea puede encontrar sus orígenes por fuera de Luhmann. Particularmente, hace parte de la tradición del pensamiento alemán conocida como antropología negativa. Para Luhmann solo hay comunicación despersonalizando la misma, objetivándola por fuera del sujeto. Ya Heidegger había fundado sus elaboraciones también con esta premisa del

Habermas critica la teoría de la evolución que tiene sustento en la teoría de sistemas (aquella que parte de la capacidad de la sociedad para la adaptación o para la elaboración de la complejidad), en tanto que, para el discípulo de la Escuela de Frankfurt, esta descripción teórica se convierte en un juego lingüístico sin capacidad explicativa. De allí, Habermas (1976) considera "sociedad a todos los sistemas que, por medio de acciones lingüísticas coordinadas (instrumentales y sociales), se apropian de la naturaleza exterior (por medio de procesos de producción) y de la naturaleza interior (por medio de procesos de socialización)" (p. 119).

Luhmann y Habermas difieren[29], además, en relación con la necesidad o no del consenso dentro de sus construcciones teóricas. Así, Habermas vincula la comunicación con el consenso, de allí lo propio de su teoría de la acción comunicativa (Habermas J., 1999); mientras que Luhmann, por su parte, da lugar a que la comunicación produzca, bien un consenso, bien un conflicto.

Esto es, en términos simples: dos personas no pueden estar en desacuerdo si no se entienden. El conflicto, desde esta perspectiva, exigirá de un mayor entendimiento. De otra forma: el rechazo a las posibilidades comunicativas que buscan la reducción de la complejidad exigirá de un mayor entendimiento[30].

En la medida en que, como se ha visto, tanto Luhmann como Habermas, parten de la determinación de lo social por la comunicación, el asunto aquí no es solo expresar que para Luhmann la sociedad es un conjunto de comunicaciones, pues, entendemos, como lo hace Pont (2015), que la mayoría de sociólogos y las diferentes escuelas concuerdan en que la sociedad está compuesta por comunicaciones, con diferentes contenidos y sentidos, obviamente, para la expresión. Al margen de esto y reconociéndolo como punto de partida, también lo es que la nota característica de la comunicación en Luhmann es su distanciamiento, pero, a la vez relación con lo humano a través del símbolo de la persona.

Aquello que Habermas denomina la acción comunicativa, en Luhmann, haría parte, mejor, del estudio del sistema psíquico, más que del social. Como veremos, nada obsta que en los acoplamientos entre ambos sistemas se produzcan puntos

---

pensamiento, pero referida al lenguaje: para el connotado autor, el lenguaje prescinde del sujeto. Es el lenguaje el que configura el mundo (Heidegger, 1985). Ahora bien, esta idea puede ser utilizada no solo desde la comunicación en Luhmann y el lenguaje en Heidegger. Con las mismas construcciones de antropología negativa se ha dicho que, incluso, la conciencia se despersonaliza. La conciencia carecería del yo en la fenomenología de corte husserliano, como lo afirman Ramírez-Giraldo y Arrieta-Burgos (2018).

[29]   Sobre las diferencias entre los planteamientos entre Luhmann y Habermas, véase el texto de López (2012).

[30]   El derecho penal irradiado por esta corriente sociológica entiende la pena como una comunicación de rechazo al delito: se entiende que no se puede producir un nuevo aprendizaje de la defraudación de la expectativa normativa.

de irrigación. Particularmente, creemos que el sistema social se acopla con el sistema psíquico en relación con la acción a través del sentido, concepto que se explicará en las siguientes páginas[31].

Después de plantear cuál es el factor distintivo que tiene lugar en la aproximación teórica que Luhmann hace del concepto de comunicación, intentaremos explicar el sentido de la misma a partir de tres expresiones que dan cuenta de sus elementos: qué, cómo y sentido. Su significado no se compadece con el solo lenguaje, las palabras orales o escritas o los símbolos, aunque la comunicación requiera de todo esto. Recordemos que la idea central de la teoría de Luhmann es la diferencia y que toda diferencia supone una selección. De acuerdo con lo anterior, la comunicación es una múltiple diferenciación que supone tres selecciones. Podríamos decir, mejor, que la comunicación es una unidad que, en su análisis, se descompone en tres conceptos. Como la comunicación es producto del entendimiento de la sociedad y esta está desprovista de cualquier sustrato ontológico, la comunicación, por ende, es solo valoración: es, en síntesis, sentido valorado socialmente. En consecuencia, expresa Luhmann que "la comunicación es una síntesis resultante de tres selecciones: información/darla-a-conocer/entenderla. Cada uno de estos componentes es en sí mismo un acontecimiento contingente" (2006, p. 146).

Es decir, el sistema complejo prevé las varias posibilidades que pueden darse en su interior. De allí que la comunicación, a través del mecanismo del sentido, reduzca la complejidad del sistema[32]. Para Luhmann (2006), la información es una

---

[31]   Las relaciones entre las teorías de la acción y las teorías sistémicas han sido estudiadas por sociólogos contemporáneos como Stichweh, quien, además, fue alumno de Luhmann. En el sentido de la relación expresa Stichweh cómo se configuró el tránsito y auge moderno de las teorías de la comunicación propiamente sistémicas de otras teorías de la acción. En este sentido, considera: "Since the information theories of the late 1940s, 'communication theory' has become a viable and universalistic option in social theory, one that indeed conflicts with action theory. In its second part, the essay first gives a brief sketch of the conceptual career of communication theory since Shannon and Weaver. It then presents the sociological theory of Niklas Luhmann as the first major sociological theory that opts for communication as the constitutive element of society and other social systems. Causes and reasons for this theoretical decision are reconstructed, first in terms of problems internal to Niklas Luhmann's social theory (the distinction of psychic and social systems; the distinction of action and experience; formal properties of the concept of communication; the implications of autopoiesis) and secondly in terms of processes of societal change (the rise of the information society; the genesis of world society), which favour the switch towards a communication-based (instead of action-based) systems theory (Stichweh, 2000).

[32]   La contingencia presente en toda comunicación humana ya había sido puesta de presente por San Agustín, a propósito del lenguaje, en su célebre obra *De Magistro* (1990). En el caso de San Agustín, la comunicación, para ser posible, era un acto milagroso, pues exigía

diferencia que produce una diferencia. ¿Por qué precisamente una determinada información, y no otra, debe ser la que se seleccione con el fin de ser comunicada? Nuestro autor reconoce que la información siempre supone una selección. Dicha selección es producto de la complejidad del sistema, siempre contingente. Veamos cómo podemos explicar lo anterior a través de un ejemplo: si alguien se encuentra a un viejo amigo, luego de años sin saber de él, la comunicación que produzca esa interacción siempre iniciará por una selección del "qué" es lo que se quiere comunicar: ¡qué bueno verlo!; ¡he sentido mucho su ausencia!; ¡no entiendo por qué nos hemos distanciado!; son solo algunas de las posibilidades del qué que determinarán la comunicación.

La misma contingencia seguirá en la próxima selección. En la medida en que la comunicación no es solo información, se debe elegir el cómo comunicar el qué previamente elegido. Volviendo al caso del reencuentro, puede ser con las propias palabras que se expresen o, incluso, a través de un abrazo, como se relacione el qué con el cómo. Si se ve, cada selección, hasta el momento, supone un estadio previo de contingencia, que es inevitable a la comunicación misma.

El entendimiento, que nosotros preferimos llamar sentido, puede o no corresponderse entre los presentes. Es aquí cuando la comunicación deriva en una nueva comunicación, en términos autopoiéticos y reducirá la complejidad del sistema, puesto que eliminará las posibilidades que antecedían a los dos actos anteriores. Continúa Luhmann (2006): "¿por qué alguien debe centrar su atención sobre la manera en que otro da a conocer, e intentar comprenderla y orientar su comportamiento por la información dada a conocer —aun estando en libertad de desatender todo esto?" (p. 146)¾. Si volvemos a nuestro ejemplo, nos preguntaríamos: ¿por qué quien da un abrazo como muestra del reencuentro no esperará que el otro responda con un fuerte agravio por esto?

Solo la comunicación comunica porque hay un sentido del acto que viene dado socialmente, sentido que no depende, en últimas, ni del alter ni del ego. Ese sentido existe porque hay expectativas sociales. Hemos definido, por ello, el proceso de la comunicación en Luhmann como el sentido de las expectativas. El esperar vendrá siempre determinado por un sentido social que puede, a su vez, como lo veremos con posterioridad, tener o no un soporte normativo que resguarde el debido esperar.

En la introducción a una de las obras de Luhmann, *El derecho de la sociedad*, Martínez (2005) afirmó que el sentido, en últimas, es el modo en que los siste-

---

un acto de fe, pues no de otra manera se explica cómo una persona puede confiar en la veracidad de lo que otra le dice. En últimas, esto, en San Agustín, venía asegurado por la bondad de Dios.

mas sociales procesan la complejidad que tiene, para lograr tal cometido, tres dimensiones: real u objetual (referida a los objetos); temporal (relacionada con el tiempo, pasado, presente y futuro); y social (referida a la sociabilidad, a ego y alter, a la contingencia social que exige de la comunicación para la reducción de la complejidad). El sentido solo existe en el plano de los sistemas sociales. Son los mismos límites del sistema social los que, en atención a sus tres componentes, determinan el sentido. Con razón, podemos afirmar que nada social tendrá un sinsentido. Lo que puede ocurrir, sí, es que a la realización de un acto le siga determinada consecuencia, pues, en su contingencia, seleccionó un sentido diferente a aquel que esperaba el sistema de él[33].

De acuerdo con García-Amado (1997), expresamos que no será la comunicación la que constituya el sentido, sino, mejor, será el sentido el que constituya la comunicación. Solo así se entiende que el sentido demarca los límites entre el sistema y el entorno y, a su vez, entre subsistemas o, con otras palabras, que será el sentido el que logrará agrupar operaciones dentro de algunos sistemas y excluirlos de otras. Es por el sentido, criterio abarcador de la comunicación, como podemos decir que al sistema social le pertenecen operaciones del sistema psíquico o que, con más detalle, que al sistema jurídico no le pertenece una comunicación propia del sistema de la familia.

Con un ejemplo intentaremos explicar lo dicho: si un padre de familia, alegre por un logro académico de su hijo, lo abraza y lo besa como manifestación de afecto, el sentido de dicho acto no será propio (no comunicará) para el sistema jurídico, pero sí lo hará para el sistema de la familia. En ese caso, la expectativa no pasa por el sistema del derecho, como sí lo hará por las propias de la institución familiar. Como dicho acto no produce sentido o comunica para el sistema jurídico, el derecho no podría, válidamente, comunicar algo con un propio sentido para dicho acto. De hacerlo, perdería los límites que tiene con el entorno y, por ende, perdería su función. En pocas palabras: nadie espera nada del derecho con la realización del acto del padre, en tanto que esa no es su función.

El sentido, en la teoría de sistemas, adquiere una función preponderante: "el sentido colma todo lo que se experimenta como multiplicidad de remisiones a otras posibilidades" (Luhmann, 2009a, p. 119). Si lo queremos hacer más simple, diríamos que el sentido opera en el terreno actual de la experiencia, esto es, en la contingencia, pero requiere del pasado y del futuro para provocar la selección.

---

[33] Esto es, precisamente, lo que ocurre cuando se impone la pena en el subsistema jurídico penal. El delito no es más que una comunicación que otorga un sentido diferente a aquel que espera la sociedad y que se estabiliza mediante un enunciado de carácter penal. A todo esto, con más detalle, nos referiremos en el capítulo segundo de este libro.

En esta operará la comunicación: toda selección conducirá, por el sentido previo, a una reiteración o defraudación de la expectativa. Por eso es que una comunicación se logra cuando su sentido se asume como premisa de un comportamiento ulterior —de esta forma, la comunicación se prosigue con otra comunicación—.

No significa, con el ejemplo, que afirmemos que solo hay comunicación entre presentes. Entre anónimos sigue existiendo comunicación, en la medida en que el sentido existe con independencia a ellos. Para la sociedad, el sentido, como vimos, será siempre social y la sociedad existe aún sin presencia física. Si bien la comunicación en un comienzo está relacionada con sistemas de interacción entre presentes; en la medida en que la sociedad crece, disminuye la relevancia social de la presencia (Luhmann, 2006).

De la relación entre comunicación y sentido surge la autopoiesis del sistema. Piénsese, por ejemplo, en la exclusión que se hace de lo humano del sistema social. Con ello, consecuentemente, se afirma que el ser humano no comunica, por lo que debe estar por fuera del sistema social. Así, sus actos jamás podrán reproducir el sistema social. Si se evalúa ya no al ser humano sino a la persona como centro de imputación jurídica, sus actos sí constituyen verdaderas comunicaciones. Esta sutil diferencia entre ser humano y persona no es arbitraria, pues, por el contrario, es producto de una pura reflexión sistémica que surge de la observación de la sociedad sin exigir de ella más de lo que es: cuando se es titular de derechos y deberes (persona), se sabe qué esperar de sus actos. Sus actos están orientados conforme al sentido de las expectativas, esto es, sus actos comunican. A cada acto de la persona le seguirá una nueva comunicación. Por ejemplo, si alguien tiene el rol[34] de padre, policía y ciudadano, en cada uno de sus ámbitos funcionales se sabrá qué esperar de él. A la comunicación del policía le seguiría una nueva comunicación, también orientada por el sentido. A la comunicación del padre de familia, por su parte, le seguiría una comunicación que no exigiría de sí una respuesta del rol policía.

En este punto de la discusión y, en atención al sentido, es necesario detener nuestra atención en dos puntos: en primer lugar y teniendo presente que el sentido también opera en el sistema psíquico, delimitar aquello que lo hace propio en la teoría de Luhmann en relación con el mismo término que, desde el análisis de la conciencia, ha caracterizado la fenomenología de Edmund Husserl. En segundo lugar, analizar cómo opera el lenguaje en la operación de sentido, desde el lente propio de los medios de comunicación simbólicamente generalizados.

---

[34] El concepto de persona no debe confundirse, como habitualmente se cree, con el concepto de rol: "La diferencia entre el concepto de rol y el de persona es que este último individualiza, mientras los roles refieren a categorías abstractas" (Dockendorff, 2013, p. 162).

Para la relación entre Husserl y Luhmann es necesario recordar que el sentido, en Luhmann:

> (...) aparece bajo la forma de un excedente de referencias a otras posibilidades de vivencia y acción. Es decir, algo está en el foco, en el centro de la intención, y lo otro está indicado marginalmente como horizonte de la actual y sucesiva vivencia y acción. La remisión misma se actualiza como punto de vista de la realidad, pero no solo incluye lo real (lo presuntamente real), sino también lo posible (lo condicionadamente real) y lo negativo (lo irreal, lo imposible). La totalidad de remisiones que surgen del objeto proveedor de sentido pone a la mano más posibilidades de facto que las que pueden realizarse en el siguiente movimiento. (Luhmann, 1998a, p. 78)

De lo dicho por Luhmann podemos extraer que, en la conciencia y en la sociedad, el sentido supone la siguiente paradoja: es la manifestación de la complejidad de cada sistema en tanto representa la multiplicidad de formas o contingencias que existen, pero, a su vez, limita y demarca lo que, además, de ser psíquico, puede ser social, a través de los mencionados acoplamientos. De aquí parece establecerse la relación entre Husserl y Luhmann: todo sentido social previamente es un sentido producido en la conciencia, en la subjetividad, en el entorno de lo social. Solo cuando supera los límites propios del sistema psíquico y se acopla con el sistema social, a través del concepto de persona —u otros equivalentes, como los roles—, se vuelve autopoiético en el sistema social y se marcan otros límites: aquellos propios del sentido social, esto es, el sentido propio de las expectativas.

Del sentido posterior que se siga al sentido actual asignado por el ego dependerá la asignación del acto como social o no. Si se obra como persona o conforme con un rol, los límites del sentido no vendrán ya dados por la misma conciencia, ya que se incorporarán al sistema social, comunicando para él. Si no es así, el sentido de la conciencia producirá más conciencia, pero no intervendrá en el sistema social. Recordemos que los sistemas psíquicos y sociales se distinguen por la forma de operación elegida: conciencia o comunicación. Estima Luhmann que esta elección no es aplicable al acontecimiento particular en tanto conciencia y comunicación no se excluyen en el acontecimiento, más bien coinciden con frecuencia. La elección está en la puesta en marcha de las autorreferencias plenas de sentido, esto es, el sentido posterior al que habrá de referirse el sentido actual (Luhmann, 1998a).

El punto en común entre Husserl y Luhmann, a partir del sentido que puede surgir por la conciencia[35], es solo parcial. En Luhmann cualquier subjetividad

---

[35]   Constituye un excelente esbozo del motivo de la relación entre Luhmann y Husserl el expresado por Torres-Nafarrate (2018), cuando afirma: "La tarea histórica que vio Husserl fue elevar la fenomenología a la dignidad de filosofía primera. Por mucho que los

equivale a concebir al sujeto como entorno del sistema social. Si bien hay semejanzas, se repite, solo algunas en el análisis de los sistemas psíquicos, serán mayores las diferencias entre ambos autores. Luhmann utilizaba conceptos de grandes escuelas de pensamiento que lo antecedieron, pero los dotaba de un particular significado. Esto le ocurrió al sentido. De acuerdo con Torres (2018), Luhmann utiliza el concepto de horizonte de Husserl para resignificarlo como sentido. Estos términos, en ambos autores, comportaban la capacidad de organizar el mundo necesariamente contingente y complejo. Sin embargo, el sentido en Luhmann fue mucho más allá del horizonte husserliano[36]. Compartimos, con Lewkow (2012)[37] , que "Luhmann enfocó la problemática del sentido desde un punto de vista funcionalista y empírico, Husserl lo hizo porque describió las estructuras esenciales de la subjetividad trascendental" (p. 3).

De allí que, en Husserl, sentido, horizonte o intencionalidad[38] son puntos de partida mas no de llegada para la teoría de sistemas propuesta por Luhmann[39].

---

conceptos matemáticos sean psicológicos en su origen, las leyes que por ellos se expresan no son psicológicas, no dependen de la constitución psíquica del hombre. Las matemáticas presentan un contenido no empírico y no temporal. En todos estos casos se trata de una validez a-priori y absoluta que no puede provenir del pensamiento, sino de su objeto. Todo el problema está en determinar si el objeto (la esencia) tiene validez en sí o solamente para una conciencia y de aquí viene el giro de Husserl hacia lo trascendental. A todo fenómeno psíquico corresponde, pues, por la vía de la reducción fenomenológica un fenómeno puro, que exhibe su esencia inmanente (singularmente tomada) como dato absoluto. La conciencia se convierte en Husserl en el único ente absoluto a partir del cual toda realidad alcanza su sentido." (p. 14).

[36] Según Rodríguez y Torres (2008), la metáfora del horizonte le sirve a Husserl para insinuar que cada cosa refiere a otra y esa a otra, y así sucesivamente. Para Husserl no hay en esto una arbitrariedad. El mundo es determinable. Cada cosa percibida en él remite a otra que es igualmente determinable.

[37] Lewkow (2009) estima que el verdadero motivo fenomenológico de la sistémica luhmanniana no está dado por el concepto de sentido, sino por el problema de la experiencia. Para él sería necesario distinguir entre la intencionalidad con significado lato —su extensión al ámbito de los sistemas sociales a través del concepto de sentido— y la intencionalidad con significado estricto —es decir, la noción de experiencia—.

[38] Recordemos que "la fenomenología trascendental inaugurada por Husserl es una reflexión filosófica en torno a las estructuras universales del sentido y su coherencia con la experiencia concreta. La forma universal de articulación del sentido, que es al mismo tiempo la relación que define la dinámica de la vida trascendental, es "ese respectivo tener conciencia de algo": la intencionalidad. Por otra parte, el sentido no es una unidad abstracta y aislada, sino una compleja red de implicaciones intencionales en la que cada vivencia con carácter de acto, al dirigirse a un objeto, se refiere al mismo tiempo a una variedad de co-menciones implícitas que anticipan y contribuyen de forma dinámica al proceso de explicitación de lo mentado en ella. Husserl se refiere a esta dinámica intencional con diferentes expresiones que coinciden en el concepto fenomenológico de "horizonte" (Quepons, 2016, p. 87).

[39] La expresión sentido fue tomada por Luhmann de Husserl, aunque, como vimos, el primero la estudió desde la perspectiva del entendimiento (comunicación social); mientras

Es preciso continuar con el análisis de la comunicación y su relación con el lenguaje, a través de los medios de comunicación simbólicamente generalizados. Este concepto es propio de la teoría de sistemas. En Luhmann el médium fundamental de comunicación es el lenguaje. Ya vimos que la comunicación no se confunde con este. Tanto así, que sigue existiendo comunicación, aunque no exista lenguaje entre presentes o, incluso, aunque no existan presentes (Luhmann, 2006).

El lenguaje, para nosotros, sería un elemento necesario, mas no suficiente para que la comunicación se produzca. Por el lenguaje pueden reducirse las múltiples contingencias que le pueden seguir al sentido, limitando solo aquellas que, para el caso de la sociedad, se estimen como válidas. El lenguaje opera en la comunicación por medio de la memoria. Es la memoria, que subyace al lenguaje, la que logra reducir la contingencia del sentido de la expectativa.

Para explicar en qué consisten los "medios de comunicación simbólicamente generalizados" y cuál es su relación con la comunicación, Luhmann (2006) acoge, con Parsons, la expresión "simbólico", para significar que estos medios superan una diferencia y dotan a la comunicación con perspectivas de aceptación. En nuestras palabras, los medios de comunicación simbólicamente generalizados enrutan el sentido en la comunicación conforme al sistema social o, expresado en otros términos, facilitan la reducción de la complejidad. Como bien lo menciona Mascareño (2009a), estos medios estabilizan los sistemas sociales complejos pues motivan individualmente y presuponen la comunicación social generalizada.

Los símbolos propios del derecho, de la política y de la economía, por poner solo algunos ejemplos, lo que hacen es garantizar, en últimas, la debida comunicación entre sistemas a través de la materialización de las expectativas. Por ejemplo, el dinero para el sistema económico garantiza la comunicación presente y futura pues en el símbolo se sustenta, de forma generalizada, un valor representativo de cambio. En el derecho el mismo papel lo cumple la validez: la garantía de la estabilización de las expectativas, como se explicará en el capítulo siguiente, pre-

---

que el último a través de la conciencia o subjetividad. Miremos, de forma extensa, con Lewkow, como se plantea esta relación (2017a): "Luhmann señaló que el influjo de Husserl y el de Parsons fueron nodales para la elaboración de su teoría. Ahora bien, si se tiene presente el entramado de referencias teóricas bosquejado en lo que antecede, surge cierto desconcierto. Puntualizando los aspectos centrales de esas vinculaciones, se destacan elementos por demás conocidos de la obra de Luhmann: el funcionalismo (Parsons), la teoría de sistemas autopoiéticos (Maturana y Varela), la perspectiva acerca de las formas y la observación (Spencer-Brown y Von-Foerster). Todos estos conceptos no hacen más que anudar lo que convencionalmente se conoce como la teoría de sistemas sociales de Luhmann" (p. 43).

supone el medio de comunicación jurídico que, a través de su validez, establece códigos de legalidad/no legalidad.

Para llegar a este punto, es necesario determinar primero el contenido y alcance de las denominadas expectativas sociales para la teoría de sistemas.

1.3.3. Las expectativas sociales: hacia un horizonte de proyección del orden social

Hemos visto cómo, mientras más evolucionada esté la sociedad, más contingente será. Las sociedades funcionalmente diferenciadas, modernas y mundiales son sociedades que permanentemente se encuentran en contingencia. Si pensamos en comunicaciones y no en individuos, de inmediato percibimos cómo, a cada comunicación (qué/cómo/sentido), le siguen diversas formas futuras de comunicación. Una vez el alter asigna el sentido adecuado o, lo que es lo mismo, entiende la comunicación, por su parte, debe seleccionar una información, escoger un cómo comunicarla y dar un nuevo entendimiento. De allí que, como también se dijo, el sentido opere en la indeterminación de las comunicaciones futuras. Con palabras de Luhmann, diríamos que las comunicaciones son, en primer lugar, propuestas de sentido que, cuando son entendidas, pueden ser aceptadas o rechazadas. En la medida en que la comunicación sea aceptada y subyazca como sentido aceptado de la ulterior comunicación, se puede hablar de acuerdo (Luhmann, 2013d).

Imaginemos una sociedad que no opere así: supongamos que la sociedad dependiera, en su existencia, de un supuesto consenso entre todos. Todo se haría homogéneo y, por tanto, estático. Esta sociedad, inimaginable, estaría condenada a su desaparición. Solo la dinámica producto de la contingencia hace funcionalmente diferente a la sociedad y, por ende, su existencia. Por ello, si la sociedad en Luhmann parte de las comunicaciones, su existencia como sociedad dependerá de las expectativas.

Que se sepa qué esperar, no significa, necesariamente, que lo esperado se produzca. He aquí la verdadera contingencia de lo social. Con todo y, a partir de lo expuesto, las expectativas requieren de la comunicación de forma que generen el paso de la contingencia y del conflicto (aquel que jamás se podrá eludir), al orden.

Dichas expectativas solo operan en el ámbito de personas, nunca de individuos. Recordemos que la comunicación opera entre las primeras. El individuo no espera nada porque es entorno del sistema social. La persona, por el contrario, sí espera. Es titular de derechos y deberes. Al comportarse como persona, espera, fundadamente, que los demás se comporten como personas. Por ello, expresa Luhmann:

> Una de las razones tal vez más importantes —rara vez enfatizada— del favoritismo moderno por el individuo, es que los individuos pueden imaginarse como personas y, en esta forma, pueden simbolizar el carácter de desconocido del futuro. Puede conocerse a las personas, aunque sin saber cómo actuarán. Esta integración peculiar de pasado y futuro se institucionaliza en la forma semántica de individuo/persona y en la concesión social de libertad —lo cual, como se ve fácilmente, sucede a costa de la seguridad social. (Luhmann, 2006, p. 807)

Pensemos en nuestro caso: nuestra vida ordinaria se mueve en dos escenarios. En primer lugar, el de las interacciones entre personas. En este escenario predominan las relaciones entre presentes. Nuestro escenario familiar y laboral son muestra de ello; sin embargo, la vida no pasa solo por ese escenario. Es más, en comparación con el otro, el que acabamos de mencionar constituye apenas una pequeña muestra, ínfima, del total de nuestras relaciones. Así concebido, el otro escenario, también social, parte del anonimato. Nuestras relaciones con el Estado, en muchos casos, pasan sin interacción personal alguna. En ambos casos, en la presencia del otro y en su ausencia, la sociedad opera por las expectativas de comportamiento.

Las expectativas, a nuestro juicio, delimitan el horizonte de proyección de la comunicación. Al entendimiento de la primera comunicación ya no le seguirá cualquier selección arbitraria de información; sino una propia de dicho entendimiento. Por ello es que la comunicación produce más comunicación porque solo si se entiende podrá comunicarse. Veamos, con un ejemplo de lo ordinario, cómo es esto: si el Estado comunica una orden vinculante a una persona, pues verificó que en su calidad de ciudadano incumplió una obligación tributaria, en el ciudadano la selección de información para su posterior comunicación se limitará. Ya no podría escoger cualquier tema para contestar, sino solo uno propio para el acto estatal debido. La sociedad, entonces, se manifiesta en la incertidumbre y en esta se concretan las expectativas. A juicio de Luhmann, en el sistema social solo se controlan las incertidumbres con respecto a la propia conducta de los participantes. Solo así se genera la reproducción autopoiética, la acción por la acción. La absorción de la incertidumbre se da mediante la estabilización de las expectativas, no a través de la estabilización de la misma conducta, lo que presupone, ciertamente, que la conducta no se escoge sin ser orientada por las expectativas (Luhmann, 1998d).

La inseguridad del futuro, propia de la contingencia social, se reduce por las expectativas que rodean toda comunicación. El comportamiento futuro solo se proyecta en el marco de las expectativas previas que se tienen. Afirma Luhmann (1998e) que la estructura de los sistemas sociales se puede definir como expectativas de comportamiento generalizadas. Estas expectativas se forman mediante la selección intermedia de un repertorio más estrecho de formas de actuación respecto de una mejor y más rápida orientación.

¿Y qué tiene que ver el sentido con lo hasta aquí dicho? Si el sentido opera en la comunicación y la comunicación en las expectativas, podemos decir que el sentido, a su vez, debe afectarse por las mismas. Así, quien actúa como persona, limita su sentido solo hasta lo viable de conformidad con las expectativas ajenas. Con mucha razón, expresa Luhmann que: "los excedentes de sentido, en general, deben utilizarse de manera selectiva; este «deber» es un «poder» en el sentido de selección de expectativas que trascienden las discontinuidades y que, en este sentido, pueden verificarse como generalizaciones" (1998a, p. 107). La coherencia, pues, en Luhmann, salta a la vista. Sentido, comunicación y expectativas median todos como criterios que hacen que el sistema sea funcional y diferente a su entorno.

Dichas expectativas sociales, que también podríamos traducir como un "debido esperar", son: cognitivas y normativas. Ambas parten del reconocimiento de la decepción, es decir, ambas reconocen la necesaria existencia de la contingencia. La diferencia, pues, está en lo que se sigue una vez verificada la decepción en su esperar. Mientras que, en las primeras, ante una decepción se sigue un nuevo aprendizaje; en las segundas no. De allí que se entienda, con Luhmann, que "las normas son expectativas contrafácticamente estabilizadas. El caso de la decepción está previsto como posibilidad (uno se sabe en un mundo complejo y contingente), pero queda explicado de antemano como irrelevante para la expectativa" (Luhmann, 2013a, p. 42).

Estima Luhmann, en esta vía, que:

> Existen dos maneras posibles (y solo dos) de reaccionar frente a las decepciones: aprender y adaptar las expectativas, o mantener las expectativas en contra del hecho. La decisión en cuanto al modo de establecer el resultado puede tomarse por adelantado y entonces atenúa la expectativa. Si se va a ajustar a la conducta contraria, la expectativa tiene un carácter cognoscitivo y se refiere a hechos futuros. Si se va a mantener en el caso de una conducta desviada, la decisión tiene un carácter normativo y se simboliza por medio del «deber». Aprender o no aprender, ese es el dilema. (Luhmann, 1998a, p. 18)

Hemos significado a ambas expectativas como debidas en la medida en que, dicho de una forma simple, no todo se puede esperar de una forma válida. Recordemos que en Luhmann la comunicación solo puede generar más comunicación. Esto es así porque cada comunicación finaliza con un entendimiento, y cada entendimiento vuelve a comenzar el proceso comunicativo. Las expectativas, vistas desde el marco de la comunicación, determinan el entendimiento y el sentido. Entonces, para el caso del orden social, solo se comunicará cuando la expectativa que subyace a la misma se entiende y se actúa conforme con ella. De allí que, como veremos luego, se hace necesario que el Derecho comunique en el caso de ciertas decepciones (aquellas que se encuentran contrafácticamente estabilizadas).

Solo así la sociedad podrá seguir siendo sociedad, en tanto que solo así se podrá seguir sabiendo qué esperar. El debido esperar, por tanto, garantiza la identidad normativa de la sociedad. Por ello es, con un criterio metodológico que busca mayor claridad por el lector, el análisis detallado de la decepción de las expectativas se hará en el capítulo correspondiente al subsistema jurídico y el derecho penal.

A modo de cierre de este acápite y, aunque la respuesta está ya insinuada, podríamos preguntarnos ¿qué relación tiene el debido esperar con la sociedad que Luhmann describe conforme con su teoría de sistemas? La respuesta vendrá dada por la función que tiene la confianza. Se trata, de una manera simple, de aquella creencia soportada en expectativas. En últimas, podríamos decir que la comunicación es exitosa porque se soporta en la estructura de la confianza, es decir, aun cuando se pueda seleccionar un qué, un cómo y un determinado sentido, la autopoiesis de la comunicación solo se dará cuando haya expectativas previas que tengan credibilidad. Esa confianza es inherente al sistema mismo. Todos confiamos y, a la vez, desconfiamos.

Realmente, las relaciones sociales no suponen que alguien crea en otro, sino, mejor, en que alguien cree en el rol que es otro. La diferenciación requiere de la confianza de cada sistema, de cada rol, de cada función. Si no se confía no hay diferenciación y sin esta no hay sociedad moderna, en términos luhmannianos. De allí que exprese Luhmann:

> Una completa ausencia de confianza le impediría al hombre, incluso, levantarse en la mañana. Sería víctima de un sentido vago de miedo y de temores paralizantes. Incluso no sería capaz de formular una desconfianza definitiva y hacer de ello un fundamento para medidas preventivas, ya que esto presupondría confianza en otras direcciones. Cada día ponemos nuestra confianza en la naturaleza del mundo y en la naturaleza humana. (Luhmann, 1996a, p. 5)

A partir de lo expuesto pasaremos, a continuación, al análisis sistémico funcional de la confianza.

1.4. EL PAPEL DE LA CONFIANZA EN LOS SISTEMAS SOCIALES FUNCIONALMENTE DIFERENCIADOS

Siguiendo a Martha Vives[40], la confianza puede ser estudiada desde diferentes disciplinas y enfoques: (i) desde el capital social se incluye como una forma de

---

[40]   En su tesis doctoral, denominada *Modelo teórico sobre la génesis y consolidación de la confianza,* presentada en la Universidad Externado de Colombia, Vives (2011) explica

capital en las relaciones sociales; (ii) como un fenómeno del lenguaje, específicamente como el acto lingüístico del "juicio"; por lo que siempre está en quién lo formula a partir de percepciones, distinciones y significados; (iii) desde la psicología, a partir de la comprensión de la confianza en las relaciones humanas: personalidad, creencia de reciprocidad, conducta de cooperación variable, situacional o variable moral, etc.; (iv) desde el punto de vista de la teoría de los sistemas sociales, a partir de su función de reducción de la complejidad social.

Para nuestro caso, hemos delimitado solo el entendimiento de la confianza desde el último de los enfoques. Partimos, pues, de la siguiente premisa: en la teoría de sistemas la confianza es condición de posibilidad de la comunicación. Desde esta perspectiva, por lo visto, es también, condición de posibilidad de una sociedad funcionalmente diferenciada y, por último, a modo de cierre, es condición de posibilidad empírica del funcionalismo penal sistémico.

Es oportuno reconocer que si bien el papel de la confianza en la sociología no es un logro atribuido únicamente a Luhmann en tanto en los estudios clásicos también se hacía referencia a la expresión para determinar esos mínimos de recíproca bilateralidad[41] que existen como condición en la sociedad, sí se le puede atribuir al pensador alemán su nítida relación con el orden social a través de las expectativas que subyacen a la comunicación.

Así expresada, esta afirmación tiene un doble contenido: por un lado, aquel propio de la teoría de sistemas, esto es, el contenido puramente teórico o especulativo y, por otro, el contenido empírico o fáctico sujeto a verificación demostrativa. En este apartado del primer capítulo solo nos ocuparemos del enfoque puramente teórico de la confianza.

Luhmann fue un teórico de lo social. No partió de cifras o datos duros para explicar su teoría, pues, por el contrario, buscó crear una teoría que explicara todo lo social y nada más que lo social. Por nuestra parte, en este libro, hemos querido poner a prueba, en los términos empíricos de la confianza en Colombia, el funcionalismo penal sistémico. Hacemos uso de la conocida expresión kantiana "condición de posibilidad" para catalogar a la confianza en relación con la comunicación y con la teoría de sistemas. En el Prefacio de la Crítica del juicio, afirma Kant: "Podemos llamar razón pura la facultad de conocer por principios a priori; y Crítica de la razón pura el *examen de la posibilidad y límites de esta*

---

no solo cada uno de los modelos de entendimiento de la confianza, sino que, además, construye un modelo comprensivo sobre la misma basada en su propia lectura, esto es, confianza como actitud de apertura hacia el otro con la expectativa de que el otro verá al primero como un legítimo otro en la convivencia con él.

[41] En este sentido, Weber (1964).

facultad en general" (Kant I., 1991, p. 185). La crítica, en Kant, supone indagar por las condiciones de posibilidad y legitimidad de un fenómeno. Podemos decir que un análisis crítico del funcionalismo sociológico sistémico nos lleva a concluir que la confianza es su condición de posibilidad.

Desde un punto de vista puramente teórico, podemos decir, aunque parezca una obviedad, que el entendimiento de lo social exige de permanentes niveles de confianza. De dicha obviedad se desprende un hecho innegable: todas las relaciones sociales se mueven en el marco de la confianza. Sin embargo, si bien ello parece ser bastante claro, no suele ser de igual forma comprendido el hecho de conocer cómo nace y cómo opera la confianza en una sociedad funcionalmente diferenciada. Para tal efecto, iniciaremos el estudio con la siguiente consideración, que, al paso, explicaremos con detalle: toda vez que la comunicación requiere de la confianza, existe una relación directamente proporcional entre confianza y diferenciación funcional: a mayor confianza, mayor diferenciación funcional y, a menor confianza, menor diferenciación funcional.

El análisis sociológico que venimos de hacer de la confianza nos exige ubicarla en el terreno del acto, más allá de lo propio generado en la conciencia del sujeto que confía. Reconocemos que el acto, como se verá, para poder ser tal y comunicar, exige de un análisis previo propio del sistema psíquico, consistente en los presupuestos que hacen que exista. Es decir, de una manera simple y, de acuerdo con lo expresado por Vanegas (2012), puede decirse que "la confianza se expresa en el mundo mediante un acto, pero este no es más que la exteriorización de la creencia de un sujeto en otro u otros sujetos o en una situación, de tal manera que la confianza surge como una creencia, pero se muestra al mundo como un acto" (p. 81).

De esta manera, la confianza es acto solo cuando comunica y la comunicación, como vimos, no hace parte de la conciencia, sino de la sociedad. Esto es así porque previamente a la comunicación existen expectativas sociales hacia las cuales se debe dirigir la conciencia. Veamos cómo:

Expresa Luhmann que:

> (...) la seguridad del comportamiento social no se funda sobre la confianza interna en una comunidad solidificada de la experiencia y la perspectiva del mundo, sino en garantías específicas de sistema que aseguran al respectivo conjunto de roles la correspondiente motivación del comportamiento. Lograr tales actitudes hacia modelos de comportamiento socialmente esperables requiere capacidad y disposición a orientarse por consideraciones indirectas: en el trato normal, contener la expresión inmediata de necesidades y sentimientos personales y planear la vida dentro de un horizonte relativamente amplio de tiempo. (2010a, p. 98)

Como ya es costumbre en Luhmann, la paradoja, en este caso, consistiría en explicar cómo, a mayor diferenciación funcional mayor confianza y a menor confianza menor diferenciación funcional. Esto es así porque la diferenciación entre sistemas y subsistemas produce, asimismo, una diferenciación entre funciones y roles. Ya no a todo le corresponde todo, por lo que, para poderse mantener la diferenciación, es necesario que exista la confianza. Con un ejemplo es fácil entender lo anterior: si en un territorio determinado no se confía en la Policía, la competencia o función que, en principio, estaría otorgada solo a la Policía, sería ejercida por otros ajenos a ella. Todos tendrían, de esa forma, una función policiva, por lo que no habría límites entre las competencias funcionales. Por eso, expresa el sociólogo alemán: "No se puede confiar en el caos. Si nada se conecta con nada o todo con todo, es imposible construir generalizaciones" (1996a, p. 65). El caos, desde este punto de vista, es el que surge en medio de la no delimitación entre sistemas, de la desdiferenciación funcional, de la no reducción de la complejidad y, por ende, de la incomunicación.

Recordemos que, en esta teoría, las comunicaciones requieren de las expectativas y, por ende, de la confianza. Tanto así que podríamos demostrar cómo, entre más diferenciación social exista, esto es, en donde las comunicaciones sociales reduzcan la complejidad de forma plena, los comportamientos aislados se toleran, aunque se muevan en el terrero de una mayor inseguridad. Veamos cómo: si nos encontramos en alguna región del mundo en la que la tasa de hurtos es ínfima, por no decir inexistente, no se le reprochará de imprudente a aquel turista que pasea solo por la ciudad a altas horas de la noche mientras porta un costosísimo artículo personal, aunque este comportamiento, visto desde otra perspectiva, pueda serlo. Por esto mismo, expresa Luhmann (2013a) que "quien sabe lo que cabe esperar puede tolerar una mayor medida de inseguridad respecto de las expectativas que pueden realizarse" (p. 33).

La confianza social no depende del propio juicio del individuo. Puede existir confianza aunque se desconfíe en la conciencia. La confianza comunica de forma plena en terrenos de la diferenciación funcional. Otro ejemplo nos ayudará a comprender mejor el problema: si alguien contrae nupcias con su novia, se parte de la confianza existente y, consecuentemente, en las expectativas que subyacen a cada uno de los nuevos roles. La esposa, vista como individuo, no genera confianza, pues su conciencia e intenciones siempre serán inaccesibles, de modo que se confía en el rol de esposa, esto es, por lo que comunica su rol en la sociedad. Dicha selección implicará, necesariamente, múltiples negaciones. Las negaciones supondrán límites y los límites solo lo serán si hay confianza (comunicación). Este es el terreno de la diferenciación funcional y, de una manera general, de la teoría de sistemas. En su rol de esposa, por ejemplo, no podrá ser amante. De serlo, estaría afirmando que no existe diferenciación funcional y, de paso, defraudando la confianza que se tiene en su rol. En este último caso, el esposo no esperaría, seguro, otro comportamiento de ella como esposa.

Precisamente, por esto es que la confianza nace en el seno de los sistemas sociales de interacción, pero se extiende, como todo proceso evolutivo, a toda la sociedad. Si recordamos lo que dijimos al inicio, los sistemas sociales se clasifican en sistemas de interacción, organización y sociedad. La sociedad, al ser el sistema social abarcador, agrupa todos los sistemas sociales. Los sistemas de interacción, a diferencia de los demás, requieren la presencia de los participantes. La comunicación se da en la presencia. De esta suerte, podemos decir que en los sistemas de interacción existen mayores condiciones de posibilidad de confiar en el otro y, así, de comportarse conforme con dicha percepción. La presencia, naturalmente, generará una mayor delimitación de la información a comunicar (el qué) y el cómo, de mejor manera, facilitará el entendimiento. Por ello, expresa Ortiz que en estos sistemas:

> (...) la comunicación surge cuando una persona observa a otra y percibe que es percibida. No hay interacción sin percepción de la percepción. Si yo observo que estoy siendo percibido, y además me doy cuenta de que mi percepción está siendo percibida (percepción reflexiva), entonces no tengo otra alternativa que asumir que estoy comunicando. Cuando hay percepción reflexiva, es decir, percepción de la percepción, también hay comunicación. (Ortiz, 2016, p. 34)

A partir de esto, será cierto afirmar que, a menor interacción, mayor complejidad, es decir, la sociedad es más compleja que el sistema de interacción. En el sistema de la sociedad habrá mayor contingencia, mayores formas de selección y entendimiento. De allí que sea necesario que exista una estructura que alcance operar aun en el anonimato o en la incertidumbre. Con razón expresa Luhmann (1996a) que "una completa ausencia de confianza impediría incluso levantarse en la mañana" (p. 5).

Si la confianza, como toda comunicación, nace de la interacción, es porque la confianza se aprende. La familia es el primer escenario en el que se va gestando el sentido propio de la confianza en el acto de otro. Luhmann tiene la razón cuando, al referirse a la familiaridad y a la confianza, expresa que, en los mundos familiares, el pasado prevalece sobre el presente y el futuro. Como el pasado no tiene otras posibilidades, este es siempre ya complejidad reducida, por lo que el mundo familiar continuará en el futuro (1996a, p. 32). A medida que la complejidad va aumentando, la familiaridad va disminuyendo, por lo que se va exigiendo de nuevos sentidos a los actos con el fin de garantizar expectativas de comportamiento futuro. Aquí juegan un papel estelar todas las instituciones sociales que, de una forma más específica, se traducen en roles. La familia, el Estado, el vecindario, el aparato de justicia, las fuerzas armadas legítimamente constituidas, toman parte en todo este escenario que se orienta a preservar la memoria de la sociedad. En la medida en que cada una comprende un subsistema social, cada una pondrá los límites precisos para que la comunicación pueda operar y se genere, en últimas, orden social.

Traigamos a este punto, de nuevo, el caso de la decepción de las expectativas que ya fue brevemente planteado. Dijimos que, serían cognitivas, aquellas expectativas de las que se sigue un nuevo aprendizaje a partir de su decepción, y normativas aquellas que no, pues se encuentran estabilizadas (siguen existiendo), aun cuando exista cualquier hecho que las defraude. Para el caso de la esposa, la expectativa defraudada sería cognitiva y causaría, en el esposo, un nuevo aprendizaje, consistente en no confiar (desconfiar) en el rol que, hasta el momento, venía confiando. Consecuencialmente, la confianza vincula la acción del derecho. Desde ya podemos insinuar que en la sociedad hay ciertas expectativas que deben seguir existiendo con independencia de su constante decepción. En el fondo la sociedad solo seguiría siendo sociedad si la confianza puede seguir delimitando con claridad los sistemas funcionales.

La confianza es un concepto vinculado con la idea de tiempo: solo mediante el tiempo se puede reducir la complejidad del sistema social. Con razón afirma Ortiz (2016) que la confianza se basa en el pasado, se realiza en el presente, pero con la finalidad de garantizar la seguridad en el futuro. Mostrar confianza, en Luhmann (1996a), es comportarse como si el futuro fuera predecible. La confianza será, así, una forma de seguridad que solo puede asegurarse y mantenerse en el presente. Ni el futuro incierto ni el pasado pueden despertar la confianza ya que no se ha eliminado la contingencia del descubrimiento futuro de antecedentes alternativos. Esto no podrá entenderse ni elaborarse si el presente se concibe en términos de un suceso fijado en un punto en el tiempo, como un momento, como el instante en el que el suceso ocurre (Husserl, 2002). Por el contrario, la base de toda confianza es el presente como un continuo intacto de sucesos cambiantes, como la totalidad de los estados con respecto a lo cual los sucesos pueden acontecer.

El problema de la confianza consiste en el hecho de que el futuro contiene muchas más selecciones de las que podrían actualizarse en el presente, y del presente transferirse al pasado. La incertidumbre que tiende a existir es simplemente una consecuencia de un hecho elemental: que no todos los futuros pueden convertirse en presente y de aquí convertirse en pasado (Luhmann, 1996a). En un mundo necesariamente complejo, toda elección es azarosa: toda elección tiene una dosis de contingencia muy fuerte. Lo que hace la confianza es, desde el presente, delimitar las posibilidades futuras a partir de la memoria. La confianza en Luhmann (2010b) se expresa en los términos de la siguiente pregunta: ¿de qué forma se presenta el futuro en el presente de acuerdo con la memoria del pasado?

El futuro se anticipa en la complejidad mediante el sentido. Así, aunque la confianza no elimina las distintas maneras de selección que pueden ser diferentes a la esperada, sí las reduce. El sentido demarcará el horizonte esperado dentro de los tantos que existen y orientará la comunicación hacia la expectativa esperada. Con este planteamiento justificamos lo medular de la confianza en toda la teoría de sistemas. Si se quiere, sería el centro de atracción para el entendimiento y aplicación de lo demás: expectativas, comunicación, diferenciación funcional. El sentido, en una sociedad funcionalmente diferenciada, guía los comportamientos de conformidad con roles. La cultura, las generalizaciones, el deber, el rol, la libertad normativa, describir el presente para predecir el futuro y poder actuar en la mayor complejidad social. Esto es, con Vives (2011), estimamos que, desde la teoría de sistemas, la confianza constituye un factor de certidumbre, aun cuando implica siempre asumir un riesgo[42].

La confianza se mueve, en Luhmann, en los términos propios de una sociología del riesgo. De allí que otra de sus paradojas sería estimar que el riesgo implica, asimismo, autopoiesis. Dentro del margen de lo que se espera, también se espera el riesgo. Incluso puede decirse que el riesgo asume objetivaciones de deberes, del mismo modo en que no tomar riesgos es ya una decisión arriesgada[43].

Por ejemplo, en derecho penal se afirmaría que una de las causas de la posición de garante se debe a la tenencia de ciertos ámbitos de riesgo dentro de su

---

[42]   En este punto adquiere firmeza el concepto de "riesgo", en Luhmann. "La sociedad moderna vive su futuro en la fórmula de riesgo de las decisiones. Los riesgos conciernen a daños posibles, pero aún no consumados y más bien improbables, que resultan de una decisión. Solo se habla de riesgos si y en la medida en que las consecuencias pueden atribuirse a las decisiones" (2010b, p. 163). Por esto, aceptamos que el riesgo es propio de la complejidad y no afecta la confianza, la expectativa ni la diferenciación funcional. Con más precisión, podríamos decir que, si el riesgo opera en el ámbito de la comunicación, la reproduce. Para que el riesgo comunique es necesario que se comporte conforme a la expectativa soportada en el rol. Formulemos un ejemplo: quien conduce sabe que es posible que, con su actuar, se produzcan accidentes. El conductor conoce el riesgo de su decisión al interactuar con otros; sin embargo, confía en que dichos riesgos no se materializarían si todos (incluyéndose), se comportan conforme en debido esperar, esto es, conforme con el rol debido en la conducción. Si bien este esperar no elimina el riesgo, pues es propio de la contingencia y, por ende, de la comunicación, sí reduce la complejidad y permite la autopoiesis sistémica.

[43]   De allí que para Luhmann, al moverse en el terreno de la incertidumbre, la contingencia del riesgo termina comunicando en términos de confianza: "El mundo exterior como tal no conoce riesgos, puesto que no conoce diferenciación, expectativas, evaluaciones ni probabilidades, excepto como un resultado propio de sistemas observantes en el universo de otros sistemas. Cuando se trata de fijar las determinaciones del concepto de riesgo, uno se encuentra de inmediato sumergido, por así decirlo, en una espesa niebla, donde la vista no alcanza a distinguir más allá del propio bastón" (Luhmann, 1991).

dominio: quien así actúe en la sociedad hace que los demás esperen deberes positivos de protección con ellos. Este es apenas un pequeño bosquejo de la posición de garante vista desde la lente propia de la confianza sistémica.

Abusar de la confianza es, en términos sistémicos, esperar del otro más de que lo que debe esperarse, es decir, la confianza, como todo lo social, tiene sus límites. Los límites de la confianza se confunden con los límites de la comunicación y los límites de las expectativas. Es por ello que, en el funcionalismo sistémico, la confianza opera en el terreno propio de la contingencia o, expresado en otras palabras, del riesgo. Según Luhmann (2011):

> (...) el riesgo da color a una de las variantes en el momento de la decisión. Ante una ventaja insegura no se puede renunciar con total certidumbre, porque en sí misma la renuncia no es nada (que el presente todavía pueda conocer). Cabe la renuncia orientándose generalmente por diferencias referidas al riesgo. Pero analizando los riesgos desde cerca, toda decisión es arriesgada. (p. 143)

En toda decisión, el riesgo se mueve en el horizonte del sentido. La elección requiere del riesgo, en la medida en que, sin este, no hay manera de selección. De allí que, de la misma forma, la confianza requiere de la desconfianza o, lo que es lo mismo, la confianza opera, también, en el riesgo.

Con las selecciones propias en las que opera la confianza ocurre como ocurre con toda selección en teoría de sistemas: que se deja por fuera todo aquello que no comparta sus elementos o, de una forma más precisa, su función. En el fondo de las diferenciaciones propias de la confianza está, entonces, el entendimiento de la libertad. Es este otro de los puntos de relación entre Hegel y Luhmann[44]. El ejercicio de la libertad[45] implica una selección, pero, a su vez, deja por fuera

---

[44]   Recordemos, como lo hace Moya, que "siguiendo muy de cerca a Kant, para Hegel es obra eminentemente humana, y su punto de partida, la voluntad, es lo que queda del encuentro de dos momentos iniciales y sucesivos: la negación del yo, esto es, su determinación, por cuanto repliega su infinitud en la concreción; y la afirmación del mismo, es decir, su universalidad, siempre práctica y real, puesto que pese a la determinación, permanece como latente en la infinitud de la conciencia y busca hacerse válida a través de la objetivación del instinto" (2010, p. 67).

[45]   "La libertad de que gozan los sujetos, para Hegel, en los términos de Montealegre y Perdomo, es una que lleva implícita el reconocimiento de los demás miembros del grupo (se vive en sociedad) como seres libres y, por ende, racionales, de tal forma que libertad, en sentido normativo, es la posibilidad que tiene el sujeto de configurar sus intereses siempre tomando en consideración la existencia libre del otro; de nuevo, el sujeto histórico, libre y autónomo tiene que "cargar sobre sus hombros" las consecuencias de su libertad, él tiene una tarea mínima para cumplir en sociedad, y esta no es otra que la de ser fiel al Derecho, la de contribuir al mantenimiento de las condiciones que precisamente le han facilitado su existencia libre, y en esa medida la de preservar esta posibilidad a los demás" (2006, p. 33).

muchas más selecciones. Todo hacer supone, desde otra perspectiva, un no hacer o una no escogencia. De la misma característica goza la confianza. La confianza genera desconfianza y, la desconfianza, confianza. En toda la estructura de la confianza, en toda selección y en toda comunicación, siempre habrá un riesgo: el de la decepción, el propio de la incertidumbre. Para Luhmann (1996a): "cualquiera que confía tiene que estar preparado para aceptar los riesgos que implica" (p. 49).

Con esta justificación y, para lo que sigue, reiteramos que la confianza es condición de posibilidad del funcionalismo sistémico en la medida en que facilita que la sociedad opere mediante claros límites de diferenciación funcional, pues a través de la confianza se solidifican las expectativas sociales. Es cierto que sociedad moderna es sinónimo de diferenciación funcional, también es perfectamente posible que haya mayores o menores grados de diferenciación funcional o, en otros términos, mayores o menores niveles de confianza. La teoría de sistemas la sociedad no se divide ni clasifica por territorios, pues se acoge un planteamiento de sociedad global o mundial. Esto significa que las características de la sociedad (comunicación y diferenciación) aplican para todo territorio o región posible[46]. Sin embargo, aunque Luhmann parte de lo anterior, él mismo reconoce que pueden existir parcelas del mundo en las que la diferenciación funcional no sea tan clara[47]. Este hecho, por supuesto, no controvierte su teoría, simplemente la pone a prueba[48]. En determinados territorios habrá bajos índices de diferenciación fun-

---

[46]   Esto ha llevado a que se hayan realizado estudios en los que se pregunten por los denominados "obstáculos y perspectivas de la sociología latinoamericana" (Mascareño y Chernilo, 2012). Estudios de este tipo, en últimas, desean poner a prueba —como se hace en este escrito—, la teoría luhmanniana en nuestro contexto social.

[47]   En su libro *Los derechos fundamentales como institución,* Luhmann se refirió a estas parcelas del territorio mundial mediante la expresión "países subdesarrollados". Su idea de desarrollo, al margen de cualquier prejuicio o consideración peyorativa, únicamente significaba "diferenciación funcional". En este sentido, expresa Luhmann: "Y dado que esta civilización de expectativas falta en los países subdesarrollados, por eso no llega el correspondiente milagro del desarrollo y, por eso mismo, a la hora de transferir modelos organizativos (de capital, de planificación, de equipamiento) surge una serie de dificultades con respecto a su adecuada utilización. Así como el Estado debe presuponer un cierto individualismo de la presentación de sí mismo —la capacidad de los seres humanos de poder conferir una línea personal consistente y a largo plazo a su mostrarse en escena— así también debe contar con una cierta civilización de las expectativas. El Estado —en una diferenciación así alcanzada como lo exige el orden social con sus formas específicas de prestación— puede asegurar una complementariedad suficiente de las expectativas de comportamiento mediante decisiones vinculantes" (2010a, p. 191).

[48]   Desde una mirada sociológica, en el libro *La teoría de los sistemas de Niklas Luhmann a prueba* (Estrada y Millán, 2012), se hace, precisamente, esta labor. A juicio de sus autores, la idea es mostrar, con diversas reflexiones, la apertura que la teoría ofrece para las más diversas manifestaciones de lo social, independientemente de su escala.

cional o de confianza, por lo que, consecuentemente, no existirán plenos límites funcionales entre sistemas. Como el mismo Luhmann lo afirma, en estas parcelas territoriales sería función del sistema político, a través de decisiones vinculantes, lograr la diferenciación. Esto es, precisamente, lo que se alcanza mediante la construcción del equivalente funcional de la simbolización de los derechos fundamentales, tal y como se enunciará y explicará en este y en el último de los capítulos.

Particularmente, expresa Luhmann que "los derechos fundamentales estabilizan en los puntos críticos la distancia necesaria que debe mantener el sistema político en todo proceso social —distancia que actualiza los ya mencionados presupuestos de la capacidad de diferenciación—" (2010a, p. 191).

La confianza total o la diferenciación funcional plena es apenas un ideal puramente especulativo. Incluso, en ambientes de interacción o familiares, pueden existir altos niveles de desconfianza. En este mismo sentido, Torres (2012), afirma que es improbable la existencia de un orden social diferenciado en los términos luhmannianos, pues, para ello se requiere de una cantidad de presupuestos difícilmente existentes en cualquier parcela del territorio mundial. Para Torres (2012), la necesaria existencia de las instituciones que salvaguarden o protejan la idea de la diferenciación (en nuestro lenguaje, la existencia de los equivalentes funcionales).

Esto significa que el mismo Luhmann ha reconocido (aunque sea de forma tenue) que sus presupuestos teóricos pueden no existir empíricamente de forma plena, en la misma medida, en todos los territorios, pero no por ello se niega el carácter universalista de su teoría. Los problemas de diferenciación funcional, por ejemplo, entre política y derecho, exigirán del sistema político la sobrecarga en la selección de equivalentes funcionales que admitan la posterior diferenciación, esto es, desde ya se intuye que en las denominadas periferias de la modernidad, entendiendo por la expresión aquellas zonas en las que no hay claros niveles de diferenciación o confianza, perfectamente pueden existir equivalentes funcionales que suplan la condición de posibilidad de la confianza[49].

Luhmann centró su atención en este punto en su estudio de los derechos fundamentales. Los derechos fundamentales como equivalente funcional de la no diferenciación, operados a través de instituciones cuya función directa sea su salvaguarda (diríamos hoy: entidades del Estado o de la administración de justicia),

---

[49] Como bien lo menciona Tyrell (2010) en la edición al castellano de la obra *Los derechos fundamentales como institución*: "Con la teoría de la modernización de su tiempo, Luhmann, en los años 1960, tenía naturalmente ante los ojos a los países en desarrollo" (p.7). Sin embargo, si bien no se ocupó en detalle de estos países para explicar su teoría, a nuestro juicio sí determinó el arsenal teórico para explicar cómo sería posible la misma a través de los denominados equivalentes funcionales.

ocuparían el lugar que en el mundo ideal se le asigna a la confianza. En el fondo, todo radica en la sobredimensión funcional de uno de los sistemas a efectos de considerar, con posterioridad, la diferenciación. En las sociedades en vía de desarrollo, la cercana confusión entre el sistema jurídico y el político hace que la confianza se establezca, no ya en las diferenciaciones funcionales propias de la Modernidad, sino en algún otro equivalente funcional, es más, incluso distinto a la confianza en las instituciones que salvaguardan los derechos fundamentales.

Acogiendo los dichos de Pérez-Luño (2006), en la concepción de Luhmann los derechos fundamentales no son facultades emanadas de la naturaleza humana, ni tampoco son, propiamente, límites a la actuación del poder público, sino que son instituciones que cumplen determinadas funciones que avalan, por un lado, la diferenciación funcional de todos los roles del Estado y, por otro, que garantizan el perfeccionamiento de la actividad estatal. Se trata, por tanto, del equivalente funcional que garantizaría el orden o la estabilidad social, con el propósito de tener una paulatina diferenciación en aquellas parcelas en las que no exista la confianza como condición de posibilidad.

El concepto de institución fue utilizado por Luhmann para referir a aquellas expectativas de comportamiento temporal, objetual y socialmente generalizadas que, como tales, forman la estructura de los sistemas sociales. Para el sociólogo alemán, en esa medida —y solo en esa medida— son objeto de positivización jurídica (Luhmann, 2010a). La institucionalización de las expectativas, en últimas, es otro mecanismo más de reducción de la complejidad. Si la expectativa de comportamiento está configurada como un deber extrajurídico, la confianza hacia su cumplimiento no será igual a si se configura como una expectativa estabilizada por el derecho. El subsistema jurídico, en este último caso, aporta mediante la institucionalización de los derechos y deberes. Igualmente, los equivalentes funcionales podrían coadyuvar a la institucionalización de expectativas. Eso es, precisamente, lo que ocurre cuando el subsistema político institucionaliza la expectativa en la salvaguarda de los derechos fundamentales mediante la confianza, por ejemplo, en las instituciones de justicia que con dicha función se relacionan.

En síntesis, podríamos decirse que (i) una cosa es que la confianza sea la condición de posibilidad de la diferenciación funcional (mundos ideales, plenos y de difícil existencia) y (ii) otra cosa es que, de no existir en cierto territorio la condición de posibilidad plena, esta pueda encontrarse parcialmente o en algún otro equivalente funcional. Fue en este segundo nivel donde, a nuestro juicio, la teoría de Luhmann estructuró su planteamiento sobre los derechos fundamentales como institución. Por ello estimó que "la garantía de los derechos fundamentales refuerza la confianza en el Estado y con ello incrementa su poder" (Luhmann, 2010a, p. 125). Si explicamos lo dicho llevaríamos a Luhmann a reconocer que en estos casos se exige al sistema político la creación de un equivalente a la diferenciación funcional que viene trazada por la confianza. Los derechos fundamentales operan, en la teoría de sistemas, como medio del poder político para evitar la desdiferenciación funcional. Solo así se entendería a Luhmann cuando afirma:

> La confianza puede ser analizada funcionalmente y comparada con otros mecanismos sociales funcionalmente equivalentes. Donde hay confianza hay aumento de posibilidades para la experiencia y la acción, hay aumento de la complejidad del sistema social y también del número de posibilidades que pueden reconciliarse con su estructura, porque la confianza constituye una forma más efectiva de reducción de la complejidad. (Luhmann, 1996a, p. 14)

Al verificar algún equivalente funcional de la confianza, como lo será, para nuestro escrito, la vinculación y simbolización que los sistemas político y jurídico hacen, respectivamente, de los derechos fundamentales, el problema se trasladará de la posibilidad a los límites de la aplicación de la teoría. Esto, por lo siguiente: si bien la no plena diferenciación no imposibilita la aplicación del funcionalismo, pues para eso actúa el equivalente funcional, sí nos conduce a preguntarnos, ¿hasta dónde será posible (legitimidad o validez) el funcionalismo sistémico en sociedades en las que no exista clara diferenciación funcional, sino que hay algún equivalente que la suple?

Podemos ilustrar su estructura de la siguiente forma: si producto de una ausencia en un cargo público alguien asume, provisionalmente, las funciones derivadas del cargo, la pregunta a continuación no sería por la contingencia para hacerlo, sino, mejor, hasta dónde podría hacerlo. Ahora bien, no todo aquel que asuma materialmente las funciones que en principio tiene podría válidamente actuar. De allí que la selección del equivalente funcional no depende de un simple árbitro, pues solo será equivalente si así lo concibe el sistema social, toda vez que contribuye en su reproducción.

Aquello que no reproduzca al sistema no será, en modo alguno, equivalente funcional. El paso siguiente, luego de determinar el equivalente, pasará por sus límites. De este modo, esta nueva pregunta vincula unos nuevos límites, esta vez relacionados no con la existencia, sino, más bien, con la legitimidad del sistema al que pretende incorporarse.

Desde aquí venimos haciendo referencia al discurso de las instituciones y de los derechos fundamentales. El poder político, a través de sus instituciones, perfectamente puede seleccionar los equivalentes. El papel de la familia, como la institución estelar que crea confianza en el mundo ideal, será llenado, probablemente, por otras selecciones. Para Luhmann, el sistema político cobrará, paradójicamente, mayor relevancia funcional cuando no existe clara diferenciación funcional ya que el subsistema político, en ese sentido, le corresponderá operar con la lente puesta en aquel equivalente funcional que manifiesta la diferenciación de forma legítima. Esto lo expresa Luhmann así:

> Los derechos fundamentales sirven al orden social industrial-burocrático como una de las instituciones (entre otras muchas funcionalmente equivalentes) que ayudan a consolidar la índole de la comunicación, con el fin de mantenerla completamente abierta a la diferenciación. Garantía de libertades no es otra cosa que garantía de posibilidades de comunicación —no con ese propósito declarado, pero sí con la función latente de asegurar una cierta disponibilidad y, con ello, la índole de motivación de las comunicaciones. Presupone desligar las posibilidades de comunicación de vías de expresión demasiado afianzadas en el plano emotivo, demasiado personales, demasiado grupales. Los derechos fundamentales se relacionan con este momento del desarrollo civilizatorio de la sociedad —por eso son algo enteramente distinto a "derechos humanos" eternos— y lo confirman en la medida en que intentan contrarrestar las tendencias involutivas contenidas en él. Impiden que todas las comunicaciones se encaminen a los fines particulares de la burocracia estatal, haciendo así posible que dichos fines se racionalicen en dirección de una prestación funcional específica —lo cual presupone siempre otras prestaciones, otros sistemas de consecución de intereses, otras fuentes de poder y de prestigio social en el orden de la sociedad. (Luhmann, 2010a, p. 99)

La cita explica los derechos fundamentales como símbolos (de allí que la expresión vaya más allá que los derechos humanos, pues esta podría malentenderse sin exigir de la positivización de los mismos). Las Constituciones, como producto propio de las relaciones de acoplamiento entre el sistema político y jurídico, serían las encargadas de plasmar las decisiones vinculantes mediante las formas propias del derecho. Siendo coherente con todo su planteamiento, aquí también operaría la autopoiesis propia del sistema social: la desdiferenciación entre sistemas generaría la construcción de equivalentes funcionales que, por sí mismos, tracen el debido contorno con el entorno, de modo que el sistema mismo se moldea para trazar sus propios límites.

Como cierre de este acápite, podríamos justificar nuestra empresa investigativa: Analizaremos aquellos casos de frontera que dificultan la diferenciación.

1.5. ESBOZO TEÓRICO SOBRE LAS CONDICIONES DE POSIBILIDAD DEL FUNCIONALISMO SISTÉMICO

Una primera conclusión de este capítulo de apertura exige reconducir la atención del lector a la explicación que, hasta el momento, hemos hecho de cómo la confianza es uno de los conceptos centrales en la teoría de sistemas, logrando así posicionarse como la condición de posibilidad teórica por excelencia de esta corriente teórica. Hemos visto desde un plano no tan hipotético o ideal, cómo podríamos medir dicha condición de posibilidad, pues el mismo Luhmann reconoce que en ninguna sociedad la confianza alcanza su pleno progreso. Así, como primera hipótesis de trabajo, hemos dicho que, en aquellos contextos en los que la confianza no parece caracterizar a las sociedades, o al menos no plenamente, deben existir otros equivalentes funcionales que contribuyan a la diferenciación funcional. Estos equivalentes funcionales podrían ser, pues, los derechos fundamentales como símbolos consagrados mediante el acoplamiento de derecho con la política.

Los niveles de confianza directamente se ven influenciados por los niveles de diferenciación funcional. La comunicación, el sentido y la expectativa dependerán, por tanto, en su aplicación especulativa, de la confianza. Si bien la teoría de sistemas tuvo en cuenta este arquetipo argumentativo, dejaremos hasta aquí su análisis, pues, como se dijo, los niveles de confianza jamás podrán alcanzar estados plenos o máximos.

En segundo lugar, establecer que en algunas sociedades periféricas o, mejor, en algunos modelos parcialmente diferenciados, la confianza dependerá de las formas jurídicas constitucionalmente consagradas para la protección de los derechos fundamentales (que no su efectiva protección, cuestión esta que será estudiada en el capítulo cuarto del libro).

Este segundo escenario requerirá un análisis empírico que determine el grado de confianza en Colombia, con un énfasis en las instituciones de justicia, pues son las encargadas de estabilizar o garantizar la identidad normativa de la sociedad, como pasará a explicarse.

Una última conclusión de los presupuestos teóricos analizados, que nos conducirá al estudio del derecho penal funcional, tiene que ver con su aplicación en este particular subsistema jurídico. Para el funcionalismo penal sistémico, la función del derecho penal radica en garantizar la identidad normativa de la sociedad (Jakobs, 1996a)[50], solo puede entenderse, más allá de una simple fórmula ciega del lenguaje, si se comprende previamente toda la estructura sociológica mencionada. Estas consideraciones, a su vez, exigirían un nuevo plano argumentativo, esta vez ubicado en un menor grado de abstracción para responder por el cómo o la forma de estructuración dogmática del delito que surge de acoger los puntos esbozados. El entendimiento de la pena y del delito como comunicaciones será estudiado en el segundo capítulo.

---

[50] Por esta razón, el mismo Jakobs expresa: "Desde la perspectiva aquí defendida, se opta expresamente por intentar comprender lo que hay antes de pasar a la crítica. Para ello, lo que se intenta comprender es la sociedad, es decir, un sistema de comunicación normativa, no el medio que la circunda" (1996a, p. 11).

CAPÍTULO II
El derecho como subsistema social

Hemos explicado ya cómo y por qué la sociedad se agrupa por varios subsistemas funcionalmente diferenciados. En síntesis, y para ejemplificar lo dicho, el arte, la religión, la política, la economía, o el derecho, estudiados desde la óptica del funcionalismo sistémico, serían solo algunos subsistemas sociales que, cada uno con su respectiva función logra, a través de sus comunicaciones, autorreproducir la sociedad. Desde este punto de vista, todo el funcionalismo parte del reconocimiento tanto de la diferencia como de la identidad. La identidad se presenta pues cada sistema (social, psíquico y vivo) es tal, pues cada uno tiene una propia función que demarcará sus límites con los demás. De igual forma, dentro del sistema social habrá, a su vez, diversos subsistemas que, aunque cumplan la función genérica del sistema al que pertenecen: la autopoiesis, se diferencian, pues tienen específicas funciones para lograr la misma.

De lo dicho surgen, por lo menos, dos diferencias específicas: en primer lugar, afirmar que el sistema jurídico se distingue de los demás sistemas no sociales, esto es, afirmar que se diferencia plenamente de aquello que no es sociedad, por ende, por ejemplo, desde ningún punto de vista el derecho puede involucrarse en el sistema psíquico de los individuos. Una segunda afirmaría que, por su específica función social, el sistema jurídico también se diferencia de todos los otros subsistemas sociales.

El estudio que la teoría de sistemas hace del derecho se debe concentrar en la delimitación y comprensión de su específica función. Como lo menciona Luhmann, la sociedad, además de ser entorno del sistema jurídico, también incluye sus operaciones a manera de propias formas de comunicación.

De esta forma deben evitarse a toda costa formulaciones como la afirmación de que existen "conexiones entre" el derecho y la sociedad, porque presupone que el derecho es algo situado por fuera de la sociedad. El sistema jurídico es un sistema funcionalmente diferenciado dentro de la sociedad. El sistema jurídico está, en sus propias operaciones, siempre ocupado en la ejecución de la autorreproducción (autopoiesis,) tanto del sistema social en general, como de sí mismo (Luhmann, 2007).

En la teoría de sistemas, las relaciones entre sociología y derecho se manifiestan en la aplicación de los conceptos generales de dicha teoría al campo jurídico. A partir de la función propia del derecho pueden identificarse, por ejemplo, los acoplamientos estructurales entre el derecho y los otros subsistemas, es decir, los códigos y medios de comunicación con los que opera el derecho de forma auto-poiética. Afirma Luhmann que, mientras que la sociología del derecho tradicional acredita su pertinencia a la sociología con métodos empíricos y con la aplicación al derecho de teorías sociológicas, su modelo teórico parte de la afirmación de que el sistema del derecho es un sistema (parcial) del sistema de la sociedad, es decir, es un subsistema. El cuestionamiento habitual de la sociología del derecho de preguntarse por cómo el derecho está más o menos afectado por las influencias sociales no es asunto que revista interés. Su pregunta sociológica para el subsiste-ma jurídico, será: ¿cómo es posible el derecho en la sociedad? (Luhmann, 2005a).

La anterior interrogación alcanza mayor justificación en la labor investigativa que hemos emprendido. Queremos, desde la teoría de sistemas, poner a prueba su legítima aplicación en un ordenamiento concreto, como es el caso colombia-no. Para lograr ello, por supuesto, requerimos del orden que la misma teoría nos ha planteado. Hemos respondido ya cómo es posible la sociedad, lo que nos implicará, a continuación, responder la misma pregunta en relación con el derecho y enmarcado en el funcionalismo sistémico. De esta forma podremos ir un paso más adelante: se valorará lo empírico solo cuando se haya abonado el terreno teórico necesario. En un posterior momento podríamos responder, de acuerdo con nuestro marco referencial, cómo opera el derecho en sociedades sin clara diferenciación funcional, o, en otras palabras, cómo opera (posibilidad) y cómo debe operar (legitimidad) el derecho en sociedades *desdiferenciadas* fun-cionalmente, como parece ser el caso de Colombia, tal y como mostraremos en el tercer capítulo de esta obra. Por esto, requerimos de lo empírico, pero sin descuidar los verdaderos presupuestos conceptuales en los que hemos ubicado nuestro interrogante. De una forma más específica, habría de afirmarse que solo será viable analizar la legítima aplicación del funcionalismo penal sistémico en un ordenamiento jurídico si, previamente, se han analizado los presupuestos teóricos de los que parte.

Gráfico 2. Subsistemas sociales.

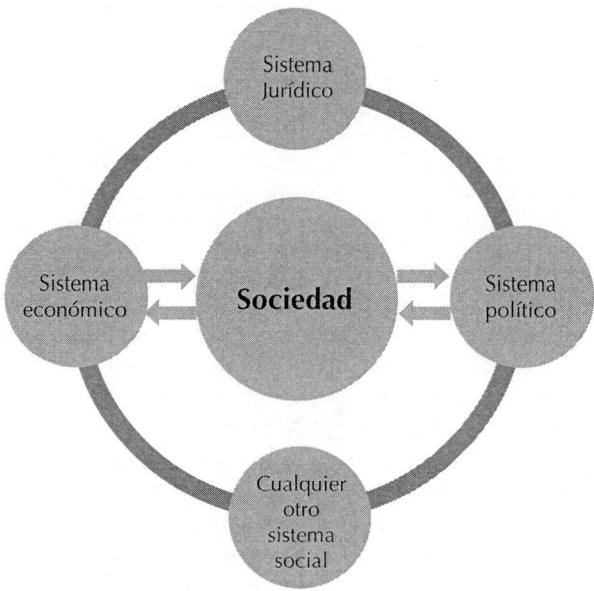

Fuente: elaboración propia a partir de Luhmann (2006).

La función del derecho en el sistema social consiste en la estabilización de expectativas. Para analizar esta función, es necesario, primero, dedicar un espacio al estudio del derecho como sistema autopoiético.

2.1. LA AUTOPOIESIS DEL DERECHO: LA CLAUSURA OPERATIVA COMO CONDICIONANTE DE LA ESTABILIZACIÓN DE EXPECTATIVAS NORMATIVAS

De forma simple pero categórica, la siguiente afirmación daría lugar a la síntesis de la autopoiesis del derecho: el sistema jurídico se autorreproduce a sí mismo mediante las comunicaciones que crean sus operaciones funcionalmente dirigidas a la estabilización de las expectativas normativas.

La autopoiesis produce, consiguientemente, el cierre del sistema. El cierre del sistema autopoiético se refiere a la organización del mismo, por lo que no se niega a la apertura estructural del ambiente. Ello no implica la concepción de sistemas aislados frente al ambiente (Giménez, 1993). En este orden de ideas, la autopoiesis propia del derecho será el elemento que le otorgará la clausura operativa, el cierre del sistema, o la demarcación de sus límites, con los demás sistemas sociales. Con Teubner (2017), nos preguntamos:

> (...) si, como Luhmann, optamos por un concepto de la autopoiesis social, pronto nos encontramos enfrentados a un nuevo problema: ¿dónde encaja el derecho?, esto es: ¿cómo pueden existir sistemas autopoiéticos dentro de sistemas autopoiéticos? A su juicio, los sistemas autopoiéticos de un orden más alto se desarrollan sobre la base de un sistema autopoiético, si ellos mismos "producen" sus propios componentes. Estos componentes autoproducidos no son idénticos al sistema autoproducido básico. En otras palabras, hay que ser capaz de identificar el fenómeno emergente si se habla de la autopoiesis de un orden mayor. (Teubner, 2017, p. 52)

La autopoiesis del derecho requiere de una comprensión autónoma de la autopoiesis de la sociedad. Esto, en la medida en que las comunicaciones del derecho, de la misma forma que las comunicaciones de la sociedad, están interrelacionadas entre sí en una red de comunicaciones que no produce otra cosa que comunicaciones. Por eso apunta el teórico del derecho contemporáneo que, desde una perspectiva sistémica de carácter autopoiético, el derecho es solo una red comunicativa que produce comunicaciones jurídicas (2002).

La diferencia vendrá dada por la función que se atribuye a ambas comunicaciones. Desde lo ya explicado, la comunicación en la sociedad genera las diferenciaciones funcionales entre subsistemas que condicionan el orden social. Toda comunicación en la sociedad, en últimas, se traduce en actos de sentido a los que subyacen expectativas. En un menor grado de abstracción, en el subsistema jurídico operan aquellas comunicaciones que se dirigen solo a la estabilización de expectativas normativas. Si bien toda comunicación relaciona expectativas, solo al derecho se le asigna la función de estabilizar algunas de ellas.

El derecho no debe definirse como el conjunto de normas que lo componen ni como la potestad de los Estados para los actos de creación y adjudicación normativa. El derecho es, únicamente, un subsistema social que tiene por función la estabilización contrafáctica de las expectativas. Aunque, con detalle, en un momento posterior se explicará este enunciado, por lo pronto diremos que lo contrafáctico supone que, por la función del derecho, ante defraudación de ciertas expectativas, no se sigue un nuevo aprendizaje. El derecho hace que la sociedad siga siendo sociedad, normativamente hablando o, en otras palabras, que preserve su memoria.

Una función tal solo se puede cumplir si las normas existen como simbolizaciones de las expectativas. Por eso es que, desde la teoría del derecho, el funcionalismo sistémico es una teoría positivista. En parte, este esquema de pensamiento reconoce que el único derecho que existe es el derecho puesto o impuesto por el hombre, y asume, al igual que Kelsen, que el derecho es un ordenamiento cerrado, pero no por ello aislado.

La sociedad, así concebida, a través de sus procesos d diferenciación internos y externos, le otorga al derecho la concreta función de estabilización mediante la positivización de sus expectativas. Por ello, para Cadenas (2006), la codificación y especificación de una función existen en el derecho moderno gracias a la positivización del derecho.

Modernidad es diferenciación. El derecho positivo es derecho moderno, es derecho en tanto que se encuentra funcionalmente diferenciado de los otros subsistemas que no tienen por encargo estabilizar cierto tipo de expectativas. El derecho, con esta precisión, no se construye sobre la base del derecho natural o sobre la base de un supuesto consenso social o de asociación natural contractualista. La positividad del derecho implica que su validez se fundamenta en la especificación de procedimientos y sustentos únicamente producidos en el interior del sistema legal. Es esto es otra manifestación de la clausura operativa del sistema jurídico.

Solo el derecho puede establecer qué es derecho: solo mediante el derecho se puede crear y adjudicar el derecho positivo. La sola decisión, en Luhmann, o las valoraciones políticas, en Kelsen, no pueden confundirse con el derecho. Incluso, como señala Teubner (2017), aun en las sociedades en las que el derecho tiene un fuerte influjo religioso, como podría ser en Oriente Medio, se requiere siempre que el derecho mismo convierta en jurídicas las prescripciones morales o religiosas. Es por ello que el derecho es un sistema funcionalmente distinto a la política, a la moral o a la religión.

Tal y como lo establece Giménez (1993), un derecho no es positivo, en la acepción luhmanniana, por haber sido únicamente establecido mediante una decisión, sino que, además, lo es por valer por fuerza de esta decisión. La validez del derecho ya no dependería de normas de rango superior sino de la propia contingencia de su establecimiento. La lectura que de la teoría de sistemas hace la Giménez la lleva a concluir que la positividad del derecho, en Luhmann, reconoce los límites, pero, también, las irrigaciones de los subsistemas jurídico y político. El problema de la positivización del derecho es la respuesta del sistema jurídico a un problema producido por la estabilización de un nuevo tipo de diferenciación social. La cada vez mayor diferenciación funcional de todos los sistemas sociales genera una reproducción y un aumento de la complejidad y la contingencia. Hay mayores posibilidades frente al cumplimiento o no de la expectativa, por lo que se le asigna al derecho una función de selección que reduzca la contingencia. Para esto, por supuesto, ese derecho debe dotarse de mecanismos vinculantes con los que pueda operar. En este punto, pues, la positividad del derecho se irriga del poder político vinculante.

Para Luhmann (2016), una expectativa tiene una pretensión normativa si su comunicación promete que dicha expectativa se mantendrá también en caso de desilusión. En este sentido, el derecho se produce, entonces, por la selección y generalización de semejantes pretensiones normativas. Estas pretensiones son válidas por ser aceptadas por otros, por perdurar, es decir, cuando pueden ser repetidas en otros casos y formalizadas de forma general y relativamente libre del contexto. Desde una concepción más general, en el funcionalismo, la semántica del "deber" simboliza el resultado de semejante proceso de generalización. La comunicación del sistema jurídico simboliza el deber de los vinculados a este. De una forma más simple puede decirse que es por la comunicación del derecho que se sabe qué esperar en términos de "deber". La persona, así, vinculada con el derecho, será titular de derechos y deberes en la medida en que el derecho se los ha comunicado y viene, efectivamente, cumpliendo su función en el sistema social.

Veamos con más detalle lo expresado: la validez del sistema jurídico surge del entendimiento del símbolo normativo, positivizado. En el símbolo se refleja la decisión "deber" o "no deber". Como el derecho reconoce la eventual frustración de las expectativas de conducta, el derecho es válido si simboliza el deber, aun suponiendo la frustración. No quiere ello decir que el derecho será válido solo en el supuesto del consenso. No se asemeja, así, validez a eficacia sociológica. A la validez subyace la paradoja del cumplimiento o incumplimiento de la expectativa, lo que ocurre es que solo será válido el esperar cuando la norma comunica que, aun ante la decepción de lo esperado "acto antijurídico", no habrá nuevos aprendizajes. Dicho esto, es necesario relacionar, pero a la vez diferenciar, los planteamientos de Luhmann con los de Kelsen, paradigma del positivismo en derecho[1].

Chávez y Mujica (2014) sintetizan esta relación cuando afirman que, en Kelsen, el pilar legitimatorio viene dado por una norma hipotética de validez fundante de todo derecho, mientras que, para Luhmann, incluso, deja de ser necesario que el derecho tenga un origen o un horizonte hipotético fundante, pues basta que la diferenciación jurídica exhiba la operación de dictar normas con estatuto legal que le son concedidas gracias al rendimiento de sus propias operaciones legales. Según los mencionados autores y relacionando lo que venimos planteando con la positividad del derecho ya citada. En Luhmann, la validez de la norma no pasará únicamente por determinar la concordancia procedimental y material de ella con normas superiores, pues será solo la aptitud o capacidad fáctica (comunicaciones jurídicas) de producir leyes lo que genera la validez del derecho (Chávez y Mujica, 2014).

---

[1]   Para un entendimiento riguroso del positivismo jurídico, los conceptos jurídicos fundamentales y la validez kelseniana, véase el texto de Solano (2016).

En varios escritos quiso Luhmann, aun reconociendo las necesarias relaciones de su teoría con los planteamientos kelsenianos, diferenciarse de ellos (Luhmann, 2016; 2005a; 2004). Así las cosas, el cómo de la validez del derecho, en Luhmann, se produce por la selección y generalización de las expectativas normativas, esto es, por la operatividad del derecho, no por su estructura. En conclusión, para el funcionalismo sistémico la cuestión de la validez del derecho no es algo distinto de la comunicación que subyace al cumplimiento de lo prescrito por el derecho, esto es, la norma jurídica entendida como expectativa contrafáctica comunica socialmente que, aun previstas las desilusiones, la sociedad deberá seguir comportándose, normativamente hablando, como tal. En términos más precisos: "validez significa únicamente la aceptación de la comunicación, únicamente la autopoiesis de las comunicaciones del sistema jurídico" (Luhmann, 2005a, p. 154).

Cadenas (2006) explica el proceso de generalización de las expectativas normativas, en tres dimensiones, para el entendimiento del sistema jurídico:

> En la dimensión temporal las expectativas de comportamiento se generalizan por la «normación», es decir, a las expectativas se les confiere una validez extendida en el tiempo; una validez que se resiste a las decepciones y que por tanto posee una fuerza contrafactual. En la dimensión material u objetiva, se asegura la estabilización de la unidad de sentido. Independientemente de la diversidad material de las expectativas, el sistema generaliza una unidad de sentido determinada que sobrepasa los hechos sociales a los que alude. La materialidad se objetiviza en el contexto de un principio normativo generalizado. En la dimensión social las expectativas normativas se generalizan a través de la «institucionalización», es decir, se puede suponer un consenso general sin considerar el hecho de que cada uno de los individuos puede no estar de acuerdo. Este consenso ficticio significa para el derecho una considerable reducción de complejidad, dado que conlleva la necesidad de excluir de la participación, en la producción del derecho, al mayor número posible de personas. Esto, sin embargo, hace posible la generalización de las expectativas sobre la base de un consenso social supuesto. (p. 267).

De lo explicado, a modo de síntesis parcial, podrían, por lo menos, extraerse dos consideraciones: (i). que, como toda comunicación, las del sistema jurídico contribuyen a reducir la complejidad social y; (ii). como las comunicaciones sociales no presuponen la existencia de individuos o seres humanos, pues estos no hacen parte de la sociedad, las comunicaciones del derecho tampoco tendrán en cuenta a los individuos. Desde esta perspectiva, como ya se dijo, el derecho comunica en atención a personas, concepto este puramente normativo.

En relación con la primera consideración, la función del derecho repercute, indirectamente en la reducción de la complejidad. En el mundo del *sentido* el derecho prioriza selecciones y reduce la contingencia en la escogencia de otras. Al *sentido* de las decisiones jurídicas, en últimas, subyace un mandato normativo. Si bien es cierto que se puede realizar cualquier comportamiento distinto al esperado, motivado por cualquier circunstancia diferente a la esperada, la selección se reduce a un cúmulo menor. Con esto puede entenderse que la comunicación del sistema jurídico produce más comunicación, es decir, el comportarse conforme con lo esperado supone hacer coherente el mundo de sentidos posibles y generar otras selecciones coherentes con la normativa social. El no comportarse de conformidad con lo esperado supone requerir del derecho para que comunique el símbolo de la pena con el fin de evitar que se produzcan nuevos aprendizajes por la defraudación de la expectativa. La comunicación que el derecho produce frente a esta defraudación también posee un sentido que ha sido delimitado por el mismo derecho. Los encargados de adjudicar el derecho no pueden elegir, en un contexto de plena contingencia, el sentido que debe comunicarse en respuesta a la defraudación de la expectativa.

La pista de lectura que se propone para el derecho es mediante el código conforme a derecho/no conforme a derecho, jurídico/antijurídico, se garantiza la reducción de la complejidad en la escogencia de la decisión mediante la estabilidad de la expectativa normativa.

En cuanto a la segunda conclusión, debe recordarse que la comunicación presupone la existencia de personas. La persona, como centro de imputación jurídica, titular de derechos y deberes, es el centro de la comunicación del sistema jurídico. El mandato jurídico establecerá, en los términos hegelianos[2]: sé persona y compórtate como persona.

Las expectativas normativas reconocen la previa existencia de los roles sociales y, con base en ellos, se delimitan competencias y atribuyen responsabilidades. La función de estabilización de las expectativas normativas, así concebida, supone que el debido esperar que se pretende garantizar se dirigirá a expectativas de

---

[2]   La dialéctica hegeliana para el derecho y la pena sustenta, en parte, la existencia de la pena en el funcionalismo penal sistémico. Esto es, para el retribucionismo jurídico hegeliano, la pena es la reafirmación del derecho violado, en tanto que la pena contradice el delito y el delito contradice el derecho. Desde esta perspectiva y de acuerdo con Mizrahi (2004): "solo una persona posee capacidad jurídica y es esto, precisamente, lo que la habilita para violar sin más el derecho de otra. Por tanto, las acciones ilícitas de las que se hace cargo el derecho penal tienen este peculiar carácter contradictorio: niegan aquello que afirman. Porque la negación del derecho confirma doblemente la condición de persona, tanto de quien niega como de quien es negado en su condición de tal" (p. 11). Ahora, si bien la vinculación de Jakobs con Hegel siempre ha sido manifiesta, debemos precisar dos momentos en la teoría de la pena del primero que lo relacionan con el segundo. En un primer momento, Jakobs fundamentó su teoría a través de los juicios de fidelidad al derecho. Desde este inicial planteamiento, sus consideraciones aun guardaban matices que vinculaban terrenos psicológicos en los asociados. En un segundo momento, Jakobs, con una vinculación, además, más cercana a Luhmann, *des-psicologiza* la función preventivo general para atribuir a ella solo efectos sociales (Solano, 2008).

comportamiento estructuradas con base en roles y, en últimas, con base en el estatus de persona. Con estas consideraciones se debe admitir que el derecho penal, con rigor, no reprocha el comportamiento del ser humano, sino la comunicación de la persona a la que le seguirá una comunicación del sistema jurídico.

El estudio nos ubica, a partir de este momento, en el terreno propio del derecho penal. El derecho penal, desde la óptica del funcionalismo, sería aquel particular sistema jurídico que estabiliza las expectativas normativas mediante la imposición de una pena, que necesariamente es coacción, si se verifica la frustración de la expectativa normativa. De tal manera que, de todos los derechos posibles, se le asigna al derecho penal la función de estabilizar aquellas expectativas que, por su importancia en la sociedad, exigen de mayores medios de protección, pues preservan la identidad y la memoria del sistema social.

Lo dicho exigirá un estudio específico de la función del derecho penal en una teoría de sistemas. Partiremos, aquí, del estudio del rasgo determinante para la estabilización de expectativas: la pena. En un momento posterior relacionaremos esta función con los elementos teóricos que se exigen para legítima aplicación del funcionalismo sistémico: la confianza. Solo así el lector podrá entender que la "reafirmación de la vigencia de la norma" Poalino-Orts (2010), como función asignada al sistema jurídico penal, requiere, previamente, de la diferenciación funcional de la sociedad basada en la confianza propia que emana de la comunicación, o de otros equivalentes funcionales de la confianza, como los derechos fundamentales.

2.2. EL SUBSISTEMA PUNITIVO: LA APARICIÓN DEL DERECHO PENAL EN EL SISTEMA SOCIAL

El derecho penal es un particular subsistema jurídico que, como todo derecho, tiene la función general de estabilizar las expectativas normativas. Su particularidad, respecto de las otras formas de derecho, radica en que a él se le atribuye la protección de las expectativas de comportamiento más relevantes dentro de la sociedad. Entendiendo la necesaria contingencia del mundo, para el caso del derecho, de la defraudación de expectativas normativas que puede presentarse, habrá unas que representen el mayor peligro de producir un nuevo aprendizaje social.

Dentro del amplio panorama de expectativas normativas que se encuentran estabilizadas y que impiden nuevos aprendizajes sociales, se le asigna al derecho penal la particular función de garantizar la identidad normativa de la sociedad, esto es, de proteger aquellas expectativas normativas que constituyen el núcleo de todas, pues, por ellas, la sociedad es, normativamente hablando, sociedad. La identidad normativa, por ejemplo, es la que hace que se entienda que matar o estafar, por poner solo dos casos, son actos totalmente reprochables con independencia de que, con frecuencia, las expectativas contenidas en esas normas (no matar y no robar), sean defraudadas. De no existir el derecho penal para sancionar con pena el comportamiento, a la defraudación le seguiría un nuevo aprendizaje, al punto de afirmar que tanto matar como robar dejan de ser actos reprochables. Esto supuesto inimaginable, a todas luces, constituiría una nueva sociedad.

Si se retoma la discusión planteada al comienzo de este capítulo, concluimos que el sistema jurídico penal o punitivo tiene una función propia, pero que, a la vez, comparte una función con el sistema jurídico. El sistema jurídico tiene una función propia, pero comparte una función con la sociedad, sistema social por excelencia. Todos estos sistemas, por ser sociales, crean comunicaciones que producen más comunicaciones.

Gráfico 3. La aparición del sistema jurídico penal

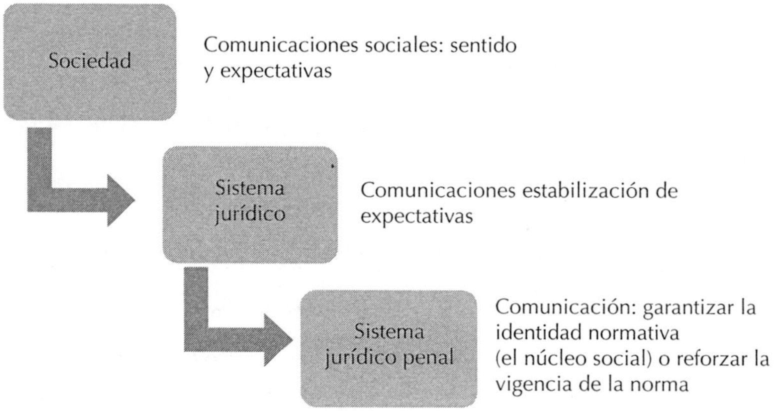

Fuente: elaboración propia.

El entendimiento que produce la comunicación en el sistema penal requiere, primero, del entendimiento de la función de pena y luego del delito, no a la inversa. A través de la pena se cumple la función particular del subsistema jurídico punitivo y, a través de la misma función, se dota de contenido a las demás categorías normativas que se requieren para la configuración del delito como acto antijurídico. Analizaremos, a partir de este orden, el estudio de la pena, del delito y, por último, de la función de la confianza en el subsistema jurídico penal.

2.2.1. La pena como garantía de la identidad normativa de la sociedad

En el prólogo a la primera edición de su *Tratado de Derecho Penal*, las líneas discursivas de Jakobs se dirigen a diferenciar los determinantes cambios estructurales de su posición teórica con los planteamientos de Welzel, quien fuera su profesor. Los nuevos planteamientos, recogidos en la fórmula de funcionalismo penal sistémico, han determinado un nuevo esquema de construir los juicios de responsabilidad penal mediante sustentos filosóficos y sociológicos que conducen a afirmar que la función del derecho penal radica en garantizar la identidad normativa de la sociedad.

Desde este punto de vista, son radicales y contundentes las relaciones entre los planteamientos sociológicos de Luhmann y lo que, para efectos de su teoría al campo penal, ha hecho Jakobs. De allí que, en una investigación que se pregunte por las condiciones de posibilidad y los límites de validez del funcionalismo penal sistémico en Colombia, luego de analizar los presupuestos teóricos del modelo luhmanniano, a renglón seguido y en un menor grado de abstracción, será necesario establecer las consecuencias de su aplicación en un particular esquema de pensamiento en derecho penal. En este sentido, como lo ha mencionado Grosso (2008), "adoptar el "modelo de sistemas" en el derecho penal implica un replanteamiento de las relaciones derecho penal —sociedad, en términos de sistema— entorno, y establecer cuáles son las categorías que se incorporan en esta relación" (p. 8).

A partir de las mencionadas relaciones entre una concepción normativa de la sociedad y la función que se asigna en ella al derecho penal, encontró Jakobs (1997a) las diferencias con los planteamientos de Welzel, estimando que, si parte de la función del derecho penal y no de la esencia (o de las estructuras) de objetos de la dogmática penal, ello conduce a una *re*-normativización de los conceptos. En esta afirmación se condensa el entendimiento del funcionalismo penal sistémico: los conceptos que componen el estudio del delito son normativos, en el entendido de que, a diferencia de las descripciones, son producto de valoraciones o actos de atribución de sentido. Reconociendo lo anterior, la *re*-normativización se produce para el funcionalismo penal sistémico porque las valoraciones dependen, primero, de afirmar la función que cumple el derecho penal en la sociedad, función que se ha concebido como una garantía o reforzamiento de la vigencia o confianza en la norma.

No es esta una postura pacífica en las ciencias penales contemporáneas. A diferencia de lo anterior, para los teóricos de la escuela finalista del derecho penal, también considerados como ontologicistas, las estructuras lógico-objetivas, iniciando por la finalidad con la que se realiza toda conducta, permeaban todas y cada una de las categorías normativas que siguen en los juicios de responsabilidad penal, esto es, a partir de la finalidad (concepto final de acción) se dotan de contenido las demás categorías dogmáticas del delito.

Antes de aludir al funcionalismo penal sistémico, es necesario entender qué se concibe por funcionalismo penal. Si bien para efectos de este escrito preferimos utilizar como sinónimos las expresiones funcionalismo penal sistémico y normativismo penal sistémico, debemos empezar con una precisión[3] en este sentido: con rigor, el funcionalismo penal sería una especie del género normativismo. Lo normativo hace referencia a aquello que exige de una valoración con miras a la comprensión de su contenido. Así las cosas, los conceptos penales con los que se manifiesta el funcionalismo son puramente normativos. Los esquemas funcionalistas, por su parte, son tales, en tanto se construyen mediante la exigencia, primera, de determinar la *función* del derecho penal. A partir de la función a él atribuida se valorarán los conceptos (*normativos*) que sustentan cada teoría.

Se han identificado, en este sentido, dos esquemas funcionalistas. Su normatividad representa la diferencia con las construcciones teóricas que, a partir de estructuras lógico objetivas o esencias, determinaron el contenido de los juicios de responsabilidad. Tenemos, por un lado, una primera construcción funcionalista que encuentra la función del derecho penal en la protección de bienes jurídicos[4]. Para lograr tal cometido, el derecho penal debe abrirse a consideraciones político criminales. Se trata de un funcionalismo (normativista) de corte político

---

[3]   Al respecto pueden verse los textos de Silva-Sánchez (2012) y Peñaranda (2000), entre otros.

[4]   Para Roxin, la finalidad del derecho penal radica en la protección de bienes jurídicos. A su juicio, la posición de Jakobs, consistente en asignar al derecho penal la función de protección de la vigencia de la norma, es bastante criticable. Estima Roxin que "esta visión —la de Jakobs— se apoya en un normativismo exacerbado. Ciertamente, la pena contribuye a la estabilización de la norma, aunque ello —en contra de Jakobs— no sea su único fin. Pero la estabilización de la norma no es un fin en sí mismo, sino que está destinada a contribuir a que en el futuro no se produzcan lesiones reales, individuales o sociales (esto es, lesiones de bienes jurídicos). En consecuencia, sirve, en última instancia, a la protección de bienes jurídicos, y carecería de sentido sin ese fin" (2013, p. 4; 2012). Por su parte, Schünemann (2007), en el mismo sentido de Roxin, a quien reconoce como su maestro, entiende que la función de protección de bienes jurídicos para el derecho penal supone determinar los límites inviolables al derecho penal en un Estado liberal de derecho. Esta finalidad —la de protección de bienes jurídicos— ha sido fuertemente discutida por Jakobs. Sus argumentos principales se basan en el entendimiento normativo del delito, la pena y la sociedad. Las respuestas a las críticas formuladas por Roxin a su teoría y su toma de postura, puede verse en (Jakobs G., 2003a). En un sentido similar, a partir de una teoría de sistemas basada en competencias y libertades institucionales, critica la concepción del bien jurídico Pawlik (2016). Una acertada lectura de estos últimos planteamientos, aunque con algunos matices críticos, puede consultarse en Robles-Planas (2018).

criminal[5]. Por otro lado, una segunda construcción funcionalista que encuentra la función del derecho penal en el reforzamiento de la vigencia de la norma a la que subyace la expectativa de comportamiento o, lo que es lo mismo, a la confirmación de la identidad normativa de la sociedad puesta en entredicho con la comisión del acto delictivo. Este último esquema, también normativo, concibe al derecho penal como un sistema cerrado en el que sus operaciones se producen y autorreproducen a través de la función a él establecida, función que, desde la perspectiva de una función general atribuida al derecho, otorga estabilidad a las expectativas normativas contra todo hecho que constituya su decepción[6]. El derecho penal, por tanto, por ser un sistema establecido con función propia, no se confunde con el sistema político[7]. Desde esta perspectiva (lo cerrado o abierto del sistema para el cumplimiento de su función), se diferencian ambos tipos de funcionalismo.

Este tratamiento, para autores como Silva-Sánchez (2013), consistente en despojar de todas las consideraciones político criminales al esquema funcionalista sistémico, es errado. Ambos esquemas, a su juicio, requieren alguna comprensión de finalidades político criminales. A nuestro juicio, a tal punto ello es así que, el mismo Luhmann ha establecido que los contactos entre el sistema y el entorno se efectúen mediante los acoplamientos estructurales. Para el funcionalismo la política criminal (posible y a la vez necesaria para el derecho), sería una observación de las irrigaciones mutuas entre el derecho y la política. Para sustentar la idea planteada, expresa Silva-Sánchez que:

---

[5]   Los planteamientos de Roxin en este punto fueron revisados, con rigor, en su texto sobre *Culpabilidad y prevención* (2019). Allí estableció, a partir de las vinculaciones entre culpabilidad y política criminal, que "La misión del derecho penal no puede consistir en retribuir la culpabilidad, sino, solamente, en la resocialización y en las ineludibles exigencias de prevención general" (p. 41). También, de una manera más general, sus consideraciones sobre las relaciones en doble sentido de la política con el derecho, fueron estudiadas en su texto *Dependencia e independencia del Derecho penal con respecto a la política, la filosofía, la moral y la religión* (2006).

[6]   En un sentido similar y con una lente (aunque en el fondo crítica), del planteamiento jakobsiano, ha dicho García-Amado que "lo que con el principio de legalidad penal se protege no son las previsiones (o expectativas) ciertas y reales, sino la previsibilidad (o expectativas), como posibilidad abstracta (2016, p. 321)

[7]   Debe recordarse que la comprensión de los sistemas cerrados que hace Luhmann es extraída, en parte, de la biología. "La forma autopoiética de los sistemas parte de la idea de sistemas autorreferencialmente cerrados, con la capacidad de autogenerarse desde adentro, y en esto se identifican plenamente Maturana y Varela, de una parte, y Luhmann, de la otra. El sistema social se establece mediante la producción de sus propios elementos como la especie de una realidad operativamente cerrada" (Sánchez, 2012, p. 81).

> Un entendimiento normativo de los conceptos jurídico-penales es presupuesto de toda sistemática teleológica, que pretenda orientar la dogmática a la función social del derecho penal, pero, a la vez, resulta difícil imaginar una normativización de los conceptos que no haya de recurrir a finalidades político-criminales. Así las cosas, las diferencias entre unos autores o grupos de autores y otros residirán, fundamentalmente, no tanto en el método en sí, sino en las premisas político-criminales que se tomen como referencia. La diferencia entre los planteamientos de Roxin y Jakobs, por ejemplo, podría radicar, pues, en que el primero, que parte de la necesidad de orientar la dogmática a la política criminal, acoge las finalidades político-criminales de un modo más global, comprendiendo que las diversas finalidades se limitan entre sí. En cambio, Jakobs, que parte de la necesidad de una renormativización, quizás acoja en forma demasiado categórica, esto es, sin limitaciones o contrapesos, la función de prevención integración que atribuye a la pena como base de la refundamentación normativa de las categorías y los conceptos. (Silva-Sánchez, 2013, p. 26)

En medio de esta discusión teórica, la cual se zanja en este escrito asumiendo solo, como marco teórico al funcionalismo penal sistémico, pero reconociendo, como se verá más adelante, que a través de los acoplamientos entre derecho y política le asiste a la política criminal la función de limitar la aplicación de este método solo a los casos que conduzcan a su legitimidad, salta a la vista la relación que en esta investigación se plantea entre aquel funcionalismo penal que concibe al derecho dentro de un sistema cerrado, con aquel esquema sociológico que concibe a la sociedad como un sistema normativo, cerrado y autopoiético.

Sobre la influencia de Luhmann en el derecho penal mucho se ha dicho. Sánchez (2012), Salazar (2016) y Calise (2011) así lo hicieron notar. Las evidentes relaciones, en algunos casos, más allá de ser explicadas han sido cuestionadas fuertemente reprochadas a partir de las supuestas consecuencias que en su aplicación se generan en el campo del derecho penal. Demetrio (2010) y Luigi Ferrajoli (2012) han lanzado fuertes críticas a la recepción que, por parte de Jakobs, se ha hecho del sociólogo alemán. Más allá de estas referencias, lo determinante, por ahora, es reconocer lo ya explicado: las expectativas de comportamiento, las normas como expectativas contrafácticamente estabilizadas o la función del derecho como garantía de identidad u orden son conceptos que el funcionalismo penal sistémico tomó, de forma clara, de la teoría sociológica luhmanniana. En el capítulo cuarto intentaremos, reconociendo las críticas que hemos ya manifestado, presentar una propuesta teórica que, quizás, otorgue una legítima respuesta a ellas.

En la proyección de las relaciones que la doctrina suele encontrar entre los planteamientos de Luhmann y de Jakobs, y que constituyen el corazón del funcionalismo penal sistémico, es necesario expresar que, para el entendimiento de la función de la pena en la teoría de Jakobs, además de las bases de teoría de sistemas ya planteadas, debe entenderse su vinculación con el pensamiento hegeliano[8]. El funcionalismo penal sistémico recoge los presupuestos de dos corrientes de pensamiento. Una, la que se viene analizando en este escrito, de la teoría de sistemas sociales de Luhmann; la otra, de corte filosófico, del pensamiento idealista hegeliano[9]: "Podríamos afirmar que se trata de una nueva lectura de Hegel a través de la concepción del derecho de Luhmann" (Montealegre-Lynett, 2003, p. 23).

Solo por ello puede entenderse porque, el mismo Jakobs, refiriéndose a Luhmann, ha expresado que sus consideraciones —las del funcionalismo penal— parecen ser no del todo idénticas con la teoría de sistemas sociales (Jakobs, 1996a, p. 16). Así, el funcionalismo jakobsiano se construye solo en parte, y no en todo, con base en la sociología luhmanniana. De esta suerte, es frente a este último espectro del funcionalismo penal sistémico donde se ha ubicado este escrito, teniendo en cuenta que, desde el punto de vista filosófico —que no sociológico—, el funcionalismo penal echa raíces en Hegel y no en Luhmann.

A modo de síntesis de la relación con el filósofo alemán, ya se ha dicho que, con rigor, en el concepto de persona la teoría de Jakobs es deudora de Hegel y, además, de Luhmann (Arrieta y Duque, 2018). En ambos autores esta categoría no se confunde con el concepto de ser humano. Y aunque en este punto Jakobs parece adherirse con mayor radicalidad a Hegel, el penalista alemán reconoce, no obstante, que la exposición más clara a este respecto se encuentra en la teoría de sistemas (Jakobs, 1996a). Asimismo, en el primer capítulo tuvimos la oportunidad de mostrar los vasos comunicantes que van de Hegel a Luhmann, con lo que los dos pilares teóricos del pensamiento de Jakobs no resultan, pues, opuestos entre sí. Frente a quienes plantean una división tajante en la influencia teórica de Hegel y Luhmann en el funcionalismo de Jakobs, no debe olvidarse la raíz hegeliana presente en el pensamiento luhmanniano (Casanova, 2016).

---

[8]   Una clara exposición de los planteamientos sobre la función de la pena en el funcionalismo penal sistémico puede encontrarse en los escritos de Lesch (2000a; 2000b).

[9]   En palabras de Sánchez-Ostiz (2008), la obra de Hegel repercute, sobre todo a partir de 1840, en varios autores y escuelas de derecho penal. Estima que, para estos autores, la concepción de Hegel pretende oponerse tanto al dualismo kantiano como al psicologicismo, propio de la obra de Feuerbach. El dualismo kantiano se evita mediante una concepción de la libertad entendida como reducción de lo general y lo particular a unidad por el sujeto volente, como concreta voluntad general. El arbitrio particular sería expresión, no de libertad, sino de destrucción de la libertad. Solo si el arbitrio se identifica con la generalidad de la voluntad, podemos hablar de libertad. El delito, como infracción del derecho, consiste en la oposición por el infractor de su arbitrio frente a la generalidad de la voluntad racional, en la afirmación del injusto en cuanto arbitrio frente al derecho; y, por ser tal, supone una negación de sí mismo como ser racional. La sanción vendría a tratarle, de nuevo, como persona racional. La pena pasa a ser la respuesta necesaria al delito, re-afirmación del derecho.

Desde una perspectiva sociológica, ha afirmado Jakobs que:

> La pena es siempre reacción ante la infracción de una norma. Mediante la reacción siempre se pone de manifiesto que ha de observarse la norma. Así entendida, la pena no debe ser considerada sino como un suceso no exterior, sino que también la pena significa algo, es decir, que la significación del comportamiento infractor no es determinante y que lo determinante sigue siendo la norma. Se demuestra así que el autor no se ha organizado correctamente. Correlativamente a la ubicación de la pena en la esfera del significado, y no en el de las consecuencias externas de la conducta, no puede considerarse misión de la pena evitar lesiones de bienes jurídicos. Su misión es más bien reafirmar la vigencia de la norma. (Jakobs, 1997a, p. 8)

La historia del derecho penal se remonta a la historia de la pena. Al traducirse, en mayor o menor medida, en afectaciones a libertades o garantías fundamentales de la persona, la pena siempre supone un mal para quien debe soportar sus consecuencias. Las discusiones sobre la pena han trascendido al ámbito de justificación. Son varias las teorías que han tratado de asignar a la pena uno o varios fines que legitimen su imposición. Las teorías que, tradicionalmente, intentaron justificar la pena, pueden ser sintetizadas, de acuerdo con Solano (2008), de la siguiente manera.

Las teorías absolutas, retributivas o de la retribución, conciben la pena, no como un medio para prevenir futuros delitos, sino como un fin en sí mismo, por lo que, para esta postura, la pena se encuentra dotada de un valor moral (retribucionismo ético) o jurídico (retribucionismo jurídico) intrínseco que le lleva, con su sola imposición, a deshacer los efectos inmorales o antijurídicos producidos con ocasión del delito. Por el contrario, las teorías relativas, preventivas o utilitaristas miran hacia el futuro *"punitur ne peccetur"*, por tanto, conciben la pena como un medio para la prevención de futuros delitos. De una manera más específica, las teorías de la prevención se agrupan en general o especial y positiva o negativa en atención a los sujetos sobre quienes produce efectos la pena. De conformidad con las teorías de la prevención general negativa, la pena busca la intimidación de los miembros de la comunidad, a efectos de que se abstengan de cometer futuros delitos. Según las teorías de la prevención general positiva (integradora), la pena tiene por finalidad motivar a los destinatarios a no infringir las normas jurídicas. Según las teorías de la prevención especial positiva, el fin de la pena radica en resocializar a la persona del delincuente, reintegrándolo, de nuevo, al tejido social. Por su parte, según las teorías de la prevención especial negativa, la pena busca bien neutralizar o bien eliminar a la persona del delincuente, pues es entendido como un foco de peligro que debe ser contrarrestado.

Dentro de esta exposición, suele vincularse el planteamiento que, sobre la pena, hace Jakobs, en las denominadas teorías de la prevención general positiva o de la integración. Si bien, debe decirse, el planteamiento jakobsiano comparte similitudes con los argumentos generales de esta postura, pues es cierto que ambas estiman que los efectos de la pena recaen, no propiamente en el delincuente, sino en todos los asociados mediante un efecto positivo; su particularidad —la de Jakobs—, respecto de la prevención positiva integradora, es que fundamenta su planteamiento en las consideraciones que, desde una perspectiva funcionalista sistémica, tiene el derecho y, por supuesto, el derecho penal. Como lo menciona Mazuelos (2008), la concepción de la pena para Jakobs está vinculada con una percepción del entramado social desde los conceptos de comunicación y expectativas que orientan los comportamientos de los asociados o personas para el sistema jurídico.

La teoría de Jakobs no busca reforzar los valores ético sociales[10] de los miembros de una sociedad, ni tampoco busca producir aprendizajes en la subjetividad de los asociados con el objetivo de que comporten de conformidad con ciertos valores comunes reconocidos por el derecho. La pena, para Jakobs (1998), solo supone la confirmación de la identidad normativa de la sociedad:

> Si la pena confirma la identidad normativa de una sociedad, es palmario que solo un miembro de la sociedad puede ser penado: nadie más puede atacar la identidad normativa. Por consiguiente, la pena es un proceso que se desarrolla de modo puro dentro de una sociedad. (Jakobs, 1998, p. 28)

Su planteamiento no debe entenderse, propiamente, como una teoría de la integración, sí debe tratarse como una particular teoría de la prevención general positiva. Particular en tanto que su finalidad principal no es prevenir futuros delitos, aunque lo anterior puede producirse como una finalidad mediata o indirecta. Su finalidad solo puede ser explicada desde los sistemas sociales y, por ende, desde la comunicación: lo que previene la pena, como el mismo Jakobs lo expresa, es que en los asociados no se generen nuevos aprendizajes basados en los actos delictivos (actos que defraudaron expectativas normativas contrafácticamente estabilizadas por el símbolo del enunciado prohibitivo de carácter penal).

> Se previene algo, pero no un delito futuro cualquiera, sino que los delitos ya no se conciban como delitos; lo que se previene, por lo tanto, es la erosión de la configuración normativa real de la sociedad. La pena pública es el mantenimiento del esquema de interpretación válido públicamente. El quia peccatum est tampoco describe de modo adecuado la razón del proceso de la punición; pues la razón no es solo la maldad del hecho, un peccatum, sino el mantenimiento de una determinada configuración social.

---

[10] Para Welzel (1956), la misión del derecho penal es la protección de los valores ético-sociales elementales del sentir (acción), y solo después, incluido en él, el amparo de los bienes jurídicos individuales. Ahora bien, siendo esta una clara teoría de prevención general positiva, no se trata de la única existente. También, con otros matices, la postura de Hassemer (2006).

Sin tener en cuenta esa configuración, es decir, de modo absoluto, no puede fundamentarse la pena pública. (Jakobs, 1998, p. 16)

De lo dicho se desprende que el horizonte de proyección que presentan las expectativas normativas en el funcionalismo sistémico de corte sociológico permea, en todo, la concepción funcionalista del delito de Jakobs:

(...) una ordenación del mundo con base en el deber ser, es decir, con base en normas, significa que no se espera que el mundo se desarrollará como esté condicionado en cuanto a mundo empírico, sino que se desarrollará de una manera determinada por el contenido del deber y, en caso de que ello no suceda, no se tratará de un defecto de quien tiene la expectativa, sino de un defecto de otra persona, precisamente, de la persona a la que le compete el desarrollo conforme a deber. (Jakobs, 2000, p. 341)

La proyección que representa la pena para una teoría del delito funcionalista sistémica entiende que ambas manifestaciones (delito y pena) son comunicaciones de sentido. Si el hecho es delictivo en la medida en que su significado social supone una contradicción con una expectativa estabilizada normativamente, la pena, por su lado, significará contradicción al significado social creado por el autor con el acto delictivo, de forma que su propia concepción del "mundo" no se constituya como un aprendizaje para los demás. Consecuencia de esto es afirmar que la pena reafirma, ante la decepción de la expectativa con el hecho delictivo, que la misma sigue existiendo. Este es el entendimiento de denominada reafirmación de la vigencia o confianza en la norma. Con razón, afirma Pawlik (2019), que tanto el delito como el castigo con el que se le responde son acciones que encierran un significado consistente en que el delincuente contradice las exigencias de su deber y el castigo confirma la autoridad de la norma.

El delito no es, en su explicación última, un enfrentamiento entre individuos o grupos a propósito de sus bienes particulares, del tipo que sean, sino un cuestionamiento del orden social, por lo que su comprensión requiere trascender de lo intersubjetivo a lo suprasubjetivo y de lo psicológico a lo sociológico (García-Amado, 2000). En otras palabras, el delito, como comunicación antijurídica, no supone un disvalor moral que precise de reparaciones especiales dentro del sistema jurídico. No hay, frente a lo que sostienen los partidarios de la prevención general positiva, al menos no en el seno del sistema jurídico funcionalmente diferenciado, vulneraciones morales que hayan de ser expurgadas enérgicamente para restablecer una "sana" conciencia jurídica (Prieto, 2006).

Tampoco sería correcto entender que la función de la pena, para el funcionalismo, se traduce en un mero factor motivacional para que los asociados cumplan lo dispuesto por la norma, es decir, aunque indirectamente esta función puede alcanzarse con la pena, su existencia no tiene, como finalidad principal, motivar a los ciudadanos a adecuar sus comportamientos al mandato normativo porque se trata de la intención de motivación de los asociados a los deberes establecidos en la norma. Esto es, su función no radica en motivar comportamientos. El mismo Luhmann es claro en afirmar que:

> (…) muchas teorías del derecho suponen que la norma se constituye a partir de las motivaciones que llevan a su cumplimiento; con esto, sin embargo, se mueven en terrenos muy resbaladizos. Sin negar la relevancia empírica de estas cuestiones y de su significado para una política normativa, hay que insistir en que la función de la norma no es orientar las motivaciones, sino algo en contrario: que la norma se estabilice, mediante aseguramientos, frente a los hechos. (Luhmann, 2005a, p. 192)

Esto es, propiamente, la norma no previene mediante la interiorización de los deberes en ella consignados. La norma, la persona y el derecho son constructos puramente normativos. Para el funcionalismo, pues, el delito solo es considerado en su componente social. Por supuesto que esta afirmación no conduce a desconocer las gravísimas consecuencias que el delito produce en los seres humanos (de carne y hueso), sino que, a partir de la consideración sociológica inicial que se ha planteado, el derecho es, y solo puede ser, un componente social. Solo así se despoja al derecho de matices que no le son propios y que afectan su debida comprensión.

Adicionalmente, si entendemos que el delito es una comunicación y no una predisposición subjetiva, debemos replantearnos, asimismo, los fines de la pena. La ubicación de la conciencia por fuera de la sociedad nos debería llevar a concluir que la resocialización no es ni puede ser el fin esencial de la pena[11]. Si el delito comunica, la pena es un acontecimiento comunicativo, que cumple, por tanto, la función de afirmar la vigencia de la norma y de prevenir infracciones ulteriores. Querer modificar la conciencia, pretender resocializarla, no solo ignora que los sistemas psíquicos son ajenos al sistema social, sino que es, esta sí, una pretensión antihumanista. El tratamiento resocializador no es un fenómeno aislado. Se inscribe, en términos modernos, en la matriz del derecho penal inspirado en el discurso humanista. De esta manera, entre categorías ineficaces y malabarismos teóricos, esta matriz de pensamiento puede conducir, con buenas intenciones, a subestimar la diferencia entre sistemas psíquicos y sistemas sociales (Arrieta-Burgos y Duque-Pedroza, 2018).

---

[11]   Para una crítica a la función resocializadora de la pena, puede verse el texto de Arrieta-Burgos (2017). Ahora, de la misma manera y permitiéndonos un poco más de detalle, en un texto publicado hace poco, el autor de este escrito se refirió, en modo crítico, a la aparente relación entre reintegración social y funcionalismo a partir de los acoplamientos entre la sociedad y el sistema psíquico (Duque-Pedroza y Solano, 2020).

Si toda pena supone la afectación de libertades fundamentales, el funcionalismo sistémico entiende que esta realidad, incluso, tiene un significado normativo que se infiere a partir de la explicación misma de la pena. Para el funcionalismo el significado de la pena alcanza sus efectos, además de la sociedad en general mediante la confirmación de la identidad normativa, en el infractor mismo. Para él también la pena significa. Los costos de las libertades fundamentales se traducen en los costos soportados por la configuración normativa de un mundo, en todo caso contingente, para el mundo de los otros normativamente acatado.

Hablar de la pena, por tanto, supone hablar de la coacción o de los efectos desfavorables que ella necesariamente produce en el infractor. Por eso es que la función de pena como reafirmación de la vigencia de la norma se dirige, primordialmente, a personas (centros de imputación jurídica). Son ellas —las personas—, incluido al infractor, quienes, con la pena, reafirman la confianza afectada con un mundo normativamente establecido. Como diremos más adelante, en el capítulo cuarto del libro, a través de los acoplamientos estructurales que se pueden presentar entre el derecho y la política, pueden encontrarse determinadas garantías estabilizadas mediante los instrumentos constitucionales que hagan legítimo el funcionalismo penal sistémico. También, aunque el tema hará parte de las consideraciones de cierre y propositivas del último de los capítulos, expresamos que de allí pueden surgir manifestaciones jurídicas acordes con la denominación de "derecho penal del enemigo[12]". En esos casos, los costos de la pena podrían variar en la medida en que la función, propiamente, no será la configuración normativa de la sociedad, sino, mejor, la estabilización del foco del peligro[13].

Una vez expuesto el significado de la pena en el funcionalismo sistémico, las líneas siguientes las dedicaremos a estudiar el componente normativo (general) del esquema jakobsiano. La disertación se hará solo desde los aspectos que dotan de contenido todas las construcciones normativas detalladas, más que versar sobre

---

[12]   Debe dejarse claro que, más allá de lo peyorativo o el contenido simbólico altamente político que suele reconocerse a la expresión, se entenderá, en este escrito, el término enemigo a partir de las observaciones o descripciones normativas que se hagan de cierto sistema jurídico y que determinan ciertas características sustantivas y procesales comunes que luego se expondrán, siendo la determinante la anticipación de las barreras de protección de los bienes jurídicos o las expectativas de comportamiento contrafácticamente estabilizadas. Las críticas que haremos a este tipo derecho, aun desde la órbita de lectura que hemos propuesto en este escrito del funcionalismo sistémico, serán desplegadas en el último de los capítulos.

[13]   El mismo Jakobs (2003) y otros autores como Polaino-Orts (2009), García (2007), entre otros, han edificado esta sutil pero trascendental diferencia en cuanto a los fines de la pena en atención a la calidad de persona o no ante el derecho.

aspectos puntuales de tipo dogmático. Se estudiará el delito como comunicación o, lo que es lo mismo, el delito en el marco del funcionalismo penal sistémico.

2.2.2. El delito como comunicación contrafáctica de la expectativa normativa

Se debe a la dogmática alemana el entendimiento del delito como conducta típica, antijurídica y culpable. En un intento de sistematización, se exigió la verificación, en primer lugar, de una conducta realizada por un autor. En un segundo momento se sometió a examen la conducta a partir de la existencia de referentes normativos de carácter legal o tipos penales. Luego, se requirió la valoración de la conducta típica realizada dentro de todo el ordenamiento jurídico, con el fin de determinar si, quizás, la misma se encontraba autorizada, por la totalidad de las normas que componen el sistema jurídico. Al final, las siguientes valoraciones se harán ya no sobre la conducta sino sobre su autor, de forma que pudiera exigirse a él, a título de reproche, la realización de un comportamiento diferente al realizado.

Conducta, tipicidad, antijuridicidad y culpabilidad fueron los filtros creados para verificar la configuración o no de un delito. Si bien esto es así desde hace ya muchos años, lo que sí ha variado es el contenido que, a través de la evolución, se le ha dado a cada una de las categorías dogmáticas. En este panorama, la contemporánea evolución dogmática del delito puede esbozarse en dos momentos claramente identificables. El primer momento agruparía todos los esquemas de pensamiento que pretendieron, a partir del entendimiento de la acción, las demás categorías. En un segundo momento, aquellos esquemas que, a diferencia de los primeros, plantearon un método de estudio diferente del delito, preguntándose, primero, por la función del derecho penal o de la pena para, a partir de esta respuesta, dotar de contenido las demás categorías dogmáticas. Estos últimos esquemas, como ya se dijo, se conocieron como funcionalistas. Para los primeros, la evolución de las categorías dogmáticas pasó desde el causalismo hasta la exigencia de limitaciones a las valoraciones normativas por estructuras lógicos objetivas; mientras que, para los segundos, las valoraciones normativas se hacían, en todo caso, a partir de la función que cumple el derecho penal.

Así concebida, en un mayor plano de abstracción, la diferencia que se elaboró entre finalismo y funcionalismo en la dogmática penal alemana tiene sustento metodológico en la diferencia que se hace entre iusnaturalismo y iuspositivismo, es decir, se trata, en últimas de responder si en el derecho penal la esencia precede o no a la existencia. Para los finalistas, en tanto que iusnaturalistas, habrá mínimos o esencias que determinan el ser del derecho penal. Estas esencias fueron denominadas estructuras lógico-objetivas[14]. Para los segundos, en tanto que positivistas (o funcionalistas), del ser no es posible derivar ningún deber ser, por lo que se construye el derecho penal a partir de valoraciones fundamentadas, todas, en la función que le asignan al derecho penal. Esta diferencia, en un mayor grado de abstracción, se encuentra ya manifiesta entre la disputa entre ontologicismo y normativismo[15], y hace eco de la rivalidad entre nominalistas y realistas (Pérez-Luño, 1997).

Para Welzel, dos estructuras lógico-objetivas son las que determinan, en todo caso, los juicios del deber ser: el concepto de acción final y la culpabilidad como juicio de reproche basado en la libertad del sujeto[16]. Estas estructuras no podrían ser desconocidas por el legislador o por el operador jurídico, quienes se encuentran supeditados a las mismas[17].

---

[14]   Las estructuras lógico-objetivas, en Welzel, hacen coherente su teoría con los denominados esquemas ontologicistas. Lo ontológico, como se vio, más allá de hacer referencia al reconocimiento o no de la realidad para la configuración de la teoría del delito, tiene solo que ver con reconocer que para su construcción hay determinadas esencias que ningún juicio de imputación debe desconocer. Por eso es que son estructuras (en la medida que constituyen la base del sistema), lógicas (pues parten de la realidad, sustancia o ser de las cosas) y objetivas (ya que no dependen de la voluntad o juicios de imputación del intérprete). Un buen análisis de toda la doctrina finalista a partir de sus planteamientos ontológicos y su correspondencia con el injusto personal que determina los juicios de imputación puede ser consultado en el texto de Córdoba-Roda (2014) y de Serrano-Maíllo (1999).

[15]   La distinción entre normativismo y ontologicismo, desde una mayor abstracción, se traduce en la misma distinción que en la filosofía se ha hecho entre *mala in se* y *mala prohibita*. Para establecer la diferencia, estima, con rigor, Solano (2016) lo siguiente: "Para los filósofos, entonces, hay naturaleza, entendiéndose por tal, en el sentido aristotélico de la expresión, aquello que permanece en el cambio; la mandarinidad permanece en la mandarina, pese a que esta se va corrompiendo hasta desaparecer. Para los sofistas, por el contrario, no hay naturaleza; solo hay lo que más adelante se llamará "cultura". Según los primeros, las cosas, las personas, las situaciones, las conductas poseen un ser, una estructura ontológica, una realidad metafísica que determina la forma en que el hombre ha de habérselas con ellas; para los segundos el hombre es quien les da el ser a las cosas, determinando, así, su sentido, significado y valor (p. 237).

[16]   Su modelo de pensamiento, por estar permeado por sólidas consideraciones filosóficas, instituyó una verdadera escuela que, incluso, se mantiene, en alguna parte, en la dogmática penal actual. Sobre la influencia de Welzel en la dogmática penal se refieren, con bastante precisión, los textos de Feijóo-Sánchez (2014b) y Cerezo-Mir (2009). Ahora bien, yendo más atrás, los orígenes del finalismo se encuentran en los planteamientos subjetivistas que hizo Feuerbach. La influencia de los mismos en el derecho penal contemporáneo, puede verse en el texto de Greco (2015).

[17]   En este sentido, expresa Cerezo-Mir (2003) que: "la estructura finalista de la acción humana y la estructura de la culpabilidad vinculan solo al legislador, según Welzel, en caso de que quiera anudar a una acción o a la culpabilidad una consecuencia jurídica. Solo en caso de que decida vincular una consecuencia jurídica a la culpabilidad tendrá que respetar necesariamente la estructura lógico-objetiva de la misma. En otro caso podría

La relación conceptual que se plantea entre Luhmann, Hegel y Jakobs es una muestra lineal de la utilización, por todos, del mismo método que rechaza, en su proceso constructivo, realidades o esencias prevalorativas que vinculen al observador. Todos son, pues, en últimas, desde la mirada propia del derecho penal, normativistas.

> Cuando aquí, como en general entre los penalistas, se habla de "normativo", "normativismo" y de "teorías normativistas", ello no se contrapone a "descriptivo". La contraposición en derecho penal se produce entre teorías ontologicistas y normativistas. Las primeras parten de que la realidad dada conlleva de modo necesario una determinada valoración jurídica que vincula al observador. Las segundas entienden que no es así, de modo que la valoración jurídica la aporta el observador, atendiendo a diversos criterios de "deber ser". Para el ontologicismo el "ser" conlleva un determinado "deber ser". Para el normativista, el "deber ser" no deriva de un "ser" determinado, sino que es producto de una atribución, debiendo entonces producirse una argumentación (valorativa) que justifique el porqué de esa asignación o imputación. (Silva-Sánchez-Sánchez, 2013, p. 50)

Se desprende de lo dicho la atribución que se hace a Welzel[18] de ontologicista y a Jakobs de normativista. Para Grosso (2006a), el normativismo en Jakobs se traduce en que para éste el delito no se concibe ya como un "*ontos*" aislado y en sí mismo considerado, sino como el producto de un complejo entramado de relaciones de comunicación que participan en pie de igualdad con la totalidad de las demás relaciones comunicativas de la sociedad y que, por lo tanto, no tiene una entidad ontológica diferencial en sí misma. Por eso mismo, sugiere Grosso (2006a), el delito surge de un proceso de definición normativa.

Si el funcionalismo penal sistémico es normativista y que, para él, la función del derecho penal en la sociedad radica en la garantía de confianza o reafirmación de la vigencia en la norma, el siguiente paso será determinar cómo, dicha función, permea de sentido toda la construcción del delito que se hace en este esquema de pensamiento.

El requerimiento de la acción que, como piedra angular en una teoría del delito finalista, existe con independencia a las valoraciones que hace el derecho, deja de ser tal para el funcionalismo. Para éste, si bien es cierto que existe una institución jurídica a la que se le denomina acción, para su determinación, tal y

---

ignorarla. Lo mismo sucede con el concepto finalista de la acción. Solo en el caso de que el legislador quiera anudar una consecuencia jurídica a una acción humana estará vinculado a la estructura lógico-objetiva de la misma" (p. 48).

[18] Desde este planteamiento, define Welzel (2002) la acción como "actividad de intención humana" (p. 30). No hay acción sin intención y no hay conducta sin tal. La finalidad, siendo prejurídica, debe ser reconocida por el legislador.

como ocurre con las demás categorías e instituciones del delito, no se requieren datos ónticos o prejurídicos que, a partir de la finalidad y la exteriorización del comportamiento, establezcan si existió o no.

Para Jakobs (1997a), la acción hace parte de la teoría de la imputación. Solo será acción aquel comportamiento que, en términos sistémicos, comunique algo para el sistema jurídico. Esto es, "la acción debe buscarse dentro de la sociedad y no fuera de ella" (Montealegre y Perdomo, 2006, p. 46). En una concepción sistémica del derecho penal la acción depende de la imputación objetiva y ambos, en tanto que construcciones puramente normativas, son producto de actos de comunicación que se dan dentro de la sociedad y que la reproducen.

Luego, la imputación jurídico penal, conforme con la vinculación que de su teoría reside en Luhmann, constituye solo la forma que utiliza la dogmática, para, a través del concepto de rol o persona, explicar los actos de comunicación relevantes para el sistema jurídico penal.

Desde querer definir el concepto de acción y, a partir de su vinculación con la teoría de la imputación, construye Jakobs la misma con un concepto negativo y expresa que por conducta se entiende:

> (...) la evitabilidad de una diferencia de resultado. Esto es, la acción, como supra-concepto de hacer u omitir, ha de ser el no evitar lo evitable en posición de garante o emprender una acción que evitaría el peligro. Así, el que alguien cause evitablemente la muerte de otro, o no impida, de modo evitable (dolosa o imprudentemente), las condiciones suficientes, por otro origen ya existentes, de la muerte, a pesar de la diferencia entre acción y omisión, coinciden en la diferencia evitable entre las respectivas alternativas; se trata precisamente de la diferencia entre la vida y la muerte. (Jakobs, 1997a, p. 177)

Desde esta línea, coherente con su pensamiento, se entiende por qué razón, a manera de introducción de una de sus obras, uno de los más reconocidos actuales seguidores del pensamiento jakobsiano, expresa:

> En este trabajo, el actuar no se entiende, como en Welzel, de una manera instrumental, como la modificación orientada a un fin del mundo exterior, sino de manera comunicativa —como una toma de posición entre alternativas valoradas normativamente—. A ello está vinculado de manera inseparable un segundo aspecto: el actuar en cuanto suceder comunicativo no es, a diferencia de lo que sostiene Welzel, un acontecimiento puramente individual, sino social. (Pawlik, 2019, p. 9).

Se reitera, como lo menciona el mismo Jakobs (1997b), que "la teoría de la relación específica de imputación objetiva puntualiza el concepto de acción" (p. 101). Esto es, desde su planteamiento, la teoría de la imputación objetiva no tiene que construirse por fuera del marco del concepto de acción, pues ambos conceptos conducen a la normativización de la finalidad preventivo general que le asigna a la pena. Al criticar los supuestos de acción que vinculan su entendimiento desde el plan puramente subjetivo, Jakobs (1997b) pone de manifiesto la nota característica que le asigna a la acción: la expresión de sentido como no reconocimiento de la vigencia de la norma.

Después de abordar el concepto de acción en Jakobs, es preciso ahora continuar el estudio del delito con la siguiente premisa: para el funcionalismo penal sistémico, el delito, como comunicación socialmente disvaliosa, es una afectación a las expectativas que defraudan el rol social que se impone a la categoría de persona como titular de derecho y obligaciones, o la defraudación misma de la forma persona.

En el funcionalismo sociológico solo los actos de la persona alcanzan a comunicar en términos de sentido. En términos generales, lo disvalioso de la comunicación realizada o, en otras palabras, el injusto penal que se construye, depende del sentido de la conducta en sociedad, pues la comunicación se produce, precisamente, por la expectativa de comportamiento que subyace al rol o a la forma persona. Es necesario decir que la normativización de los conceptos es tal que incluso la diferencia entre injusto y culpabilidad resulta artificial. Al exponer los planteamientos sobre culpabilidad se explicará el sentido de esta afirmación y se deja, por ahora, sentada la siguiente conclusión parcial: la culpabilidad es, quizás, la categoría medular en la obra de Jakobs. A partir de ella se concreta, de mejor forma, la relación pena-delito.

Si se retoman los planteamientos de teoría de sistemas del capítulo anterior, debe decirse que el rol, desde una perspectiva jurídica, delimita competencias, es decir, por el rol, no a toda persona le corresponde todo en la sociedad, no de todos se espera la realización de todo ni ella puede esperar cualquier cosa de los demás. Es a partir de sus particulares posiciones sociales o roles que la persona puede determinar qué esperar y cómo esperar. La diferenciación funcional, así, crea expectativas de comportamiento que se relacionan con el rol que se ha impuesto en sociedad.

El concepto de rol que ha utilizado el funcionalismo penal sistémico no fue estudiado de forma detallada por Luhmann en su teoría. Este, realmente, surgió de los planteamientos hechos por parte de su maestro norteamericano, Parsons. Para el reconocido sociólogo, el rol era aquel elemento que constituía la unidad de los sistemas sociales. Expresaba Parsons (1968) lo siguiente: "una vez que se estabiliza un sistema organizado de interacción entre el *ego* y el *alter*, éstos construyen expectativas recíprocas respecto de sus acciones mutuas, que son los núcleos de lo que llamaremos expectativas de rol" (p. 37). El rol, así entendido, se institucionaliza cuando es totalmente congruente con las expectativas vigentes[19].

---

[19]   En particular, frente al proceso de institucionalización de los roles, estimaba Parsons (1966): "Un rol es un sector del sistema de orientación total de un actor individual que se

De la exposición que el funcionalismo sociológico norteamericano hace del rol y su institucionalización, no solo bebe Luhmann, sino, también, Jakobs. Así, como lo expresa este último, "la responsabilidad jurídico penal siempre tiene como fundamento el quebrantamiento de un rol" (Jakobs, 1996a, p. 145). En esta simple pero contundente afirmación se encierra toda la comprensión sistémica del delito: el delito es tal en cuanto constituye una comunicación defraudatoria de las expectativas, y estas existen pues la comunicación opera en terrenos de diferenciación funcional o roles.

Montealegre y Perdomo (2006) estiman que la aplicación de esta particular dogmática penal deja al descubierto que el criterio de la posición de garante y del deber jurídico constituyen la piedra angular del sistema de imputación de Jakobs. Se habla, en este punto, de deber jurídico (Polaino-Navarrete, 2004), básicamente por una razón: por el concepto normativo de persona que se incrusta en lo social. La persona, así concebida, es la expresión de la libertad normativa en tanto que ser social:

> La libertad de que gozan los sujetos es una que lleva implícita el reconocimiento de los demás miembros del grupo (se vive en sociedad) como seres libres y por ende, racionales, de tal forma que libertad en sentido normativo, y de la mano de los planteamientos de la filosofía de Hegel, es la posibilidad que tiene el sujeto de configurar sus intereses siempre tomando en consideración la existencia libre del otro, por lo que el hombre tiene que ser fiel al derecho, contribuyendo al mantenimiento de las condiciones que han facilitado su existencia libre. (Montealegre y Perdomo, 2006, p. 33)

A partir de lo dicho, el rol puede ser visto desde dos perspectivas, en torno a las cuales se generan particulares ámbitos de libertad normativa o ámbitos de ejercicio funcional de la persona conforme a expectativas: en primer lugar, todos, por el solo hecho de pertenecer a la sociedad, tenemos el deber general de comportarnos como sujetos de derecho, es decir, como personas. Las expectativas de comportamiento que se imponen al rol no van más allá de la configuración

---

organiza sobre la base de expectativas en relación con un contexto de interacción particular, el cual está integrado con una serie de criterios de valor que dirigen la interacción con un alter o más en los roles complementarios adecuados. La institucionalización de una serie de expectativas de rol y de las sanciones correspondientes es una cuestión de grado como función de dos variables: de un lado, las que afectan a las pautas de orientación de valor efectivamente compartidas; de oro, las que determinan la orientación motivacional u obligación de cumplir las expectativas relevantes. La antítesis polar completa de la institucionalización es la anomia. De la misma manera que hay grados de institucionalización, hay también grados de anomia. Una institución es un complejo de integraciones o de relaciones de estatus de rol institucionalizadas que tiene significación estructural en el sistema social en cuestión. La institución, por ende, es una estructura social de orden más alto que el rol" (p. 57).

normativa de la persona en cuanto tal: portador de deberes y derechos generales. Como dice Jakobs (1996b), "si bien el rol común tiene el contenido positivo de constituir una persona en cuanto a persona en derecho, interesa más el lado negativo, es decir, el deber de no lesionar a otros" (p. 147).

Se trata de organizar el mundo de forma tal que en la organización no se lesionen ámbitos ajenos de competencia. Por la organización que se exige del mundo con base en expectativas comunes, se ha determinado que la competencia que surge de la verificación de este tipo de roles se entiende como competencia por *organización*. En este tipo de competencia surgen, en primer lugar, mandatos o deberes de aseguramiento en el tráfico. Así, quien domina un objeto material debe cuidar que los contactos de otras personas con el objeto permanezcan indemnes. Existen particulares deberes de aseguramiento a partir de comportamientos anteriores de la persona que le implican organizarse de forma tal que no culminen con afectaciones de otros. Este último caso, denominado por la doctrina y por el mismo Jakobs como injerencia (2001), se presenta, por ejemplo, a su juicio, cuando se excava una zanja en una calle pública, teniendo que asegurarla de tal forma que nadie caiga en ella; como cuando alguien hace una hoguera en el monte y, luego, tiene que apagarla. Lo mismo es válido para el deber en virtud de la asunción de una tarea, ya que el que asume organiza, mediante su promesa, una aminoración de la protección y debe compensar esta menor protección. En este último evento, el fundamento de tal responsabilidad es la organización imputable de una aminoración de la protección (Jakobs, 2004a).

Desde esta perspectiva, en todos estos casos, más que actuaciones de sujetos basadas en deberes generales de solidaridad[20], hay verdaderos mandatos por de-

---

[20]   Los deberes de solidaridad y sus consecuencias en una teoría del delito han sido un tema de constante estudio desde el esquema funcionalista. En Colombia, quizás quien más se ha acercado al estudio de los deberes de solidaridad desde una perspectiva claramente funcionalista, en particulares análisis sobre la omisión y la posición de garante, ha sido Jorge Perdomo (2007; 2008), quien afirma que existe posición de garante en virtud de confianza legítima especial. Desde una perspectiva extranjera, quisiéramos resaltar tres estudios sobre este punto. En un primer lugar, desde un reciente escrito, Piña-Rochefort (2019) analizó el concepto y la función de los denominados deberes de solidaridad con el fundamento propio de una teoría sistémica funcionalista. Así, logró determinar el rol que ha desempeñado la solidaridad como estructura de cohesión social en la sociedad funcionalmente diferenciada. Por su parte, desde los mismos sustentos funcionalistas, Van-Weezel (2018) estudió la solidaridad como fuente de deberes penales. Por último, no puede desconocerse la validez de los planteamientos que en la omisión ha hecho Silva-Sánchez (2006). Este último, si bien no acoge de forma total los planteamientos funcionalistas sistémicos de Jakobs porque niega algunas de sus consecuencias en teoría del delito, sí reconoce la relevancia que, como método, resulta el planteado por Jakobs para una teoría normativista.

beres de organización que surgen por el solo hecho de ser persona en derecho, titular de derecho y de deberes con base en expectativas de comunicación recíprocas que, en cuanto tales, definen el sentido social de lo esperable.

En la configuración normativa de la sociedad existen, también, roles especiales. Estos, a diferencia de los anteriores, se imponen porque determinada persona debe configurar, junto con otras personas, un mundo común, más o menos completo (el padre con el hijo, el esposo con su esposa). Estos roles, cuando adquieren relevancia jurídica, siempre son segmentos referidos a personas de las instituciones que confieren a la sociedad su configuración fundamental específica (Jakobs, 1996b). La vinculación con cierta institución que, a su vez, comunica para la sociedad en términos de expectativas, hace que la competencia que surge en este caso se denomine como *institucional*. El paso de la competencia por organización a la competencia institucional es explicado por Jakobs con la siguiente premisa:

> Si está claro pues, que ya la competencia por organización presupone la institución de la constitución jurídica de la sociedad, se ilumina inmediatamente la dirección, en la cual hayan de buscarse «fundamentos jurídicos especiales» de deberes, que sean equivalentes a los deberes en virtud de una competencia por organización: la búsqueda no tiene que dirigirse a un «dominio del hecho» parecido a la organización —esto desorientaría igual que desorientó la búsqueda en el siglo pasado de una causalidad equivalente a la de la comisión—, sino que tiene que dirigirse a aquellas instituciones que determinan la identidad de la sociedad de la misma manera que esta se encuentra determinada por el sinalagma libertad de organización/responsabilidad por las consecuencias. (Jakobs, 2004a, p. 132)

La competencia en virtud de instituciones, para una teoría funcionalista sistémica del delito, se establece ante la verificación de deberes positivos[21] en el ejercicio del rol que repercuten en la existencia de posiciones de garantía frente a otros, deberes estos, por ejemplo, vinculados con instituciones estatales mediante la calidad de servidor público por las denominadas relaciones paterno-filiales, a partir de la institución de la familia que establece vínculos de contacto, direccionamiento específico y protección de otros; y situaciones abarcadas dentro de la categoría de confianza especial que surge, como institución, a partir de la expectativa de comportamiento genuina derivada de ciertos actos, por ejemplo, los propios de la administración pública (teoría de los actos propios).

[21.] La diferencia que en Jakobs se encuentra sobre deberes positivos y negativos, así como el surgimiento que, a partir de los primeros, se hace de las instituciones, puede ser explicado, aunque alejándose un poco de su planteamiento, en el escrito del Robles-Planas (2013).

A diferencia del contenido negativo de los deberes que se representan en la competencia por organización, en este caso los deberes, en mayor medida, se simbolizan como positivos, en tanto que, por la institución a la que subyacen, existen expectativas de salvamento o protección para quienes obran con base en dichas expectativas.

La diferencia que Jakobs plantea entre competencia en virtud de organización y responsabilidad en virtud de competencia institucional[22] es solo una explicación detallada de la libertad, normativamente entendida y con asidero en su concepto de sociedad, el cual, como se ha visto ya, depende de la configuración del mundo con base en expectativas de comportamiento.

Si la libertad normativa se vincula con el concepto de deber jurídico, podemos entender la razón por la que los estudios funcionalistas, en este campo, se traducen en estudios sobre los denominados deberes positivos (aquellos que surgen de la competencia institucional) y los denominados deberes negativos (aquellos que surgen de la competencia por organización). Así las cosas, como expresa Sessano (2006):

> Tanto las normas que imponen a un sujeto la obligación de evitar una extensión de la propia esfera de organización a costa de los ámbitos organizativos de otros, y que plantean por tanto, una relación puramente negativa entre el sujeto y el bien jurídico, como aquellas que obligan por el contrario a la "conexión de esferas vitales" o a la "configuración de un mundo parcialmente en común", y con ello a prestaciones positivas para la subsistencia o la producción de bienes jurídicos, contienen con carácter general, una referencia a un estado de cosas (presente o futuro) que se define por la existencia de un bien jurídico. (p. 4)[23]

[22L.] La diferencia que se plantea en Jakobs entre competencia por organización y competencia institucional, da lugar para que, en su sistema, existan criterios de imputación diferentes en los delitos de organización y los delitos de infracción al deber, siendo cada uno de ellos el modelo respectivo para cada competencia. Para una buena síntesis de estos planteamientos, pueden consultarse los escritos de Lesch (1995), Sánchez-Vera (2002), Kindhäuser (2011) y Cancio-Meliá (2008).

[23] De la cita, la expresión "bien jurídico", debe leerse en clave jakobsiana, es decir, como la expectativa normativa que subyace a símbolo penal. En este punto cabe anotar que, tanto el autor en el párrafo citado, como otros autores (Cancio, Peñaranda y Suárez), han determinado la aplicación del concepto de bien jurídico en la obra de Jakobs. Lo que ocurre, por supuesto, es que la preferencia por la expectativa normativa que se pretende estabilizar como bien jurídico protegido debe diferenciarse de la —a veces difusa— idea de protección de bienes jurídicos sin referencia a la sociedad en la cual deben protegerse. Estos autores, en una lectura de Jakobs aquí también compartida, estiman que "la crítica de Jakobs a la doctrina del bien jurídico, se centra en la idea de que incluso los bienes jurídicos que han de ser protegidos por el derecho penal no gozan de una protección absoluta en una sociedad que permite, en una medida muy considerable. el sacrificio de bienes para posibilitar el contacto social: citando a Jakobs, estiman que por ello una norma no

Una lectura de Jakobs, a partir de los presupuestos de Hegel y Luhmann aquí expresados, conduce a entender que los juicios de imputación que se realizan en derecho , son, en últimas, juicios sobre la libertad normativa de la persona. Con razón expresa Sánchez-Ostiz (2008) que: "La imputación parece ahora desplazar a las reglas de atribución, que se precisan para poder afirmar lo que la doctrina de Hegel considera la libertad" (p. 294).

La libertad de la que se viene hablando, en cuanto dotada de sentido o reconocimiento por parte del derecho, establece en qué casos se merece una sanción por parte del ordenamiento.

Más que exigibilidad de otro comportamiento distinto (libertad en el sentido ontologicista), la culpabilidad es el merecimiento de la respuesta punitiva con base en la necesidad o no de reforzamiento de la expectativa normativa defraudada. Habrá, en este sentido, casos en los que no se exija del derecho estabilizar contrafácticamente, negándose la culpabilidad en el hecho realizado por el autor: piénsese, por ejemplo, en inimputabilidad. La ausencia de culpabilidad para este, en términos funcionalistas, es solo una carencia (normativa, idealista, hegeliana) de libertad, no una predisposición psíquica.

A manera de recapitulación de lo mencionado, y con el fin de lograr un entendimiento de los juicios de imputación de los que se ha venido hablando a partir de la denominada re-normativización de los conceptos funcionales a la pena, se precisarán, a título de ejemplo, dos eventos en los que el concepto de rol determina los criterios de atribución jurídica de resultados[24]:

Para los finalistas, el dolo es conocer y querer la realización de la conducta típica. No hay dolo, pues, sin finalidad. La finalidad es la esencia de toda conducta y es, precisamente, la finalidad, la que diferencia la calificación de culposa, dolosa o preterintencional de alguna conducta. Obra con dolo, entonces, con base ontologicista, quien efectivamente conoce y quiere realizar una conducta estimada

---

puede proteger un bien frente a todos los riesgos, sino tan solo contra aquellos que no son consecuencia necesaria del contacto social permitido. La doctrina de los bienes jurídicos no puede explicar, sin embargo, qué es esta clase de contacto social" (Peñaranda, Suárez y Cancio-Meliá, 1999, p. 53).

[24]   Los ejemplos que se citan son una pequeña muestra de todos los posibles casos y consecuencias que supone asumir una teoría normativista de corte funcionalista sistémica. Feijóo-Sánchez, en su texto *Normativización del derecho penal y realidad social* (2007), recapituló de forma sistemática las posibles recepciones que supondría el método que aquí se despliega, con variadas consecuencias, por ejemplo, en la criminalización y legitimidad de los delitos de peligro, sobre todo las formas de peligro abstracto y, por poner solo otro caso más, la problemática derivada de los delitos acumulativos con fundamento en el postulado de precaución en el derecho penal.

como prohibida. Los funcionalistas sistémicos, por ende, normativistas[25], estiman que el dolo podría, como efectivamente ocurre en muchos casos, construirse sin voluntad, a partir de la verificación de la expectativa defraudada propia del rol, es decir, en tanto que se parte de una construcción normativa, nada psicológico hace parte del dolo. Más allá de tener que probar que se obró con conocimiento y voluntad, como exigirían los finalistas; en Jakobs la prueba del dolo parte de la defraudación de las competencias asignadas al rol. Todo esto, en últimas, lo lleva a sostener (2009) la inviabilidad de diferenciar errores de tipo y de prohibición basados en cierto desconocimiento o, incluso, la inviabilidad por diferenciar el injusto de la culpabilidad. Todo, en últimas, sería un asunto de culpabilidad conforme a los fines de la pena. Como se explicará más adelante, en la categoría dogmática de la culpabilidad se centraliza para Jakobs la relación entre delito y pena: la culpabilidad, con algunos pequeños matices en su planteamiento a través de su misma evolución, representa el juicio de la fidelidad al derecho. Por ello, a partir de la función de la pena y del juicio de culpabilidad que representa el derecho, establece Jakobs (2004b):

> La culpabilidad no existe porque concurran el conocimiento del tipo o el conocimiento de la ilicitud, sino porque falta lealtad al Derecho; este déficit puede ser inducido a través del conocimiento, pero también de otros modos o formas que lo pongan de manifiesto. En la perspectiva del proceso, ello significa que no hay que probar el conocimiento sino la indiferencia ante el Derecho, la ausencia de relevancia de los datos para la decisión. (p. 347)[26]

---

[25] Es necesario reconocer que, aunque comparten evidentes supuestos, no todas las posturas normativistas del dolo se compadecen plenamente y a cabalidad con los postulados de Jakobs. En ese sentido, por ejemplo, viene al caso reconocer las tesis que Feijóo-Sánchez (2002) y Ragués (2007; 1999) han hecho al respecto. Incluso hay cierta intención, claramente expresada en el último, para no desvincular completamente el aspecto psicológico del dolo, pues, a su juicio, el sistema de Jakobs, con la finalidad de huir por completo de los rasgos psicológicos, termina vinculándose con un sistema puramente de actitud. También hay quienes, incluso, desde la base de Jakobs, radicalizan aún más el aspecto objetivo del dolo, a través de extremos juicios de normativización y logran abandonar cualquier rasgo de estado mental en el concepto de dolo (Pawlik, 2016; Pérez-Barberá, 2011). Por último, también podríamos relacionar a quienes, como Puppe (2014), critican las consecuencias que la indiferencia ante los hechos generaría para la construcción del dolo, negando, desde esta perspectiva, la concepción normativista que aquí se viene trabajando y, por supuesto, criticando la finalidad preventivo general que se le asigna a la pena. En un sentido crítico similar propio de la normativización que se hace con base en competencias Velásquez-Velásquez (2008).

[26] El tratamiento de los déficits o defectos cognitivos y volitivos para Jakobs es diferente, en la medida en que ningún defecto volitivo excluiría la responsabilidad penal, mientras que, por ejemplo, algunos defectos cognitivos sí la afectarían (ubicables estos dentro de la responsabilidad penal a título de culpa, particularmente en la que él denomina imprudencia no dirigida). Debemos decir que este planteamiento no parece ser del todo coherente

Por ejemplo, con la finalidad de explicar los dichos de Jakobs, si un servidor público no conoce la línea jurisprudencial definida por las altas cortes que, para su caso, constituye precedente vinculante, su rol afirmaría que debió haberla conocido, pues, precisamente, se espera de él deberes de comportamiento que van adecuados con su calidad. El desconocimiento que podría surgir de una indiferencia (infidelidad al derecho) en ese caso, de la providencia judicial, podría, fácilmente, ser considerado por este esquema de doloso, aunque no existió en el servidor el más mínimo querer o intención de afectar la administración pública con su comportamiento. Así, diría el funcionalista, más que afectar el bien jurídico de la administración, se expresó una comunicación contraria a las expectativas que subyacen al rol especial de servidor, por lo que el derecho debe imponer la pena con el propósito de garantizar la existencia de las expectativas defraudadas y, para ello, el delito se construirá, normativamente, a partir del rol infringido, nunca a partir de esencias previas que determinan el deber ser.

Un segundo evento que debe mencionarse, a modo ilustrativo, tiene que ver con la atribución de responsabilidad penal, a título de autor, por la sola infracción del deber especial que subyace al rol. Se trata, para el caso, de roles institucionalizados. Acogiendo los modelos de responsabilidad y de competencia que fueron explicados, este evento se enmarcaría dentro de la denominada competencia institucional. Una teoría funcionalista de corte sistémico atribuye responsabilidad penal por la sola vulneración del rol institucional defraudado, con independencia de la magnitud o grado del aporte del sujeto responsable: se es autor no por la realización de comportamientos que, en un mundo de los sucesos fácticos resulten ser más significados, sino por la realización o no realización de un comportamiento esperado conforme con el rol, así se trate de un aporte poco significativo, así valorado desde el mundo de los acontecimientos[27].

---

con las tesis del mismo Jakobs, pues, en ese sentido, la consecuencia jurídica para el sujeto, más que una pena, debería ser una medida de seguridad. La tesis de Jakobs sobre los defectos cognitivos y volitivos y su tratamiento en la diferencia del aspecto subjetivo (dolo y culpa), se pone de presente en un escrito por él publicado con el nombre *Sobre el tratamiento de las alteraciones volitivas y cognitivas* (1992a). En palabras del mismo Jakobs, "el aspecto subjetivo del delito tiene la misión de servir a la realización del fin de la pena, entendiendo por fin de la pena el mantenimiento de la vigencia normativa, es decir, prevención general positiva" (p. 347).

[27]   De los variados escritos que tratan el tema de autoría y participación a partir de los planteamientos de funcionalismo penal sistémico quisiéramos resaltar dos de ellos, pues, por un lado, provienen de autores adscritos al pensamiento de Jakobs y, por otro, por las marcadas consecuencias que ellos atribuyen a las ideas del último, incluso, en algunos casos, más allá de lo que en un principio estableció el mismo Jakobs. Se trata de los escritos de Lesch sobre la *Intervención delictiva e imputación objetiva* (1995) y Sánchez-Vera sobre el *Delito de infracción de deber y participación delictiva (2002).*

En los eventos mencionados la renormativización alcanza su máxima expresión a partir de la función del derecho penal. En ambos, el derecho determina el contenido de los conceptos "dolo" y "autor" a partir de categorías sistémicas que, en últimas y a manera de síntesis, se traducen en la confianza que produce expectativas a partir de roles sociales. Esto es, pues, para la sociedad, solo comunicación.

De los eventos que pueden ser explicados a través de los ámbitos de competencia que se derivan del propio rol, quisiéramos destacar la construcción normativa del injusto penal en los delitos de peligro abstracto: el injusto penal deja de ser entendido como la suma de dos disvaloraciones realizadas sobre una conducta (desvalor de acto y disvalor de resultado). Así, el típico y problemático caso de los delitos de pertenencia u organización, en Colombia con la denominación de concierto para delinquir, fundamentan su injusto en el plano de la pertenencia a la sola "organización". El injusto pasa a ser explicado como la arrogación de organización ajena[28], es decir, como la atribución que, en un indebido ejercicio de los roles que surgen de la condición de persona (ciudadanía) este se atribuye ámbitos organizacionales ajenos, en principio atribuidos al Estado.

Si el delito es una conducta típica, antijurídica y culpable, el paso, a continuación, es estudiar la culpabilidad para el funcionalismo. Esta categoría se encuentra íntimamente vinculada con la ya explicada función de la pena.

Dos premisas son necesarias para el entendimiento del concepto funcional de culpabilidad que plantea Jakobs: la primera cuestión tiene que ver, de nuevo, con proyectar el problema a la luz de la relación entre delito y fin de la pena. De allí que, a nuestro juicio, la culpabilidad es, de todas las demás categorías, aquella en la que mayor manifiesto existe sobre esta relación. La segunda cuestión requiere entender que la culpabilidad en Jakobs tuvo un pequeño matiz, a partir, quizás, de intentar encontrar un fundamento material para ella, cuestión que logró a mediados de la década de los noventa, cuando sus publicaciones sobre este tema abarcaron la fidelidad al derecho dentro de una órbita mayor en la que le corresponde al Estado, previamente, a fin de representar tal exigencia, darle a ella una contribución coherente con dicho "precio". En palabras de Jakobs (2008): "El Estado que quiera para sí reclamar el precio de la fidelidad al derecho debe darle al ciudadano o por lo menos ofrecerle una contribución acorde con ese

---

[28]   Sobre la fundamentación del injusto en los delitos de organización desde la perspectiva del delito y la pena como comunicaciones, pueden consultarse las construcciones de Cancio-Meliá. Este, con un punto de partida —que no de llegada— desde Jakobs, construye el injusto penal en estos casos como la *arrogación de organización política* (2008) y Cancio-Meliá y Silva-Sánchez (2008).

"precio", empezando por la protección y la libertad" (p. 126). Las consecuencias de este pequeño viraje conceptual en Jakobs serán estudiadas, en concreto para Colombia, en el capítulo siguiente. Por lo pronto, frente a este punto diremos que, si bien es cierto que para la persona a valorar la culpabilidad será mayor cuando exista mayor distancia para él frente al acatamiento de la norma, también lo será que, desde la perspectiva material de legitimidad que se ha expuesto, la política criminal de corte funcionalista debe estar en correspondencia con aquello que previamente el Estado ha brindado al ciudadano para poderse desarrollar en su propia libertad.

Así, en un escrito del año 1976, titulado *Culpabilidad y prevención,* Jakobs, de una manera contundente, fundamentó su postura relacional entre la culpabilidad y los fines de la pena. Fue claro en exponer que la relación permea todo el contenido que se le asigna a la culpabilidad, contenido este, desde luego, vinculado con su concepto normativo de sociedad:

> La relación entre culpabilidad y fin solo puede ser del tipo de que el fin tiña la culpabilidad; pues un Derecho penal de culpabilidad, que no sea un Derecho penal desconectado de los fines, sino un Derecho penal dirigido a preservar un orden, necesita, en la medida que se protege que a grandes rasgos siga existiendo, una culpabilidad configurada también de tal modo que al ser considerada pueda, a grandes rasgos, subsistir; de lo contrario, un Derecho penal de la culpabilidad solo subsistiría a grandes rasgos si existiera una armonía preestablecida entre lo adecuado al fin y lo adecuado a la culpabilidad, en cuyo caso ya no se necesitaría la culpabilidad como fundamento y límite (Jakobs, 1997e, p. 77).

Luego, en un escrito de 1993, titulado *El principio de culpabilidad,* si bien mantiene, como hasta el momento, el entendimiento de la culpabilidad desde la perspectiva de la fidelidad al derecho que se vio afectada con la defraudación de la expectativa, matiza su planteamiento al incluir, por primera vez, un supuesto de culpabilidad material que descansa en un juicio de legitimidad de la pena.

Así, en este segundo momento Jakobs (1997f) expresó:

> Un determinado orden es un ordenamiento jurídico al menos para aquellas personas que ocupan dentro de él una posición como personas, esto es, son titulares de derechos, aunque deban respetar los derechos de otros. Dicho de otro modo: un ordenamiento jurídico no puede comportarse frente a un autor como si fuese un perro, sino que debe ser tratado como una persona. (p. 385)

Con este panorama la culpabilidad no es entendida como un juicio de reproche que se le hace al sujeto por haberse comportado, en uso de la libertad (entendiendo por tal una categoría prejurídica), de forma contraria a derecho. Los finalistas, en este sentido, intentaron plantear un concepto de culpabilidad que, si bien normativo[29], requería del entendimiento previo de estructuras lógico-objetivas. La culpabilidad dependía del mayor o menor ámbito de autodeterminación del sujeto, esto es, de la libertad que, como esencia previa al derecho, determinaba su deber ser. Para el funcionalismo, por el contrario, la culpabilidad[30] se expresa en los siguientes términos relacionales entre prevención y delito:

> El autor de un hecho antijurídico tiene culpabilidad cuando dicha acción antijurídica no solo indica una falta de motivación jurídica dominante —por eso es antijurídica—, sino cuando el autor es responsable por esa falta. Esta responsabilidad se da cuando falta la disposición a motivarse conforme a la norma correspondiente y este déficit no se puede hacer entendible sin que afecte a la confianza general en la norma. Esta responsabilidad por un déficit de motivación jurídica dominante, en un comportamiento antijurídico, es la culpabilidad. La culpabilidad se denominará, en lo sucesivo, como falta de fidelidad al derecho o, brevemente, como infidelidad al derecho. (Jakobs, 1997a, p. 566)

Como todo sistema, en el de Jakobs, el primer eslabón estudiado (la pena), vincula al último (la culpabilidad). Es precisamente, una consecuencia lógica de su sistema cerrado de corte funcionalista. Sin un entendimiento de su teoría de la pena no se puede entender la culpabilidad, y luego esta es solo un concreto alcance de la primera. Con razón, expresa Jakobs:

---

[29]   Para un mayor entendimiento de la concepción normativa de la culpabilidad, propia del neokantismo, véase el texto de Goldschmidt (2002).

[30]   Podemos expresar que la vinculación entre culpabilidad y prevención no es solo propia de Jakobs. Incluso, puede expresarse que, en un momento anterior a Jakobs, Roxin vinculó culpabilidad y prevención. Ahora bien, este autor, producto de su necesaria apertura a consideraciones político criminales dentro de su construcción, ha preferido situar la culpabilidad dentro de una categoría más general llamada responsabilidad, para, precisamente, así, poder establecer que, por razones de prevención general o especial, puede no ser necesaria la pena. Jakobs, por su parte, no solo es reacio a consideraciones políticas dentro de sus juicios jurídicos, sino que, particularmente para la culpabilidad, su relación es solo con una teoría preventivo general positiva de la pena, no así cualquier tipo de prevención. Por otro lado, dentro de la misma escuela de Jakobs, pueden encontrarse autores que, con algunos matices particulares, reconocen como fundamento y límite de la culpabilidad, criterios de prevención general. En ese sentido, por mencionar solo algunos, Gómez-Jara (2011), Frisch (2012) y Feijóo-Sánchez (2012), suelen argumentar favorablemente la vinculación que venimos haciendo. Este último, para justificar la traslúcida relación, expresa "que la culpabilidad no es solo un límite a las necesidades preventivas, sino que es el fundamento normativo último por el que una persona concreta sufre la imposición de una pena orientada a la prevención general. Una visión bienintencionada de la culpabilidad como mero límite de la prevención resulta incompleta. La culpabilidad no es solo un límite a la instrumentalización, sino también el presupuesto que fundamenta o justifica jurídicamente que un ciudadano concreto sufra una pena" (Feijóo-Sánchez, 2012, p. 101).

(...) que la culpabilidad es un presupuesto necesario de la legitimidad de la pena estatal. A su vez, la culpabilidad es el resultado de una imputación de reprobación, en el sentido de que la defraudación que se ha producido viene motivada por la voluntad defectuosa de una persona. Como fundamento de la necesidad de vincular la legitimidad de la pena a un reproche, esto es, como razón del principio de culpabilidad, se aduce que solo de esta manera puede evitarse la instrumentalización de la persona al imponerle una pena. (Jakobs, 1992b, p. 1051)

En esta medida, como una categórica síntesis del principio de culpabilidad en Jakobs, el eje central deja de ser *poder* comportarse conforme a la norma, posibilidad que, en términos welzenianos estaría condicionada por el sustrato de la libertad de actuación, y lo constituye el *deber* hacerlo, estructurado de acuerdo con las necesidades de prevención general (Montealegre y Perdomo, 2006). Esta libertad, así entendida, ya no de forma prejurídica sino jurídica, es solo una libertad normativa o una libertad institucionalizada.

La libertad, que bien puede constituir el fundamento de la culpabilidad en Jakobs, varía para ubicarse en aquello que el derecho o, mejor, la sociedad, exigía a la persona por ser tal. Esa libertad normativa es una manifestación de la teoría del rol en el funcionalismo, lo que nos lleva a concluir, sin temor a equivocarnos, que en el fondo de este argumento se encuentra la premisa comunicativa propia de las expectativas de comportamiento y su necesidad de estabilización ante la contingencia de su defraudación social. La culpabilidad, el injusto, la conducta y la pena, pasan por la determinación del rol. Eso es el funcionalismo en derecho penal: la teoría del rol[31] social a la luz de las consecuencias necesarias de su incumplimiento.

De allí se entiende la razón por la cual Jakobs (2012a) expresa que la "correspondencia para la culpabilidad jurídico-penal no ha de buscarse en un libre albedrío a determinar de modo ontologicista, sino que, partiendo de una orientación hacia la sociedad, ha de encontrarse en las consecuencias necesarias de la libertad de la conducta" (p. 197). Por esta razón es que Jakobs (2012b) y aquellos que parten de teorías comunicativas para el entendimiento del delito y de la pena (Feijóo-Sánchez, 2012; Frisch, 2012), niegan toda manifestación de aparentes determinismos que afecten la construcción de la culpabilidad con los presupuestos de las denominadas neurociencias.

---

[31]   La asunción que el funcionalismo penal sistémico hace de la teoría del rol social exige la lectura, por lo menos, de lo que al respecto Durkheim (1986), Parsons (1966), Luhmann (2006) y Dahrendorf (1975) establecieron como bases teóricas. Estas propuestas, desde la mirada propia de la teoría de sistemas sociales complejos, pueden encontrarse en el texto de Piña-Rochefort (2005).

Si volvemos a la vinculación del concepto de rol con cada uno de los peldaños de la teoría del delito, tendríamos que afirmar, en sede de culpabilidad, por ejemplo, que la culpabilidad para el derecho será mayor (con independencia de las motivaciones que tuvo el autor para realizar o no cierto comportamiento), en aquellos casos en los que al rol subyazcan deberes especiales de protección, conforme con criterios de responsabilidad en virtud de una institución. Esas motivaciones, en todos los casos, no son reconocidas así por el derecho, pues no superan el umbral que la prevención general exige:

> A través de la culpabilidad se selecciona de entre todas las condiciones del hecho que ha producido una defraudación de expectativas una sola como jurídico-penalmente relevante y esa condición consiste en un defecto de motivación del autor, que es a su vez aislado de sus condiciones determinantes. Las razones de carácter defectuoso de la motivación atañen exclusivamente al autor. (Peñaranda, Suárez y Cancio-Meliá, 1999, p. 73).

En estos casos, por razones de prevención general, el comportamiento será más reprochable y exigirá del derecho una mayor respuesta con miras al restablecimiento de la confianza defraudada con el comportamiento del que infringió el deber especial. Pensemos en el caso de los miembros de la fuerza pública que, en su calidad de servidores públicos, crean, por su rol, mayores expectativas de comportamiento que aquellos que no lo son. La exigibilidad o no de un comportamiento para ellos, de una forma más clara, vendrá determinada por la libertad que el derecho, en su caso concreto, les imputa (solo pueden hacer aquello que les está expresamente ordenado). Se tratará, como en los demás análisis de culpabilidad para el funcionalismo, de una libertad normativamente instituida, con independencia de su correspondencia con ámbitos de libertad o motivaciones exclusivas del sujeto. Es así como la culpabilidad, para Jakobs, en últimas, solo es su propio análisis del concepto de libertad normativa en Hegel, tal y como se explicó.

2.2.3. *Recepción del funcionalismo penal sistémico en Colombia*

Debe afirmarse, categóricamente, que Colombia no ha sido ajena al pensamiento funcionalista sistémico. Podríamos agrupar la recepción del pensamiento jakobsiano en Colombia desde tres perspectivas: la doctrina, la jurisprudencia y el legislador.

La doctrina ha variado en dos extremos completamente opuestos: una recepción acrítica[32] de los planteamientos de dicha escuela y un rechazo total a los mismos[33]. Los nutridos y rigurosos estudios dogmáticos que en Colombia se han hecho teniendo como fundamento este esquema de pensamiento[34] suelen desconocer la verificación previa de las condiciones de posibilidad del método, en tal sentido, muchos de ellos son acríticos. Como demostraremos en el capítulo siguiente, esto requiere de cierto acercamiento empírico a la realidad colombiana.

El otro extremo suele encontrarse en aquellos autores que han rechazado la aplicación de este método para el caso colombiano[35]. Quisiéramos, por lo menos, referenciar a dos de ellos.

---

[33] Cabe destacar que, si bien desde el derecho penal no se han encontrado estudios que desplieguen los presupuestos teóricos de la teoría de sistemas a prueba con la particular realidad colombiana, a fin de justificarlos o criticarlos; desde la sociología dichos estudios sí han existido, si bien no propiamente para Colombia, sí para y desde la sociología latinoamericana, que comparte, en gran medida, muchos obstáculos epistemológicos para la recepción legítima de los planteamientos funcionalistas. Quisiéramos, en este punto, recordar dos escritos sobre la materia: (i). La recepción del pensamiento Luhmann en América Latina (Rodríguez y Torres-Nafarrate, 2006) y (ii). Obstáculos y perspectivas de la sociología latinoamericana: universalismo normativo y diferenciación funcional (Mascareño y Chernilo, 2012).

[34] Si bien son varios los autores que han elaborado construcciones en Colombia sobre una base sociológica sistémica, queremos centrar nuestra atención por lo menos en dos: por un lado, es necesario referenciar los estudios de Montealegre y todos los que, a partir de su dirección, han acogido los estudios de Hegel y Luhmann para interpretar el derecho penal vernáculo, por ejemplo, Perdomo. Por otro lado, es también necesario referenciar en este punto a Grosso quien, también, en varios escritos y pronunciamientos, se decantó, teóricamente, por el rigor y coherencia del normativismo jakobsiano.

[35] De lo dicho, debemos expresar, por lo menos, lo siguiente: (i). por un lado, que el método funcionalista penal sistémico ha sido criticado en su aplicación también desde estudios filosóficos. Este es el caso, por ejemplo, de Carrasco (2008), a través de la lente de Nietzsche, así: "Todo lo anterior se cierne como cuestiones básicas e incipientes dentro del campo dogmático, donde se puede explorar y encontrar un mundo de detalles contradictorios, dentro de un marco latinoamericano, que daría lugar a un estudio algo más profundo. Sí una cuestión que arrecia a nuestro continente desde un punto de vista más macro, son las descripciones teóricas del funcionalismo extremo de Jakobs, y la fórmula del "derecho penal del enemigo", las cuales han hundido sus raíces en los desvelos penales de algunos iuspenalistas latinoamericanos, como es el caso paradigmático de Colombia. Esto, para una visión aguda pero horizontal, implica la aplicación de un modelo completamente ajeno en realidad, puesto que un sistema concebido dentro de la problemática europea y alemana en explicación de un modelo social, como es la teoría de sistemas -con su portavoz insigne como lo es Luhmann-, se encuentra alejado de la realidad latinoamericana" (p. 14). (ii). por otro lado, que las críticas también se han hecho desde puntos de vista meramente sociológicos, al establecer que en Latinoamérica no se representan las mismas condiciones sociales reales para la debida existencia del método. Esto es, si bien no desde el punto de vista penal, sí desde la sociología, algunos artículos plantearon ciertos obstáculos en Latinoamérica para la aplicación de una teoría de sistemas a partir de su presupuesto de universalidad" (Torres, 2012; Pignuoli, 2016; Mascareño y Chernilo, 2011; Cadenas, 2012). Ahora, por nuestra parte, si bien reconocemos la existencia de

Por un lado, Velásquez-Velásquez sugiere que:

> Cuando se parte del marco político, económico y social descrito y se tiene claro que el Derecho penal vigente en estos países (para referirse al caso colombiano) es simbólico, promocional, con rasgos marcados de eficientismo y expansionismo, concebido para fabricar impunidad e incumplir la ley, etc., todo ello de la mano de unas constituciones políticas que, paradójicamente, abanderan el garantismo, debe afirmarse que es necesario rescatar el imperio de un Derecho penal mínimo, de garantías, un derecho penal del ciudadano, para que el Derecho resurja entre las ruinas de la violencia y el caos y el proceso de integración supranacional vivido hoy por el planeta, también posibilite la globalización de la dignidad humana de tal manera que no se generalicen la guerra y la violencia. (Velásquez-Vélasquez, 2005, p. 214)

En un sentido similar, Posada-Maya ha expresado:

> En América Latina todavía recogemos y usufructuamos insularmente los adelantos del pensamiento jurídico-penal europeo de los últimos treinta años y el norteamericano de los últimos diez, sin que se vislumbren, salvo contadas excepciones, verdaderas revisiones criminológicas y político-criminales que adecuen dogmática y sistemáticamente el Derecho penal existente a las diversas realidades nacionales y en particular a los distintos modelos de sociedad que se manifiestan en nuestras latitudes. (Posada, 2004, p. 55).

Desde el panorama expuesto por Velásquez-Velásquez y Posada-Maya se justifica esta empresa investigativa. Aquí se tratarán de explicar y poner a prueba las reales condiciones de posibilidad del funcionalismo penal sistémico en Colombia[36] y se concluye con los límites de validez o legitimidad que emanan de la verificación anterior. En un segundo momento, corresponde analizar la re-

---

estos análisis, ninguno se hizo desde marcos empíricos sociales y jurídicos propios de la realidad social colombiana, pues partieron de lugares comunes que ubican a Latinoamérica como una especie de "periferia de la modernidad".

[36] Si bien el texto de Velásquez-Velásquez (2005) constituye una aproximación inicial a la materia, como se dijo en el planteamiento y justificación del problema de investigación que rodea este escrito, en este, sin embargo, no se tuvieron en cuenta las verdaderas condiciones sociales que desde la teoría de sistemas se exigen para sustentar el método, ni tampoco la completa verificación empírica o estadística que debería fundamentar la crítica, pues solo se relacionaron algunas cifras estadísticas. De la misma forma ocurre con el texto del Posada-Maya (2004), que se trata de un excelente estudio crítico de, en general, la recepción de teorías foráneas alejadas de la compleja realidad colombiana. Si bien la crítica tiene un real y fuerte sustento, aquí se ha querido evidenciar de manera concreta el estudio de una sola teoría, pero con el sustento empírico necesario para extraer de ella críticas o justificaciones, fundamentalmente a la luz de la verificación empírica de la confianza o la constatación normativa de equivalentes funcionales.

cepción que del método funcionalista sistémico se ha hecho en la jurisprudencia colombiana[37].

Debe decirse que la Corte Constitucional se ha pronunciado en varias ocasiones teniendo como sustento planteamientos funcionalistas sistémicos[38], como a continuación se expone.

---

[37] Bernate (2008) logró ubicar y analizar algunas sentencias que se habían proferido en Colombia acogiendo este particular modelo. En este estudio expresa Bernate (2008) que: "si bien es cierto que la Jurisprudencia colombiana en varias oportunidades ha tenido acercamientos a la teoría normativista del Derecho Penal, también lo es que se ha apartado de la misma en puntos de gran importancia, como lo es el concepto de bien jurídicamente tutelado, y la función de la pena. En la doctrina se discute si es necesaria la adscripción de la normatividad a una escuela dogmática determinada. Como ventajas se mencionan una aplicación segura del ordenamiento a los casos concretos, así como la uniformidad a la hora de llenar los vacíos legales. En contra, se afirman en primer lugar las serias dificultades con que se encuentran todas las teorías hasta ahora sostenidas, y así mismo el carácter dinámico del Derecho, lo cual hace aconsejable que sean la jurisprudencia y la doctrina quienes vayan perfilando el ordenamiento. Sin entrar dentro de la discusión puntual de la necesidad de una coherencia dogmática del ordenamiento penal, es necesario afirmar que, cuando menos, la jurisprudencia sí debe otorgar soluciones a casos concretos que sean dogmáticamente uniformes, lo cual es un desarrollo del postulado constitucional de la igualdad. En efecto, si la Jurisprudencia manifiestamente se ha alejado de la dogmática normativista en puntos neurálgicos de la misma, no es adecuado acudir a ella para resolver un solo caso en concreto, y menos aun cuando con ello se generan consecuencias desfavorables para el particular, por lo cual consideramos que, en este punto, hemos tenido falencias que deben ser corregidas" (p. 20). Además de este estudio para Colombia, tan relevante ha sido el tema para otras legislaciones que en ellas se han hecho particulares construcciones. Al respecto, por ejemplo, frente a la recepción del pensamiento de Jakobs en jurisprudencia penal peruana, puede verse (Caro, 2003). Recientemente, fue publicado un texto por parte de Silva-Sánchez titulado *La influencia de la obra de Günther Jakobs en el espacio jurídico-penal hispanohablante*. Allí, además de exponer las contribuciones del pensamiento de Jakobs a la dogmática jurídico penal, evidencia las claras recepciones que en Latinoamérica han tenido. En este escrito, Silva-Sánchez hace una mención al caso colombiano.

[38] En un escrito reciente de Ruiz y Bermeo (2018), se quiso hacer un estudio de la recepción de los planteamientos de Luhmann por parte de la jurisprudencia constitucional colombiana. Este estudio concluyó lo siguiente: "La jurisprudencia de la Corte Constitucional Colombiana, desde su creación hasta la fecha de la investigación, utilizó la teoría luhmanniana para sustentar su fallo en solo tres sentencias, lo que indica una precariedad en cuanto a su consideración como una teoría "aceptada" por quienes ejercen el derecho en Colombia". Por nuestra parte estimamos que esta conclusión se queda corta sobre la realidad de la jurisprudencia colombiana, básicamente por dos razones: (i). en primer lugar, porque no es posible desprender, de un análisis de la jurisprudencia constitucional, una conclusión en tal sentido para todos los que ejercen el derecho en Colombia y (ii). porque, como se demostrará en el presente escrito, no solo en tres sentencias las Cortes han acogido los planteamientos funcionalistas.

Sin duda, como el pronunciamiento jurisprudencial más determinante hasta el momento, debemos destacar la sentencia SU-1184 de 2001. En este caso, entre otras cosas, se afirmó la existencia de posiciones de garantía para miembros de la fuerza pública a partir de las expectativas de comportamiento que, por su rol, se presentaban en la sociedad. Desde una perspectiva luhmanniana, se determinó, luego, que los juicios de imputación objetiva requerían de las valoraciones propias de los ámbitos de competencias, por organización e institucional, existentes en una sociedad.

Son dos las razones en las que radica la escogencia de este pronunciamiento en este apartado: por un lado, por las detalladas implicaciones que se hacen en la providencia a partir de las construcciones de una teoría del delito basada en posiciones de garantía por expectativas y, por otro lado, porque configura particulares esquemas de imputación a la luz de ámbitos de libertad normativos para miembros de la fuerza pública, en los que, a juicio de la Corte, la culpabilidad, más que del poder actuar de otro modo, exige del juicio argumentativo del deber o no actuar de otro modo.

Otro pronunciamiento constitucional se encuentra en la sentencia C-319 de 1996. En esta ocasión, el magistrado Carlos Gaviria requirió de la teoría luhmanniana para justificar la diferenciación funcional entre el sistema jurídico y el político. Para nuestro interés, la Corte estimó que, en países en los que era arriesgada la sobredimensión del sistema político, era más necesaria la configuración normativa de derechos fundamentales para que se planteen como límites de los riesgos que apareja una desdiferenciación funcional. Esta sentencia, desde nuestra propuesta investigativa, es trascendental. Para ir dejando sentada nuestra posición y a partir de lo que se estableció en esta providencia, diremos que como en Colombia el sistema político y el jurídico se suelen confundir y se impide la debida diferenciación funcional, se exigirá de mayores garantías jurídicas simbolizadas mediante la propia forma de los derechos fundamentales.

En el mismo orden, la Corte estudió las tensiones que, frecuentemente, se presentan entre el derecho y la justicia del caso concreto a partir de soluciones luhmannianas propias de las comunicaciones entre sistemas. Aunque la manifestación propiamente a la teoría sistémica se hizo un salvamento de voto, es necesario referenciar la sentencia T-539A de 1993[39], en el sentido mencionado, en la que el

---

[39]   En el caso se discutía la aparente tensión entre el derecho a la libertad de cultos y la autonomía universitaria. Se discutió si una institución universitaria podría justificar a un estudiante su inasistencia los días sábado a algunas sesiones académicas pues, por la particular convicción religiosa del peticionario, ese día debía participar de las ceremonias religiosas propias de su credo. Para esa ocasión la Sala reconoció que la entidad universitaria no afectaba el derecho a la libertad de culto con la exigencia de asistencia a las sesiones académicas

magistrado que se apartó de la decisión del organismo colegiado, expresó que la justicia del caso debe ser tenida en cuenta sin que implique una desarticulación del sistema jurídico a partir de las garantías de la seguridad jurídica que de él se emanan:

> Un sistema que no tiene en cuenta lo particular del caso funciona de manera clara y eficiente, pero resulta injusto y alejado de la realidad. Un sistema, en cambio, preocupado exclusivamente por la especificidad del caso, funciona con justicia, pero se desvanece en particularismos políticos impredecibles e incoherentes. La objetividad del derecho hace más seguro al sistema, pero afecta la comunicación entre el derecho y la realidad. La justicia del caso satisface las necesidades sociales de justicia, pero hace inseguro y aleatorio el sistema.

En la sentencia se representa el problema de los límites entre sistemas. En el salvamento de voto mencionado, con la expresión justicia del caso se quiso dar respuesta a la pregunta bajo la lente propia del funcionalismo sociológico.

En sentencia T-885 de 2014, la Corte justificó parte de su planteamiento desde el entendimiento de la confianza que se produce a partir de las expectativas normativas que provienen de las actuaciones del Estado. Se estableció que en un sistema jurídico la intervención del Estado (para el caso mediante la asignación de turnos de acceso a los subsidios de vivienda para personas desplazadas) generaba expectativas normativas válidamente consolidadas para sus asociados. La procedencia de la tutela para la alteración de los turnos ya asignados no podría convertirse en la regla general, pues se desconocían las condiciones de certeza o seguridad provenientes de los actos del poder público. Desde Luhmann, entonces, se planteó la relación que existe entre confianza y estabilidad jurídica del sistema para dar respuesta a la solución de un caso en concreto. Este punto son las expectativas normativas una de las mayores relaciones existentes entre la teoría sociológica sistémica y Jakobs.

---

programadas para los mismos momentos de los cultos y afirmó que "El derecho y la moral (derivada en este caso de la creencia religiosa) se encuentran en reciprocidad de perspectivas pues mutuamente se influyen y de ese mutuo influjo debe derivarse provecho. Porque si las creencias religiosas pueden demandar del derecho objetivo una esfera de libertad para que sus adherentes puedan profesarlas, el derecho puede, legítimamente, reclamar de ellas una dosis de flexibilidad que las haga compatibles con el mínimo común que todos los miembros de una comunidad deben acatar para que sea posible la convivencia".

En la Sentencia T-213 de 2018[40] la Corte Constitucional reconoció un principio de neutralidad religiosa para el ordenamiento colombiano y se estudió el sistema de creencias que subyace a la religión, el cual debe, necesariamente, diferenciarse de otros sistemas (jurídicos y políticos). Para nuestro caso, resaltamos la sentencia citada por dos razones: (i). porque, aunque reconoce las diferencias entre los sistemas, reconoce también que las garantías que surgen del sistema religioso deben ser simbolizadas por el sistema jurídico, de modo que no podrían desconocerse con normativas particulares que afecten la comprensión del sistema de creencias y (ii). porque establece que, a partir del sistema de creencias propio de la religión, el individuo se otorga "identidad" propia. Desde esta perspectiva, Luhmann establecería que la identidad generada no podría ser desconocida por los otros sistemas, pues, por el contrario, es la misma la que hace que los sistemas sigan siendo tales.

En el auto de seguimiento 121 de 2018 al estado de cosas inconstitucional del sistema penitenciario colombiano, la Corte revisó la vinculación teleológica que debe existir entre los sistemas penal y penitenciario a partir de los contenidos y funciones de la pena de Jakobs. Esta providencia reitera que ambos sistemas (penal y penitenciario), en últimas, hacen parte de uno solo (el sistema jurídico penal). Así, las construcciones que cada uno de ellos haga deben tener en cuenta las consideraciones acerca de las finalidades del derecho penal, es decir, releída la providencia desde una teoría sociológica sistémica equivaldría a estimar que no tiene por qué existir una independencia total en las valoraciones de cada uno de estos sistemas. Además de lo planteado, esta sentencia alude a la exigencia de una política criminal coherente y proporcionada desde el punto de vista constitucional, aunque se pueda reconocer una función de la pena desde la teoría de sistemas. Este será, precisamente, uno de los puntos que pretendemos demostrar en el capítulo cuarto: justificar la relación entre una política criminal garantista y el sistema de derecho penal autopoiético que representa Jakobs.

En otras providencias, por ejemplo, en las sentencias C-939 de 2002 y T-276 de 2016, a partir de las consecuencias jurídicas que supondría la aplicación del derecho penal del enemigo, sobre todo aquellas que podrían implicar una eliminación de garantías procesales para los condenados, la Corte Constitucional

---

[40] En el caso se estudiaba la petición elevada por una persona privada de libertad y recluida en un centro penitenciario para, por sus particulares creencias religiosas, no se le prohibiera llevar barba. La Corte reconoció que, por los postulados de la libertad de culto, las garantías que en su ejercicio de ellos emanan no pueden ser restringidas, en las condiciones planteadas, por los centros penitenciarios.

valoró esta figura desde una perspectiva crítica por contradecir el tratamiento resocializador que debe permear la ejecución de la pena.

Por último, desde una concreta perspectiva penal, la Corte ha reiterado la justificación de estas teorías en los marcos de imputación o atribución de responsabilidad. Así, por ejemplo, se han estudiado los deberes de guarda, protección o salvamento; solidaridad y posición de garante por ámbitos de competencia, entre otras, en las sentencias T-686 de 2003[41], C-692 de 2003[42] y T-1003 de 2012[43].

Como síntesis de los pronunciamientos constitucionales referenciados, podría decirse que la Corte ha utilizado las tesis sistémicas desde dos perspectivas: para diferenciar las competencias funcionales que existen entre diversos sistemas y

---

[41]   En el caso se estudió la asunción de un deber de salvamento respecto de las contingencias que puedan poner en peligro la cancelación de las mesadas de las personas pensionadas y que constituyan un riesgo previsible para las empresas pagadoras; la responsabilidad en cabeza de la empresa encargada del pago de las mesadas pensionales, por el abandono de medidas efectivas de guarda y protección ante las eventualidades que impidan el pago de acreencias prioritarias, como lo son las mesadas pensionales.

[42]   Haciendo referencia a las situaciones constitutivas de posiciones de garantía, en el caso se retomó, expresamente, lo dicho por la Sentencia SU 1184 de 2001, que manifiesta que "El moderno derecho penal de orientación normativista, se caracteriza por el abandono de los criterios con base en los cuales la dogmática naturalista del siglo XIX -predominante hasta la década de 1980 en el siglo XX- edificó la teoría del delito: causalidad, evitabilidad y dolo. Actualmente, el juicio de imputación se fundamenta en la delimitación de ámbitos de competencia: sólo se responde por las conductas o resultados que debo desarrollar o evitar en virtud de los deberes que surgen de mi ámbito de responsabilidad y que se desprenden de los alcances de la posición de garante. Lo demás –salvo los deberes generales de solidaridad que sirven de sustento a la omisión de socorro- no le concierne al sujeto, no es de su incumbencia".

[43]   En el caso se estudió la particular posición de garante que emana de los miembros de la fuerza pública derivada de su rol institucional, que implica para sí acciones de salvamento. A partir de la mencionada situación de garantía se extraen, incluso, consecuencias en materia de autoría y participación. Así, estimó la Corte: "La jurisprudencia ha establecido que la posición de garante "significa que el título de imputación lo define (…), sin importar la forma de intervención en el delito (autoría o participación), o el grado de ejecución del mismo (tentativa o consumación) o la atribución subjetiva (dolo o imprudencia)". Asimismo, la Corte ha indicado que "[l]as estructuras internas de la imputación no modifican la naturaleza del delito realizado; estas no cambian porque el interviniente (para el caso, quien omite) se limite a facilitar la comisión de un hecho principal, o porque no se alcance la consumación del hecho". En este punto, a partir de lo expuesto por la sentencia, debemos recordar que la pretendida diferencia cualitativa de aportes que se hace entre autores y partícipes por parte de la dogmática penal tradicional, es reformulada fuertemente por Jakobs, quien, desde su punto de vista eminentemente normativista, vincula a la autoría y a la participación a la imputación objetiva y ésta a la finalidad preventivo general de la pena. De allí que, realmente, entre autores y partícipes, para Jakobs, solo habría una diferencia cuantitativa. Para un acercamiento al problema, puede consultarse el texto de Reyes-Alvarado (2007b); texto este que, además, sintetiza los planteamientos que hacen propia a la dogmática penal formulada por Jakobs.

para definir criterios de responsabilidad penal a partir de la imputación objetiva derivada de los ámbitos de competencia organizacionales o institucionales.

Desde la Corte Suprema de Justicia el número de providencias aumenta en la medida en que los planteamientos funcionalistas sistémicos suelen ser utilizados para la explicación de criterios de imputación objetiva a partir de ámbitos de competencia y, sobre todo, de la ya denominada teoría del rol.

Con razón, ha expresado Piña-Rochefort que "la incorporación del rol como estructura del sistema jurídico-penal puede reconocerse en un sinnúmero de soluciones de casos problemáticos en los que la aplicación de las reglas de imputación objetiva conduce a la negación de responsabilidad por falta de competencia del autor" (2005, p. 347). Para él, posición que aquí se comparte, situaciones problemáticas que en la dogmática penal moderna se analizan con el principio de confianza, la prohibición de regreso o el riesgo permitido conducen todas, en últimas, a determinar si en el caso concreto se infringió o no el rol del que emanan particulares ámbitos de competencia.

La sola referencia a la imputación objetiva[44] supone, en parte, una base para la escogencia de planteamientos funcionalistas sistémicos[45]. Empero, es necesario decir que, en muchas providencias, la Corte Suprema de Justicia, en su Sala de Casación Penal, suele utilizar los mismos criterios de imputación objetiva desde una perspectiva funcionalista propia del modelo de protección de bienes jurídicos propuesto por Roxin.

Incluso, es común encontrar en una misma providencia las referencias a uno y otro esquema de pensamiento (Roxin y Jakobs), aunque en ocasiones se estime,

---

[44]   Aunque sería errado estimar la moderna teoría de la imputación objetiva se le adeuda solo a Jakobs, sí es necesario reconocer que sus planteamientos han tenido mucho que ver los actuales debates doctrinales y jurisprudenciales al respecto. Esto es así pues desde sus planteamientos fundamentados en las competencias derivadas del rol, los juicios de imputación han centrado su atención en el comportamiento realizado por el autor, más que en el resultado por él producido. Un entendimiento detallado de los planteamientos en este sentido puede consultarse en los escritos de Frisch (2015; 2005), Müssig (2007) y, por supuesto, en Jakobs (1996b).

[45]   Desde una perspectiva funcionalista, se ha dicho que: "son dos las estructuras de imputación fundamentales de la atribución jurídico penal de significados: la determinación jurídico penal puede partir, por un lado, de una conducta individual de organización; el esquema de interpretación correspondiente es el de la atribución personal de organización, la persona en cuanto forma objetiva general de identidad jurídica y, con ello, de atribución de responsabilidad. Por otro lado, la determinación de sentido puede partir —de modo completamente independiente de la conducta individual de organización— de la imbricación del sujeto en un contexto —normativo— especial, el esquema de interpretación correspondiente es el de formas institucionales diferenciadas —la institución como forma especial de organización de la fundamentación jurídica de responsabilidad—" (Müssig, 2007, p. 263).

a nuestro juicio, que pueden ser opuestas. Lo anterior quiere significar que el funcionalismo (bien de corte sistémica o bien de corte teleológica), suele ser sustento en materia de imputación objetiva por la jurisprudencia colombiana. Particularmente, sobre la escuela funcionalista ha estimado la Sala Penal, en proceso 28124 del 22 de mayo de 2008, que:

> (…) las teorías de la imputación objetiva se nutren de una serie de conceptos no estáticos, sino en constante evolución y muchos de ellos aún en proceso constructivo, gracias a la incesante crítica, que tiende a mejorarlos, revaluarlos e inclusive a sugerir la inaplicación. Por tanto, sus nociones deben articularse en modo coherente y sistemático, entre sí y con el ordenamiento jurídico colombiano, para no arribar a resultados indeseables, como puede suceder cuando se aíslan contenidos o se toman apartes descontextualizados, con el fin de moldearlos hasta hacerlos coincidir con algún factor constitutivo de la responsabilidad penal derivada de la conducta culposa.

Lo que queremos expresar es que, en imputación objetiva, criterios como el riesgo permitido[46], la prohibición de regreso[47], el principio de confianza[48], la res-

---

[46]   El riesgo permitido es uno de los pilares de los juicios de imputación objetiva para Jakobs. En él, de forma evidente, se concretan juicios de determinación o sentido social de los comportamientos. Sus ideas sobre este instituto, con más detalle, pueden consultarse en Jakobs (1996b; 1997c; 1997h). Aunque con matices y diferencias en los planteamientos de Jakobs, pero también desde una posición normativista en la construcción del delito, en materia de riesgo permitido, debemos referenciar los aportes que en este sentido han hecho Paredes-Castañón (1995) y Pastor (2019b).

[47]   Como bien lo señala Roca de Agapito (2013): "Jakobs tiene el mérito de haber dado un impulso nuevo al debate doctrinal de las acciones cotidianas, al reformular la problemática de la prohibición de regreso desde la perspectiva de la irresponsabilidad por los hechos de terceros. El fundamento material de la impunidad se encuentra en que desde su planteamiento se exige tanto para los delitos de acción como para los delitos de omisión el quebrantamiento de un rol, bien especial, bien común, desde los que surgen los distintos tipos de competencia. Así, para Jakobs es posible un distanciamiento de la conducta del autor cuando su comportamiento en el momento de su ejecución no depende en absoluto de que continúe la acción, que realiza el tipo, del ejecutor (p. 165 ss.).

[48]   El estudio del principio de confianza, a la luz de una teoría comunicativa del delito y de la pena puede encontrarse en Feijóo (2000). Para él "Los contactos sociales y la convivencia se basan en la necesidad de que el ordenamiento garantice o estabilice ciertas expectativas o reglas de comportamiento que permitan saber en una determinada situación lo que se puede esperar de los otros participantes en el sistema social y lo que esperan éstos de nosotros. Una estandarización mínima hace que los sujetos no se encuentren a merced de impresiones momentáneas, instintos o satisfacciones particulares de otros sujetos. El derecho reduce el caos en la comunicación entre seres humanos estabilizando unos mínimos y excluyendo ciertas posibilidades de comportamiento con las que no se debe contar en la interacción social. Nadie se podría orientar en la vida social si tuviera que contar en todo momento con cualquier conducta discrecional de otros seres humanos. Cada contacto social supondría un riesgo incalculable. El derecho tiene como función potenciar el horizonte personal de los integrantes del sistema social. Las posibilidades de contacto están en

ponsabilidad atribuida a ámbitos de competencia de la propia víctima[49], la coautoría impropia para ordenadores y ejecutores del hecho punible y, por supuesto, la posición de garante por deberes especiales, han sido constantemente estudiados en sentencias de la Corte Suprema de Justicia desde la óptica planteada por Jakobs. Por ejemplo, en procesos No: 12742 de abril de 2003[50]; 28326 de octubre de 2007[51]; 24448 de septiembre de 2007[52]; 27388 de noviembre de 2007[53], 34864 de

---

relación directa con la confianza que los ciudadanos depositen en las normas (ya que en una sociedad compleja la confianza personal tiene una utilidad muy limitada): cuando la confianza en éstas se ve afectada las posibilidades de contacto social se reducen y la vida social se entumece; por el contrario, donde existe confianza en que todos respetarán las normas las posibilidades de contacto son mucho mayores" (p. 41).

[49] Desde su tesis doctoral, la relación que en el normativismo penal se hace entre la conducta del autor y la propia de la víctima, ha sido cuidadosamente estudiada por Cancio-Meliá (1997; 2001). Esta relación consiste en establecer los ámbitos de competencia de cada quien para, a partir de su rol, determinar si la conducta es autoatribuible a la víctima o al autor. Como ejemplos de las consecuencias de esta relación, analizadas desde una dogmática de parte especial para la estafa, pueden consultarse los textos de Pawlik (2008), Balmaceda (2011) y Pastor (2019a). El mismo Jakobs (1997d), con contundencia, en el marco de los procesos de competencia de la propia víctima dentro de los denominados casos de heterolesión, especialmente en el caso de muerte, ha expresado que "nunca hay heterolesión en caso de competencia subsiguiente de la víctima, por consiguiente, solo hay heterolesión si la competencia del autor se genera después de la de la víctima" (p. 403).

[50] En esta sentencia, con base en los postulados de la teoría de la prohibición de regreso, se estableció que la realización de comportamientos previos (imprudentes, irrelevantes o inocuos) que causalmente favorecen la ejecución de un acto delictivo posterior, no deben ser, por ese solo hecho, relevantes para el derecho penal. Así, se concluyó que la no existencia de posición de garante por parte de los intervinientes haría, para el caso estudiado, irrelevante para el derecho penal cierto comportamiento.

[51] En esta sentencia se determinó la responsabilidad penal a título de autor de peculado culposo bajo los supuestos de la moderna teoría de la prohibición de regreso, construida, entre otros autores, por Jakobs: según estos postulados, el garante (para el caso el servidor público), no exonera su responsabilidad si su imprudencia fue luego aprovechada por un tercero para la comisión de un acto doloso.

[52] En esta sentencia se establecieron las características de la moderna construcción normativa del delito con base en las competencias que se deducen de los roles. Textualmente, estimó la Corte que: "Actualmente, el juicio de imputación se fundamenta en la delimitación de ámbitos de competencia: sólo se responde por las conductas o resultados que debo desarrollar o evitar en virtud de los deberes que surgen de mi ámbito de responsabilidad y que se desprenden de los alcances de la posición de garante. Lo demás-salvo los deberes generales de solidaridad que sirven de sustento a la omisión de socorro-no le concierne al sujeto, no es de su incumbencia. Desde esta perspectiva, el núcleo de la imputación no gira en torno a la pregunta acerca de si el hecho era evitable o cognoscible. Primero hay que determinar si el sujeto era competente para desplegar los deberes de seguridad en el tráfico o de protección frente a determinados bienes jurídicos con respecto a ciertos riesgos, para luego contestar si el suceso era evitable y cognoscible".

[53] En esta sentencia, además de realizarse un estudio de aspectos medulares de la moderna teoría de la imputación objetiva, tales como el riesgo permitido y el principio de confian-

noviembre 2011[54]; 43033 de marzo de 2014[55]; 31350 de abril de 2009[56]; 26513 de diciembre de 2007[57].

Por ejemplo, por referenciar el detalle de un caso, en el proceso 24448 de septiembre de 2007, consideró la Corte, en la aplicación del funcionalismo sistémico, de manera extensa, que:

> El moderno derecho penal de orientación normativista, se caracteriza por el abandono de los criterios con base en los cuales la dogmática naturalista del siglo XIX-predominante hasta la década de 1980 en el siglo XX-edificó la teoría del delito: causalidad, evitabilidad y dolo. Actualmente, el juicio de imputación se fundamenta en la delimitación

---

za, se estudió también el problema relacionado con la "concurrencia de riesgos" en los delitos imprudentes. Aunque se niega expresamente esta imputación a título de coautoría, se avala el juicio de responsabilidad bajo el supuesto de pluralidad de autores culposos.

[54] En esta sentencia se volvió sobre la legitimidad ya planteada desde una perspectiva constitucional, de establecer responsabilidad penal a los miembros de la fuerza pública (posiciones de garantía), bajo los presupuestos de la competencia institucional en la que se encuentran por su rol.

[55] En esta sentencia se estudió el deber de autoprotección que surge de los propios ámbitos de competencia personal, para poder, a partir de allí, fundamentar los casos en los que faltaría la creación del riesgo desaprobado en tanto que un tercero solo ha participado con respecto a la conducta de otro en una acción a propio riesgo.

[56] En esta sentencia, citando otras providencias de ella misma, la Corte establece que los planteamientos doctrinales que sustentan las providencias no son estáticos ni obedecen solo a una escuela de pensamiento claramente determinada. Ello, por supuesto, no solo fundamenta la relación que de la teoría de sistemas puede surgir con varias sentencias, sino que, además, justifica en mayor medida nuestros intereses investigativos. Así, lo que hemos querido preguntarnos es, de acuerdo con nuestro contexto, ¿en qué contextos sería legítimo, para nuestro sistema de justicia y teniendo en cuenta nuestra particular realidad, adjudicar el derecho positivo con base en planteamientos jakobsianos. Expresamente afirma la Corte que: "Amén que cuando citan y transcriben a diversos tratadistas que han reflexionado sobre el particular, entremezclan teorías causalistas, finalistas y funcionalistas, sin delimitarlas dogmáticamente, y por ese camino epistemológico, ingresan en el campo del absurdo, al hacerlas confluir en un mismo punto, sin notar, por ejemplo, que cuando afirman que la Corte está en desacuerdo con Jakobs, quien excluye la coautoría, no se percata del verdadero sentido de la afirmación y menos, que la Sala no se casa con una o varias escuelas del derecho, pues todo depende de las normas vigentes que regulen la situación concreta, del vaivén legislativo, la línea jurisprudencial que viene desarrollando la Corte, los avances de la ciencia, entre otras pautas hermenéuticas y epistemológicas, para poder adscribirse a una o tal concepción jurídica a tono con la realidad".

[57] En esta sentencia se explica la figura dogmática del caso fortuito como excluyente de la responsabilidad penal, a partir de los planteamientos que, de la teoría del rol, toman de Jakobs, así: "Cuando se hace alusión a un caso fortuito, lo que se quiere expresar en términos de la teoría de la imputación objetiva es que la lesión o puesta en peligro del bien jurídico no se puede determinar en el ámbito de competencia de persona alguna, entendida ésta como la portadora de un rol socialmente comprensible, o bien la imposibilidad de establecer una relación entre el sujeto activo y el resultado típico para que se le pueda atribuir al primero como 'obra suya' lo segundo".

de ámbitos de competencia: solo se responde por las conductas o resultados que debo desarrollar o evitar en virtud de los deberes que surgen de mi ámbito de responsabilidad y que se desprenden de los alcances de la posición de garante. Lo demás-salvo los deberes generales de solidaridad que sirven de sustento a la omisión de socorro- no le concierne al sujeto, no es de su incumbencia. Desde esta perspectiva, el núcleo de la imputación no gira en torno a la pregunta acerca de si el hecho era evitable o cognoscible. Primero hay que determinar si el sujeto era competente para desplegar los deberes de seguridad en el tráfico o de protección frente a determinados bienes jurídicos con respecto a ciertos riesgos, para luego contestar si el suceso era evitable y cognoscible. Ejemplo: un desprevenido transeúnte encuentra súbitamente en la calle un herido en grave peligro (situación de peligro generante del deber) y no le presta ayuda (no realización de la acción esperada); posteriormente fallece por falta de una oportuna intervención médica que el peatón tenía posibilidad de facilitarle trasladándolo a un hospital cercano (capacidad individual de acción). La muerte no le es imputable a pesar de la evitabilidad y el conocimiento. En efecto, si no tiene una posición de garante porque él no ha creado el riesgo para los bienes jurídicos, ni tampoco tiene una obligación institucional de donde surja un deber concreto de evitar el resultado mediante una acción de salvamento, el resultado no le es atribuible. Responde solo por la omisión de socorro y el fundamento de esa responsabilidad es quebrantar el deber de solidaridad que tiene todo ciudadano.

Es común encontrar casos en los que se intenta determinar responsabilidad penal, a título de culpa, a través de juicios de imputación objetiva muy cercanos al funcionalismo sistémico: aquellos en los que se determina el principio de confianza, la distribución funcional de riesgos y los deberes de protección o garantía que surgen del ejercicio de ciertas actividades arriesgadas, como la conducción de vehículos automotores o la actividad médica. Estos casos constituyen un soporte teórico para construir análisis de tipo funcionalista porque, en todas las expectativas sociales de comportamiento que se generan de los intervinientes revisten un papel relevante.

Siguiendo con un análisis de la recepción de los planteamientos funcionalistas por parte de la Corte Suprema de Justicia, si bien en algunas sentencias no se hace referencia expresa a las tesis de Jakobs, logramos encontrar en ellas un cercano fundamento a los planteamientos normativistas propios de esta teoría. Esto ocurre en algunas valoraciones jurisprudenciales que se han sostenido alrededor de la carga de la prueba en los delitos de lavado de activos y enriquecimiento ilícito. En estos casos, se ha establecido que, de conformidad con el postulado de la carga dinámica de la prueba, le correspondería al investigado, en todo caso, demostrar el origen lícito de los bienes. Estas providencias tienen un claro sustento normativista, pues en el fondo sancionan el simple incumplimiento de un deber funcional no coherente con el rol y la expectativa que subyace a la tenencia de dineros. El delito, de esta suerte, más que constituirse en la afectación a un bien jurídico (orden económico y social), será la afectación al deber[58] funcional (reportar en todo caso la licitud u origen de los bienes) que soporta la expectativa normativa. Véase, por ejemplo, lo dispuesto en proceso 23174 de noviembre de 2007 por el delito de lavado de activos.

> Para fundamentar adecuadamente la imputación por lavado de activos basta con que el sujeto activo de la conducta no demuestre la tenencia legítima de los recursos, para deducir con legitimidad y en sede de sentencia que se trata de esa adecuación típica (lavado de activos), porque en esencia, las diversas conductas alternativas a que se refiere la conducta punible no tienen como referente "una decisión judicial en firme", sino la mera declaración judicial de la existencia de la conducta punible que subyace al delito de lavado de activos[59].

Para un mejor entendimiento remitiremos a un aparte ya expuesto en una oportunidad anterior. Desde un análisis del delito de enriquecimiento ilícito se expuso cómo operaría la normativización desde la infracción al deber. Supongamos que alguien aumenta considerablemente su patrimonio, de una vigencia fiscal a otra, por una donación recibida. Por algún tema personal, no es su interés declarar el origen del incremento, asumiendo los costos fiscales presuntivos que ello acarrearía. Sin embargo, de forma adicional, probablemente sería requerido por el sistema penal para que justifique su incremento patrimonial. Si la persona continúa reacia a la justificación patrimonial (licitud del origen), podría ser sancionado bajo la denominación típica de "enriquecimiento ilícito de particulares". Esta interpretación sería propia de un esquema funcionalista sistémico en el que el delito, en temas de derecho penal económico, se construye con criterios de in-

---

[58] La discusión que se presenta entre el entendimiento del delito como lesión de un bien jurídico o como infracción de un deber, a partir de los fundamentos aquí desplegados, se encuentra, con detalle, analizada por Alcácer-Guirao (2003).

[59] Debe expresarse que la Corte, posteriormente, ha venido matizando un poco el entendimiento de la carga dinámica de la prueba en el delito de lavado de activos, pues últimamente ha exigido que, en todo caso, se debe tener prueba directa o indirecta, a título de indicio, de la procedencia ilícita de los bienes. Así se estableció en proceso 40120 de enero de 2017, cuando se dijo: "La ausencia de prueba —directa o indirecta— del delito subyacente no se puede traducir, sin más o por la sola aspiración legítima de evitar la impunidad, en la declaratoria de responsabilidad penal, con el solo pretexto de la aplicación a ultranza de la carga dinámica de la prueba, ante la dificultad —normalmente generalizada— de recaudar la prueba incriminatoria indispensable para probar tal origen ilícito de los recursos. No, a lo sumo, se recaba, es suficiente la prueba indiciaria o inferencial —necesaria, no meramente contingente—, la cual debe ser evaluada conforme a su gravedad, concordancia y convergencia. A falta de ella, opinó, se impone admitir, entonces, la atipicidad de la conducta de lavado de activos, por razón de la subsecuente incertidumbre probatoria".

fracción de deberes, más que de lesiones a bienes jurídicos[60]. Si bien es totalmente claro que de la redacción típica se exige que el incremento patrimonial no justificado debe ser derivado de actividades delictivas, pareciese que el simple incumplimiento de un deber especial (justificar la licitud de los incrementos) generaría responsabilidad penal. Se normativizaría al punto tal de suponer el delito base, aunque realmente no lo exista, es decir, supongamos que en el caso planteado no existe ninguna ilicitud penal en la donación recibida; sin embargo, el delito económico puesto en consideración exigiría de la sola infracción a un deber, en principio administrativo, pero luego acoplado estructuralmente por el sistema penal como riesgo prohibido (Duque-Pedroza, 2018).

Por último, habiendo analizado la recepción que, en la doctrina y la jurisprudencia, se ha hecho de los planteamientos funcionalistas sistémicos, corresponde ahora realizar un análisis de la acogida que ha tenido en el legislador penal colombiano.

El marco de referencia lo constituyen los enunciados normativos de carácter penal o procesal penal que existen o han pretendido existir (mediante proyectos de ley) con fundamento en el funcionalismo penal sistémico. Así, la exposición que sigue revisará esta recepción desde dos puntos de vista: (i). a partir de las leyes penales o procesales penales que representan un derecho penal del enemigo y (ii). a partir de los proyectos de reforma penal que han pretendido acoger la responsabilidad penal de las personas jurídicas. En cada uno de los anteriores puntos se puede encontrar una justificación sobre los planteamientos sistémicos.

Como en el siguiente capítulo dedicaremos una parte de nuestro análisis, a manera de rechazo, a analizar aspectos y conceptos propios de la política criminal del enemigo, basta, por ahora, especificar que nuestra legislación no ha sido ajena a esta realidad ya manifestada por Jakobs. Particularmente, queremos destacar la criminalización que se ha venido haciendo de los delitos sexuales en Colombia.

> Así, desde el punto de vista normativo, frente a los delitos sexuales que victimizan a los menores de edad, el Estado no tolera márgenes de impunidad. Esta pretensión de tolerancia cero se concreta en diferentes reformas legales y proyectos legislativos que han tenido lugar entre los años 2006 y 2019, y que han pretendido: anticipar las barreras de protección del bien jurídico libertad, integridad y formación sexuales de los niños, niñas y adolescentes, neutralizar los focos de riesgo, castigar los delitos de posesión, asegurar espacialmente al procesado o condenado mediante largos

---

[60]   El tipo penal de enriquecimiento ilícito de particulares establece: "El que de manera directa o por interpuesta persona obtenga, para sí o para otro, incremento patrimonial no justificado, derivado en una u otra forma de actividades delictivas incurrirá, por esa sola conducta, en prisión (...)".

internamientos y flexibilizar las garantías procesales y probatorias. (Arrieta-Burgos, Duque-Pedroza y Díez, 2019)[61]

En atención al segundo de los casos mencionados, debe decirse que el legislador penal ha intentado, en varias ocasiones, incorporar a su normativa un modelo de responsabilidad propio para las personas jurídicas. Desde el finalismo, un modelo de este tipo sería impensable, pues la exigencia de la finalidad como estructura lógico objetiva irrenunciable generaría como consecuencia solo la regulación de la responsabilidad penal de la persona natural: la única que realiza (ontológicamente), conductas, pues es la única que, con sus actos, persigue una finalidad.

Desde el funcionalismo penal sistémico, pensamos, se permitiría, a priori, responsabilizar penalmente a las personas jurídicas, pues, como se vio, desde este esquema, la persona, como centro de imputación jurídica, se desvincula de cualquier categoría psicologizante que exija como condición de existencia de los comportamientos que realiza, juicios de voluntad o finalidad. Esto, debe decirse, si bien parece así y aunque fue reconocido por el mismo Jakobs en su *Tratado de derecho penal*[62], luego fue rechazado por él mismo y afirmó que, si bien pueden imponerse a la persona jurídica sanciones no penales, no podrían ser sujetos de imputación de sanciones penales, pues, en ese segundo momento de su pensamiento, determinó que una culpabilidad jurídico-penal no la detenta la persona jurídica en tanto persona colectiva real[63]. Esta última posición de Jakobs es particular porque parece volver al entendimiento de la culpabilidad desde categorías psicologizantes que él mismo ha rechazado[64].

---

[61]   En este escrito se demostró, en detalle, a partir de un análisis empírico que caracterizaba criminológicamente el problema, cómo ha sido la respuesta legislativa del Estado colombiano frente a los delitos sexuales cometidos en contra de menores de edad.

[62]   En su *Tratado de Derecho Penal*, Jakobs afirmó la viabilidad de responsabilizar penalmente a las personas jurídicas en tanto concluye que , desde una órbita comunicativa y sistémica que tanto para la acción como para la culpabilidad son idénticas las formas dogmáticas (y no solo los nombres), en la persona física y en la persona jurídica (1997a p. 184).

[63]   En esta última postura estima Jakobs (2003b): "Lo que debe serle atribuido a una persona jurídica debe, en primer lugar, poder serle amortizado al órgano, y cuando el derecho mantiene al órgano en cuanto persona con su culpabilidad, esta culpabilidad no puede serle amortizada y atribuida a la persona jurídica (p. 334). Luego, como síntesis, establece: "únicamente a una persona a quien se le adscribe una conciencia propia competente en el plano comunicativo puede comportarse de forma culpable" (Jakobs, 2003b, p. 338). Esta conciencia, pues, para el último Jakobs, no la tiene la persona jurídica.

[64]   Esta aparente contradicción entre los planteamientos de un primer y un segundo Jakobs ha sido también identificada por otros autores. Se destaca, en este sentido, el trabajo doctoral de González sobre la responsabilidad penal de las personas jurídicas (2012), y el

Otros autores, como Gómez-Jara, y Feijóo-Sánchez[65], aceptan la coherencia del funcionalismo sistémico para soportar las bases y costes teóricos de la responsabilidad penal de las personas jurídicas.

Utilizaremos lo que Lesch, uno de los más reconocidos seguidores de los planteamientos de Jakobs, establece para el juicio de la culpabilidad, para justificar nuestro planteamiento relacionado con la aceptación, teórica, de que el funcionalismo penal sistémico acepte la responsabilidad penal de las personas jurídicas:

> En conclusión —siguiendo las acertadas palabras de Jakobs— «en el Derecho la persona se determina de forma normativa y generalizante. Por tanto, no es cierto que la autovinculación de esta persona a la legalidad se espere en un sentido psicologizante, pues cómo se las arregla con su rol es, en principio, un asunto del sujeto psico-físico. A tal sujeto se le va a tratar —en principio— como a un sujeto que se ha definido como ciudadano». En consecuencia, si lo que en realidad interesa en el ámbito de la culpabilidad —a pesar de las primeras apariencias y de las afirmaciones en contra— «no es el individuo en su esencia, sino una persona social», resulta ineludible preguntarse por qué han de cambiar las cosas en el injusto del delito doloso y por qué, de la misma manera, en este ámbito no puede bastar la imputación objetiva. (Lesch, 2000b, p. 259)

La explicación que encontramos para la segunda tesis de Jakobs, supone, necesariamente, a nuestro juicio, en ese punto, una propia desvinculación de planteamientos sistémicos e incluso hegelianos. Sin embargo, más allá de este segundo planteamiento y al margen de la discusión, por lo explicado, seguimos afirmando la fácil adecuación de los planteamientos sistémicos a un sistema de responsabilidad de personas jurídicas.

En relación con la recepción que de la responsabilidad de las personas jurídicas se ha hecho, que si bien en Colombia aún no hay una normativa que establezca la responsabilidad penal de ellas, el tema no ha sido ajeno para el Legislativo.

En primer lugar, debe afirmarse que la Corte Constitucional ha aceptado la posibilidad de sancionar penalmente a las personas jurídicas. Así lo ha dispuesto

---

escrito de Orce (2003) sobre la misma materia.

[65] Si bien son varios los autores que en este sentido otorgan a su planteamiento un sustento comunicativo, queremos aquí destacar los trabajos de Carlos Gómez-Jara (2011) y la coordinación académica que sobre este tema hizo (2006b); y Feijóo-Sánchez (2003a; 2008). Por ejemplo, conceptos analizados en detalle por Gómez-Jara (2006a) para explicar su posición respecto a las personas jurídicas, como la cultura y la memoria organizativa empresarial, son tomados de la exposición que Luhmann hace al respecto (2010c). Ahora, son varios los autores que, también desde una perspectiva constructivista sistémica, rechazan aquellos conceptos psicologizantes que excluirían la coherencia de sancionar penalmente a las personas jurídicas. Además de los ya citados y también de manera relacional con Luhmann se destacan los aportes de Lampe (2003) y Bacigalupo (1998). Todos estos planteamientos fueron sintetizados y estudiados por Cigüela (2015).

en sentencias C-320 de 1998, C-559 de 1999 y C-843 de 1999. Por otra parte, el Código de Procedimiento Penal, en su artículo 91, consagra, como válidas consecuencias, la suspensión de la personería jurídica cuando existan motivos fundados de los que inferir que se ha dedicado total o parcialmente a la ejecución de actividades delictivas. Por último, debe especificarse que ha habido varios intentos legislativos por consagrar estas disposiciones en el orden jurídico penal colombiano. Los últimos proyectos de ley, aunque fueron archivados en su trámite, así lo buscaron en los años 2017 y 2018. Actualmente, desde el 2020, hay en trámite otros dos proyectos de ley sobre el asunto.

El querer del Legislativo por regular esta materia parte de aceptar la capacidad de culpabilidad para las personas jurídicas, lo que significa, en últimas, valorar normativamente el comportamiento de la persona jurídica como se hace con las personas naturales. Desde la teoría de sistemas, la persona natural y la persona jurídica son personas, en sentido normativo, con capacidad comunicativa[66].

2.3. LA FUNCIÓN DE LA CONFIANZA EN EL SUBSISTEMA JURÍDICO

La función del derecho es la estabilización de expectativas. Dentro de este panorama, al derecho penal se le asigna la concreta función de estabilización contrafáctica de las expectativas que constituyen la identidad de la sociedad para garantizar, de su existencia, el orden social.

El derecho resuelve un problema temporal que se presenta en la comunicación social, cuando la comunicación en proceso no se basta a sí misma y tiene que orientarse y expresarse en expectativas de sentido que implican tiempo. Para él, la función del derecho tiene que ver con expectativas. Por ello es que por expectativa entiende no solo el estado actual de la conciencia de un individuo determinado, sino el aspecto temporal del sentido en la comunicación (Luhmann, 2005a).

El derecho suele valerse de varias formas para que, en su aplicación dogmática[67], se estabilicen las expectativas mediante el uso de la confianza. Para poner

---

[66]   Carlos Gómez-Jara (2011) ha realizado construcciones doctrinarias en la justificación de la responsabilidad penal de las personas jurídicas mediante el soporte teórico ofrecido por la teoría de sistemas sociales.

[67]   Para Luhmann (1983): "La dogmática jurídica nos ofrece una de las varias soluciones funcionalmente equivalentes para el problema de poner en relación las relaciones de aplicación del derecho, con notables ventajas en lo que se refiere al control sobre cantidades incontrolables de decisiones. Si nos apoyamos en esta concepción, resultarán modificaciones esenciales en la imagen habitual de la dogmática. La dogmática ya no podrá situarse

solo dos ejemplos, queremos hacer referencia a la aplicación del principio de confianza en materia penal y al precedente judicial obligatorio. Como marco, toda aplicación dogmática se habilita dentro del postulado del principio de legalidad. Así, lo que se busca, en términos sistémicos, es hacer predecible la comunicación punitiva, de forma que todos los asociados sepan, con certeza, el sentido jurídico que se le dará a su conducta. Para Luhmann (2005a), las comunicaciones jurídicas tienen por principal virtud la redundancia, lo que equivaldría a la seguridad jurídica que emana de sus comunicaciones. La redundancia exigiría que la nueva comunicación jurídica se ajuste a la anterior, de modo que, en últimas, todo el lenguaje jurídico, como ocurre con todo el lenguaje social, es autopoiético.

El principio de confianza es una de las instituciones en las que, con mayor claridad, en materia penal se concretan los postulados de la comunicación que subyacen a las expectativas de comportamiento. En primer lugar, hay que reconocer que no se trata de una institución propia del derecho penal, pues es común ver su utilización en otras dogmáticas particulares diferentes al derecho penal. En materia administrativa se asume el postulado de la confianza legítima que emana de los actos de la administración con sus administrados. Y, en materia civil, se habla del postulado del *venire contra factum propium* para establecer que el derecho debe seguir reconociendo expectativas de comportamiento generadas por actos previos de cada parte. Ambos tienen por fundamento el principio de buena consagrado en el artículo 83 de la Constitución Política.

En materia penal, si bien son varios los pronunciamientos jurisprudenciales que se estructuran sobre la base del principio de confianza, con mucha frecuencia para determinar la imputación jurídica de los delitos imprudentes[68], basta ahora

---

como una rótula en el eje fijación de normas-aplicación de normas, ni tampoco podrá ser limitada a la función de una ayuda de subsunción, ni a la función de una elaboración detallada de unos supuestos de hecho legales indeterminados, ni a la construcción jurídica de realidades para hacerlas subsumibles. Su función es transversal, es un control de consistencia con vistas a las decisiones de otros casos. Por ello, los análisis dogmáticos no solamente permiten reducir la indeterminación de las regulaciones legales, sino que permiten también aumentarla, en concreto cuando la dogmática ha de generalizar y problematizar normas para la inclusión de otras posibilidades de decisión" (p. 34). Con respecto a la sociedad como un todo, el derecho cumple funciones de generalización y estabilización de expectativas de conducta (Luhmann, 1983, p. 45).

[68] Podemos decir que esta forma de criminalidad —la imprudencia— es aquella que, en la actualidad, representa la mejor y más idónea base teórica para todas las construcciones que se hacen bajo la denominación de "teorías de la imputación objetiva". Así, el entendimiento de la falta al deber de cuidado, unido a los demás criterios normativos para la atribución de resultados (riesgo permitido, principio de confianza, principio de precaución, etc.), pueden ser estudiados, incluso desde la perspectiva funcionalista sistémica, en escritos sobre la responsabilidad culposa. Al respecto, pueden consultarse la posición de

con sintetizar estos planteamientos a partir de lo dispuesto por la Corte Suprema de Justicia, Sala Penal, en los procesos 35899 de 2011 y 48321 de 2017. De estas providencias se puede extraer, con claridad, aquello que en materia penal se entiende como el principio de confianza y por qué su análisis se vincula tanto con los planteamientos funcionalistas que constituyen el marco teórico de esta empresa investigativa. Para la Corte:

> La sociedad actual se encuentra debidamente organizada y a cada individuo se le impone la satisfacción de determinados roles; ello conlleva, la carga correlativa de confiar en que en idénticas condiciones, los demás actúen de acuerdo con los requerimientos socio-culturales impuestos por la comunidad en que conviven. Es por esto que, no se imputan objetivamente los resultados producidos por quien ha obrado esperando que otros actúen de acuerdo con los mandatos legales dentro de su competencia, salvo que concurran ciertas circunstancias, entre ellas: (i) Cuando la ley establece expresamente a quien encomienda la labor, que lo haga bajo su responsabilidad; (ii) en los eventos en que existe división de trabajo y el que dirige la tarea dentro del ámbito de sus competencias, es garante de que las personas a su cargo lo desempeñen correctamente; (iii) siempre que se incumpla un deber y por ello, se transgrede el derecho.

En otro sentido, el precedente jurisprudencial obligatorio[69], según Solano-Vélez es:

> en rigor, una norma jurídica general y abstracta aplicable a litigios similares al litigio procesado y enjuiciado; dicha norma jurídica se halla en la ratio decidendi de las decisiones judiciales. El sustento de que ello sea así viene dado por lo prescrito por el principio de igualdad, consagrado en el artículo 13 de la Constitución Política, y por el principio de la confianza legítima, que emana del deber de obrar de buena fe, consagrado en el artículo 83 de la misma. (Solano, 2016, p. 151)

Desde la terminología propia del funcionalismo penal sistémico, sería afirmar que el precedente judicial obligatorio es una norma jurídica en tanto que simboliza la expectativa de una manera contrafáctica, lo que deriva en comunicaciones sociales, redundantes, que se traducen en debidos esperar de los actos propios de antecedentes de la administración de justicia (Luhmann, 2005a). Constituyen, pues, la memoria normativa de la justicia.

Es oportuno volver a algunas consideraciones sobre la confianza en Luhmann y el papel de la confianza en sociedades desdiferenciadas funcionalmente en las que el sistema político se confunde fácilmente con el sistema jurídico. En el primer capítulo hicimos alusión a la función de la confianza en su sistema funcional-

---

Feijóo (2000; 2003b).
[69] Al respecto, véase lo dispuesto en Sentencia SU-1300 de 2001, de la Corte Constitucional colombiana.

mente diferenciado. En este punto concluimos que: (i). la confianza es la condición de posibilidad de toda diferenciación funcional, por ende, es la condición de posibilidad del funcionalismo sistémico: con la confianza se confía en la propia función y en la función del otro. Se trata de la relación de concordancia entre las expectativas del *ego* y del *alter* y (ii). que en territorios desdiferenciados funcionalmente (en los que no hay confianza estabilizada en la función de cada quien), el derecho y la política se confunden y se le asigna al sistema político la creación de equivalentes funcionales que hagan posible el funcionalismo sin índices de confianza. El equivalente funcional que garantizaría de mejor forma la legitimidad del funcionalismo sistémico es el reconocimiento normativo de los derechos fundamentales (que no su necesaria garantía). Sobre este último punto versará, en concreto, el capítulo cuarto de la presente investigación.

Si relacionamos ambos temas, se obtiene la siguiente premisa fundamental para el derecho: la función del derecho es, pues, mantener la confianza en las expectativas para garantizar el orden social. En un plano ideal, la confianza existe cuando se garantiza la diferenciación funcional. En sociedades desdiferenciadas, el derecho puede, con ciertos equivalentes establecidos, reemplazar la confianza necesaria con el objetivo de lograr la diferenciación funcional. Esto es, en sociedades periféricas, producto de altos niveles de desconfianza social, la confusión entre derecho y política debe crear equivalentes funcionales con los que pueda ser viable el funcionalismo. Se trataría de la exigencia del reconocimiento (mediante los acoplamientos entre política y derecho) de los derechos fundamentales. En este terreno el proceso comunicacional por excelencia se le asigna a la Constitución Política del Estado.

De allí que para poner a prueba la teoría funcionalista penal sistémica en Colombia, luego de analizar los presupuestos condicionantes de la misma es necesario realizar un estudio empírico[70] sobre las percepciones de confianza que efectivamente existen en el país. El estudio demostrará que, a menores índices de confianza, mayores niveles de desdiferenciación y, por ende, mayores niveles del reconocimiento de los equivalentes funcionales con los símbolos de derechos fundamentales. Por el contrario, a mayores índices de confianza, menor necesidad habrá de reconocer normativamente los equivalentes mencionados. También, el estudio demostrará cómo, a través de la intervención del derecho debidamente

---

[70]   Aunque Luhmann no realiza ningún estudio empírico, sí es enfático en reconocer la utilidad de los mismos para poner a prueba sus resultados teóricos. Expresa Luhmann (1996a): "solo la investigación empírica puede establecer en detalle a cuánto llega la formación y generalización de la confianza. La consideración teórica de esta área de abstracción no puede anticipar el resultado de tal investigación" (p. 98).

acoplado con la política, se logra legitimar una aplicación del método, aun en las periferias de la modernidad, en aquellos casos en los que, con la intervención, se logre la confianza inexistente. Esto es, a través de los niveles de desconfianza para ciertas instituciones, se exigirá, de forma legítima, una mayor intervención del derecho con el fin de obtener sólidos procesos de diferenciación.

En esta perspectiva, en el capítulo tercero nos encargaremos de realizar el estudio empírico sobre las percepciones de confianza existentes en Colombia, para, a partir de los hallazgos, determinar, en el cuarto capítulo, a modo de proposición, en qué casos, además de posible, sería legítimo adjudicar el derecho penal positivo colombiano con base en el esquema penal funcionalista sistémico.

A manera de síntesis conclusiva de lo desplegado en este segundo capítulo, podría decirse lo siguiente:

En primer lugar, se referenció la cercana relación que existe entre los planteamientos sistémicos de Luhmann y la concepción funcionalista del derecho penal para Jakobs, a partir, sobre todo, de la idea común en ambos de la norma como expectativa contrafácticamente estabilizada.

A partir de la concepción de los sistemas cerrados en Luhmann, podría afirmarse que el derecho penal es un subsistema autopoiético que opera mediante comunicaciones de sentido. Las mismas se soportan en la siguiente premisa: la pena tiene como función reafirmar la confianza en la expectativa defraudada y hace que la sociedad siga siendo, normativamente hablando, sociedad. De igual manera, el delito, como hecho que lesiona una expectativa, requiere una pena como legítima reacción. Delito y pena son comunicaciones de sentido. En el círculo sistémico que se genera entre pena y delito se comprende, en su verdadera expresión, la función del derecho penal en la sociedad: garantizar la identidad normativa de la misma.

Los juicios de imputación jurídica o los actos de comunicación que del derecho emanan requieren del concepto de rol como el soporte que institucionaliza las expectativas sociales. A partir de los roles surge la confianza en los esquemas de diferenciación funcional que operan como condición de posibilidad del funcionalismo penal sistémico.

CAPÍTULO III
Percepciones de confianza en Colombia

En los capítulos anteriores hicimos un estudio de los presupuestos teóricos del funcionalismo sociológico sistémico y del funcionalismo penal sistémico. Logramos demostrar cómo el elemento que en ambas escuelas de pensamiento opera como condición de posibilidad es la confianza. Así, el funcionalismo penal sistémico es posible si, a través de la confianza, se crean expectativas de comportamiento en los asociados que reconocen la diferenciación funcional. Sin embargo, también se demostró cómo, en sociedad periféricas, como el caso de Colombia, en la que la Modernidad es, todavía, un metarrelato pendiente de construir, se hace indispensable analizar los fundamentos empíricos de los niveles de confianza. En este capítulo, es preciso centrar nuestra atención en un análisis empírico de los niveles de confianza, con énfasis en las instituciones de justicia en Colombia. Con la conclusión que surja de este análisis podremos dedicar nuestra atención, en el último de los capítulos, a determinar qué haríalegítima la aplicación del funcionalismo penal sistémico en Colombia.

La confianza, como condición de posibilidad del funcionalismo penal sistémico, puede ser analizada desde dos perspectivas: desde una perspectiva teórica o conceptual y desde una perspectiva empírica.

Desde un plano teórico, tal y como ya fue explicitado en apartados anteriores, y siguiendo lo establecido por Vives (2011) en su tesis doctoral en sociología jurídica e instituciones políticas, estimamos que la confianza como reducción de la complejidad solo puede entenderse como una relación con el tiempo, pues implica siempre anticipar el futuro. Desde esta perspectiva, expresa, "la confianza es una actitud que implica apertura al otro, al mismo tiempo que la posibilidad de asumir un riesgo" (Vives, 2015, p. 17). Lo anterior no significa, sin embargo, que solo desde Luhmann pueda ser entendida la confianza social. Desde una mirada más general, la confianza hace parte del capital social (DANE, 2019) y, por ende, en últimas, desde cualquier plano teórico asumido, lo que hace es facilitar la estructura, organización y órdenes sociales. Así las cosas, junto a Luhmann (1996a), son varios los autores que encargan a la confianza de una función central para la construcción de lo social, particularmente como una nota identitaria del capital social. Entre estos pueden identificarse los aportes de Putnam (2003); Coleman (1988); Simmel (1986) y, por supuesto, Bourdieu (1986). En este sentido, más que una particularidad de la teoría de sistemas, se trata de un asunto medular para toda la sociología moderna[1]. Para nosotros, como síntesis de todo lo dicho, la confianza es la expectativa que subyace al rol funcional y que, al anticipar el futuro, genera el orden social. Sobre esta dimensión teórica ya hemos ahondado en capítulos anteriores, con lo que vale la pena dar el salto hacia la confianza en términos empíricos.

3.1. DISEÑO METODOLÓGICO

Se trata de una investigación sociopoiética que busca estudiar los principales indicadores empíricos de los niveles de confianza, para así indagar las reales condiciones de posibilidad del funcionalismo penal sistémico en Colombia. Como lo expresa Arnold-Cathalifaud (2006):

> Lo distintivo de las indagaciones sociopoiéticas es abordar la pregunta de qué hay detrás de las operaciones que observan en otros sistemas observadores. Sus estudios parte de preguntarte frente a "qué problemas" o condiciones, algunas variaciones comunicativas se seleccionan, y luego se estabilizan, como diferencias significativas. (p. 228)

Al tenor de la cita, luego de determinar el qué de los sistemas sociales y del subsistema punitivo, identifica la diferenciación funcional producida mediante la confianza social, pasaremos a seleccionar las diferencias empíricas existentes en Colombia para la debida estabilización (legitimación) del método funcionalista sistémico en el derecho penal.

En lo que tiene ver con la exigencia que nuestra empresa investigativa hace de datos empíricos, nos ocuparemos en este punto de un análisis de los índices de confianza en Colombia como condición de posibilidad del marco teórico escogido: la teoría de los sistemas sociales. Dentro de este camino, haremos una breve referencia a la inexistencia a los pocos indicadores que existen en torno a la confianza social. En un segundo momento, pasaremos a identificar el respectivo análisis empírico de los índices de confianza en las instituciones de justicia en Colombia, pues, como se ha demostrado, si las instituciones tienen por objeto la

---

[1]   Las relaciones entre la teoría sociológica moderna, el capital social y la confianza, fueron estudiadas ya en los textos de García-Valdecasas (2011); Ovares (2018) y Frías (s.f.). Cruz (2007), afirma que "la acción mendaz de carácter expresivo permite construir estados de normalidad en tanto refuerza la dimensión social en la que se expresa cada individuo, ya que responde a las demandas sociales que éste recibe como personaje social". Esto es, la mentira generaría la "mascara" o "el personaje" que garantizaría las expectativas y evita las constantes defraudaciones. Desde la perspectiva aquí planteada y relacionándolo con Luhmann, tanto la mentira como la verdad estarían orientadas a facilitar la confianza.

estabilización contrafáctica de las expectativas normativas, se requiere evaluar qué tanto confían los colombianos en que ello ocurra o, en otras palabras, en que el derecho opere.

Desde un plano empírico es necesario descubrir dos obstáculos epistemológicos presentes si la intención es medir los índices de confianza existentes.

Lo primero que tenemos que afirmar es que solo es posible hacer referencia a percepciones que se tienen de la confianza social o institucional, pero no propiamente con niveles de confianza. Este obstáculo epistemológico es propio de todo el conocimiento espiritual que rodea las ciencias sociales, no solo de la investigación que nos ocupa. Es decir, solo existen perspectivas sobre la confianza, por lo que no podemos trabajar un concepto unívoco que determine la totalidad del objeto[2].

Sería imposible pretender que lo que la gente entienda por confianza coincida con los planteamos teóricos del funcionalismo sistémico. No solo porque el funcionalismo sistémico nunca ha construido una batería de indicadores que habiliten esta categoría, sino porque en la teoría social no existe consenso sobre el sentido del término. No obstante, y a partir de una intuición semántica que puede ser generalizable (Real Academia Española, 2019)[3], es claro que, cuando a una persona se le pregunta si confía o no confía en los demás o en las instituciones, ne-

---

[2] En su tesis doctoral afirmó Luis Felipe Vivares, en una lectura que hacía de Ortega y Gasset y Kant, "que la historia de alguien —su biografía— puede ser apreciada, percibida por otro, pero esta percepción es forzosamente parcial. Todo lo que somos hacia nuestros adentros —nuestros temores soterrados, nuestros deseos impronunciables, nuestras sensaciones inexpresables— nos pertenece solo a nosotros y no es conocido por los otros" (2017, p. 17). Con razón, afirmaba desde hace tiempo Kant lo siguiente: "no puedo, propiamente, percibir las cosas externas, sino que solo puedo inferir la existencia de ellas a partir de mi percepción interna, al considerarla a ésta como un efecto, cuya causa próxima es algo externo. Ahora, la inferencia que va de un efecto dado, a una causa determinada, es siempre insegura; porque el efecto puede haber nacido de más de una causa. Según esto, siempre sigue siendo dudoso, en la referencia de la percepción a su causa, si ésta es interior o exterior; y si, por consiguiente, todas las percepciones que llamamos externas no son un mero juego de nuestro sentido interno, o si acaso se refieren a objetos externos efectivamente reales, que sean la causa de ellas (...) En consecuencia, no hay que entender por idealista a alguien que niega la existencia de los objetos externos de los sentidos, sino a quien solamente no admite que se la conozca por percepción inmediata, pero que de ello infiere que nunca, [aun] con toda la experiencia posible, podemos llegar a estar enteramente ciertos de la realidad efectiva de ello" (2011, pp. 368-369).

[3] El Diccionario de la Real Academia Española consagra siete acepciones del término confianza, siendo la primera la que aquí interesa: "1. Esperanza firme que se tiene de alguien o algo. 2. Seguridad que alguien tiene en sí mismo. 3. Presunción y vana opinión de sí mismo. 4. Ánimo, aliento, vigor para obrar. 5. familiaridad (en el trato). 6. Familiaridad o libertad excesiva. 7. Pacto o convenio hecho oculta y reservadamente entre dos o más personas, particularmente si son tratantes o del comercio".

cesariamente, esta persona se ve convocada a pensar si puede esperar de los otros y de lo otro que ocurra algo que, en efecto, es esperable. Lo que el funcionalismo sistémico entiende por confianza no es ajeno a lo que, en el sentido común, suele comprenderse por esta expresión.

No es factible encontrar resultados absolutos en las percepciones de confianza que se tienen. Este obstáculo se produce porque son pocas las instituciones que, utilizando métodos estadísticos objetivos, realizan estudios empíricos de confianza. Para el presente hemos querido utilizar, para lograr una mayor rigurosidad y, aunque ello afecte la coherencia temporal de las distintas fuentes, la mayor cantidad de fuentes que existen en el contexto nacional[4]. Así, los resultados que se presentan son obtenidos por cinco reconocidas instituciones (una pública y cuatro privadas) que, por su nivel de fiabilidad y agrupación poblacional, nos permitieron llegar a resultados en mayor medida objetivos.

Se trata de los estudios realizados por (i). el Instrumento de Medición para la Reconciliación (IMR), realizado por Infométrika para la Usaid y ACDI/VOCA para el año 2019; (ii). la Encuesta Mundial en Valores (*World Values Survey* en inglés) en Colombia realizada por Invamer y Raddar para el año 2019; (iii). La Encuesta de Cultura Política en Colombia realizada por el DANE para el año 2019; (iv). La Encuesta realizada por Invamer Gallup Poll Colombia # 134 del mes de diciembre de 2019 y (v.) el Barómetro de las Américas de la Universidad de Vanderbilt de 2016.

Estos cinco estudios escogidos darán cuenta, en su conjunto y a través de las relaciones que se harán, de conclusiones objetivas y fiables frente a los índices de confianza que existen en Colombia. Si bien reconocemos que pueden existir otros —muy pocos— estudios empíricos sobre confianza en sectores específicos en Colombia[5], son estos cuatro los que, a través de su diseño metodológico, representan mayor representatividad poblacional y confianza en los resultados, lo que justifica su escogencia.

---

[4]   Desde luego que las particularidades regionales son significativas, pero su análisis desbordaría el objeto de la presente investigación que, como se advirtió, busca centrar su mirada en el contexto nacional.

[5]   Por ejemplo, en el año 2019 se publicó el 19° reporte anual del barómetro de confianza de "Edelman". Se trata de una empresa privada que se define como una red independiente de comunicaciones con presencia en varios países del mundo. En la encuesta realizada, si bien los resultados o índices de confianza son similares o coincidentes con los que aquí presentaremos, hemos rechazado este estudio empírico porque su diseño metodológico que podría crear un sesgo instrumental a la empresa investigativa que proponemos, en tanto que se trató de una encuesta en modalidad virtual.

Hechas las anteriores precisiones justificaremos la idoneidad de cada uno de los instrumentos utilizados para la fiabilidad de los resultados obtenidos:

En primer lugar, el Instrumento de la Medición de Reconciliación (IMR). Se trata de una encuesta diseñada con la finalidad de medir las percepciones que tienen los colombianos sobre los niveles de reconciliación existentes y con representación poblacionales nacional, regional y en los municipios del Programa de Alianzas para la Reconciliación (PAR). Esta encuesta se realizó en varias fases:

> Primero, una revisión de la literatura especializada en el tema de reconciliación; segundo, el asesoramiento de un comité de expertos constituido por académicos de la Universidad de los Andes, la Universidad del Rosario, la Universidad Javeriana, así como miembros de organizaciones sociales, sector privado, y sector público. Finalmente, con base en los primeros dos pasos, se construyeron seis series de variables que, en sí mismas, están conformadas por diferentes grupos de variables, a partir de las cuales fue diseñado el cuestionario del IMR. Estas son: diálogo, respeto, empoderamiento, confianza, variables de contexto y variables secundarias complementarias (ACDI/VOCA y Agencia para el Desarrollo Internacional Usaid, 2019).

Así, lograron realizar la muestra a 11.966 personas en 44 municipios de Colombia, publicaron los resultados en el año 2019. Desde el estudio que hemos querido hacer de la confianza en Colombia esta encuesta es determinante y contundente, por varias razones. (i). agrupa una cantidad significativa de personas encuestadas, (ii). realizó la muestra en un número considerable de municipios del territorio nacional y (iii). combina los resultados y diferencia poblaciones urbanas y rurales. Adicionalmente, y como motivación adicional, es la primera encuesta que, con cobertura nacional, indaga expresamente por la confianza social.

La objetividad de los resultados y la metodología utilizada es una muestra de garantía de las conclusiones a las que llega. La ficha técnica es la siguiente:

Tabla 2. Ficha técnica IMR

Empresa contratante	ACDI/VOCA y Usaid
Empresa contratada	Infométrika
Población objeto	Personas mayores de 16 años que residen habitualmente en el hogar (más de seis meses de convivencia).
Unidades estadísticas	Unidades de muestreo: municipios, manzanas, viviendas, hogares, personas. Unidades de observación: una persona por hogar que sea mayor de 16 años.
Características del diseño de muestra	Muestra probabilística estratificada (región, municipio) multietápica (tres etapas; municipio, manzanas, vivienda, hogares) y de conglomerados (las viviendas son conglomerados de hogares).

Empresa contratante	ACDI/VOCA y Usaid
Tamaño muestra	11.966 encuestas. En 44 municipios (27 priorizados)
Nivel de desagregación	Nivel nacional: error 3% y confianza del 95%. Nivel regional: error 5% y confianza del 95%. Nivel municipal error 7% confianza del 95%.

Fuente: ACDI/VOCA y Agencia para el Desarrollo Internacional Usaid (2019).

En segundo lugar, la Encuesta mundial de valores "Así somos los colombianos", que consiste en un estudio realizado por World Values Survey, Invamer y Raddar con la colaboración de Comfama. A juicio de sus propios autores: "Se trata del estudio de cambio cultural más antiguo, y quizá más confiable del mundo que en Colombia se aplica desde 1995" (World Values Survey, 2019, p. 3). La encuesta utilizó una muestra representativa de 1.520 entrevistas cara a cara, aplicadas a personas que viven en Colombia y que son mayores de edad (18 años). El cuestionario consta de 300 ítems estandarizados, organizados en 14 módulos temáticos que miden valores sociales, económicos, políticos, culturales, así como actitudes frente al medio ambiente y la tecnología. Todo esto pretende dar cuenta de las transformaciones que enfrenta la sociedad colombiana. Se incluyeron preguntas adicionales en materia de construcción de paz, migración y consumo (World Values Survey, Invamer, Raddar y Comfama, 2019). La ficha técnica es la siguiente:

Tabla 3. Ficha técnica World Values Survey, Invamer y Raddar

Grupo objetivo	Ciudadanos de 18 años en adelante, que habiten zonas urbanas y rurales de todos los departamentos de Colombia, de todos los niveles socio-económicos.
Trabajo de campo	La captura de la información se realizó entre el 30 de noviembre y el 22 de diciembre del 2018.
Método de recolección de información	Personal cara a cara en el hogar del encuestado y con el uso de tablets. Se utilizó CAPI para la recolección de la información (Central Assisted Personal Interview).
Supervisión	De las encuestas se supervisó el 10%.
Margen de error	El margen de error fue del 2.5%.

Fuente: Invamer, Raddar y Comfama (2019).

En tercer lugar, la información registrada por el Departamento Administrativo de Planeación Nacional (DANE), específicamente la encuesta que se realizó en el contexto nacional, en el año 2019, con el nombre de Encuesta de Cultura Política en Colombia. Su objetivo fue recoger información estadística estratégica para caracterizar aspectos de la cultura política colombiana, a partir de las percepciones y prácticas de los ciudadanos sobre su entorno político, como insumo para diseñar políticas públicas dirigidas a fortalecer la democracia colombiana (DANE, 2019).

La ficha técnica es la siguiente:

Tabla 4. Ficha técnica DANE (2019)

Periodicidad	Bienal
Periodo de recolección:	Julio-agosto 2019.
Cobertura geográfica:	Total nacional y áreas (cabeceras municipales y centros poblados-rural disperso). • Cinco regiones: Bogotá, Caribe, Oriental, Central, Pacífica. • Departamento del Cauca
Población objetivo:	Personas de 18 años y más con ciudadanía colombiana que son residentes habituales de los hogares del territorio nacional.
Tamaño de la muestra:	930 segmentos. 19.795 (hogares). 43.150 (personas).
Unidades estadísticas de observación, muestreo y análisis	Unidad de observación: corresponde a las viviendas, hogares y personas de 18 años y más. Unidad de muestreo: es la medida de tamaño o segmento, que es un área de aproximadamente 10 viviendas contiguas. Unidad de análisis: cada una de las viviendas y hogares pertenecientes a la MT seleccionada, al igual que las personas de 18 años y más que losconforman.
Precisión requerida	Para proporciones del 10%, con confianza del 95% se estableció un error estándar relativo no mayor del 5% en cabecera y 8% en centros poblados y rural disperso.
Diseño muestral	Teniendo en cuenta los objetivos de la encuesta el diseño muestral es probabilístico, multietápico, estratificado y de conglomerados[6].

Fuente: DANE (2019).

---

[6]   El análisis de conglomerados corresponde a la unidad final de muestreo, es la medida de tamaño o segmento en un área que contiene un promedio de 10 viviendas, en la que se investigan todas las viviendas, todos los hogares y todas las personas de 18 años y más.

En cuarto lugar, hemos utilizado la encuesta Gallup Poll Colombia # 134 realizada por Invamer y cuyos resultados fueron publicados en el mes de diciembre de 2019. Su objetivo fue medir la favorabilidad y la percepción que los colombianos tienen sobre ciertos personajes, instituciones, hechos o eventos de connotación. Para ello, se realizaron 1.200 encuestas en Bogotá, Medellín, Cali, Barranquilla y Bucaramanga mediante llamadas telefónicas, con la aplicación de factores de ponderación y con un marco muestral definido en todas las ciudades (Invamer, 2019).

La fecha técnica es la siguiente

Tabla 5. Ficha técnica Gallup Poll Colombia (2019)

Empresa que realizó la encuesta	Invamer S.A.S.
Persona natural o jurídica que la encomendó:	Invamer S.A.S., para su venta por suscripción.
Fuente de financiación:	Recursos propios de Invamer S.A.S.
Objetivos:	Medir la favorabilidad y aprobación del Presidente, personajes e instituciones en Colombia. Sondear la opinión pública sobre hechos de actualidad. Evaluar la opinión que tiene la gente en general de Colombia y del Presidente Iván Duque Márquez. Medir el concepto de la gente frente a problemáticas colombianas actuales. Observar el nivel de aceptación de la gente respecto a leyes, propuestas o afirmaciones del momento. Realizar un sondeo general en las ciudades principales del país sobre la labor del alcalde respectivo y la forma como la gente está percibiendo su ciudad.
Universo:	Hombres y mujeres de 18 o más años, de todos los niveles socioeconómicos, residentes en: Bogotá (5.993.411), Medellín (1.980.292), Cali (1.787.762), Barranquilla (883.192) y Bucaramanga (395.890), para un total de 11.040.457 personas, según proyecciones DANE.
Marco muestral:	Para la realización de este estudio se implementó una metodología llamada marcos duales, es decir, se hace uso de dos marcos muestrales (línea fija y de números celulares), para seleccionar a las personas. El cubrimiento telefónico en las cinco grandes ciudades, según censo del DANE, es del 85%. Los hogares con línea telefónica son: Bogotá 1.713.072, Medellín 613.437, Cali 491.782, Barranquilla 185.966 y Bucaramanga 143.796. Total 3.148.053. Para el marco de línea celular se cuenta con un marco de números aleatorios por parte de Invamer.

Empresa que realizó la encuesta	Invamer S.A.S.
Tamaño y distribución de la muestra:	1.200 encuestas (800 telefonía fija y 400 telefonía celular) distribuidas de la siguiente manera: Bogotá 400 encuestas (240 telefonía fija y 160 telefonía celular); Medellín 200 encuestas (140 telefonía fija y 60 telefonía celular); Cali 200 encuestas (140 telefonía fija y 60 telefonía celular); Barranquilla 200 encuestas (140 telefonía fija y 60 telefonía celular) y Bucaramanga 200 encuestas (140 telefonía fija y 60 telefonía celular); además de la distribución por niveles socio-económicos de manera proporcional a la población. Para ajustar la muestra total al tamaño real del universo de cada ciudad, se aplican factores de ponderación.
Sistema de muestreo:	Se llevó a cabo un muestreo probabilístico por etapas dependiendo del tipo de marco muestral. Para el marco de telefonía fija, primero se realizó una selección aleatoria sistemática de hogares con telefonía fija y posteriormente se realiza una selección aleatoria simple de una persona de 18 años o más. Para el marco de telefonía celular se llevó a cabo una selección aleatoria de personas mayores de 18 años.
Margen de error:	Los márgenes de error dentro de unos límites de confianza de un 95%, son: para el total de la muestra de las 5 ciudades +/- 2,83%; para el total de la muestra de Bogotá +/- 4,90%; para los totales de las muestras de Medellín, Cali, Barranquilla y Bucaramanga +/-6,86%.
Técnica de recolección de datos:	Encuestas telefónicas asistidas por computador (CATI).
Fecha de recolección de los datos:	Del 22 al 30 de noviembre de 2019.
Número de encuestadores:	64 encuestadores.
Método de validación:	Se revisó el 100% de las encuestas realizadas y se supervisó el 15% de las mismas.
Temas a los que se refiere:	Opinión pública sobre gobernantes, personajes, instituciones y hechos de actualidad.
Tasa de respuesta:	La tasa de respuesta para teléfonos fijos fue del 14,57% y para celulares del 11,67%. Esta tasa refleja el número de unidades de muestra que completaron el cuestionario, como porcentaje del número de unidades de muestra elegibles.
Factor de ponderación:	Para combinar las muestras de telefonía fija y celular, se debe incluir en el cuestionario preguntas para clasificar a los encuestados, a fin de determinar si el encuestado podría haber sido seleccionado en el otro marco muestral y así obtener la probabilidad de inclusión pi de cada persona.

Fuente: Invamer (2019).

En quinto y, último lugar, el Barómetro de las Américas de la Universidad de Vanderbilt (2016)[7], que es un estudio que examina las actitudes y percepciones de los ciudadanos en relación con las instituciones y que se realiza en el marco del Proyecto de Opinión Pública de América Latina (en adelante Lapop). En los distintos informes presentados anualmente, los hallazgos de la investigación se han publicado sistemáticamente en cinco grandes bloques que presentan solo algunas mínimas diferencias en virtud de las modificaciones que se hacen sobre el cuestionario a partir del cual se obtiene la información año tras año.

Dicho esto, es necesario precisar los cinco grandes bloques en los cuales se sistematiza y se presenta la información recopilada a partir de las entrevistas realizadas. En primer lugar, el estudio explora las variables sociodemográficas que caracterizan de la muestra. En segundo lugar, se describen las actitudes y comportamientos que son fundamentales para evaluar la cultura política de los ciudadanos en términos de actitudes democráticas, gobernabilidad y participación políti-

---

[7]   Surgió del particular interés académico y social en torno al estudio científico de la democracia como sistema político en consolidación (Maunwaring, 1995). Estos estudios, inspirados todos en los álgidos procesos de transición y cambio institucional en Estados de diferentes latitudes, dieron paso, por un lado, a la discusión sobre las características de las democracias denominadas de la tercera ola (Huntington, 1994), y por otro, a innovadores andamiajes metodológicos a partir de los cuales se conformó una agenda de investigación que se distingue por su enfoque empírico, entendido este como la conceptualización y la operacionalización de las variables a partir de las cuales se realiza el análisis inferencial de aquello que fuera denominado por Arend Lijphart (2000) como "modelos de democracia". Algunos de los resultados de estos estudios, concebidos en su gran mayoría desde lógicas comparativas, fueron: (i). las principales normas institucionales, así como las prácticas (percepciones y actitudes de los ciudadanos frente al sistema) de las democracias modernas, entre las que se encuentran las legislaturas, el sistema de partidos y el andamiaje jurídico-legal, los cuales pueden medirse en escalas que permiten apreciar su estado y evolución en el tiempo; ii) establecer que estas características institucionales amplían la comprensión sobre el aspecto formal, los procedimientos jurídicos formales y los resultados electorales en el tipo de regímenes mencionados. Esto es, establecer que a partir de dicho momento es posible contemplar el debate en relación con los matices o rasgos distintivos que puede adquirir una democracia. iii) que, de acuerdo con el cambio cultural, inherente a cualquier forma de organización social, los regímenes democráticos pueden evidenciar importantes variaciones en relación con la interacción natural entre instituciones o reglas del juego y organizaciones o actores sociales. Desde el punto de vista metodológico el trabajo que ha sistematizado la discusión mencionada ha sido el Estudio de Cultura Política de las Américas. Se trata, en detalle, de empresa académica liderada por Seligson de la Universidad de Vanderbilt. Este estudio constituye un referente de naturaleza empírica para el análisis de las instituciones formales e informales que dan forma a los regímenes democráticos y la evolución en el tiempo de las actitudes y comportamientos ciudadanos frente a estos. Para el caso colombiano, el observatorio de la democracia de la Universidad de los Andes ha liderado este esfuerzo, que, cabe anotar, se ha venido realizando desde el año 2005 con aportes y resultados, no solo para los ámbitos propiamente académicos, sino también para espacios en los que se toman las decisiones que influyen en el diseño institucional del país.

ca; analizándose el apoyo a instituciones y procesos propios de la democracia, la tolerancia política, la satisfacción con el sistema y sus procedimientos, el nivel de aprobación presidencial y los niveles de confianza institucional en partidos, altas cortes, sistemas judiciales, entre otros. En tercer lugar, el estudio alude a temas asociados con inseguridad, impunidad y corrupción, con énfasis en las opiniones y actitudes en relación con la criminalidad, la efectividad del sistema de justicia y la corrupción de funcionarios del Estado. En un cuarto bloque, el estudio se concentra en el tema de promoción y protección de los derechos humanos. Por último, se analizan temas vinculados con el conflicto armado y las actitudes ciudadanas frente al proceso de justicia transicional a partir del año 2012.

El estudio sobre cultura política de la democracia en Colombia explora empíricamente las actitudes y comportamientos de los ciudadanos de distintas partes del territorio, específicamente en lo referente a las instituciones democráticas de orden formal que componen el sistema legal y jurídico nacional. Se espera que los resultados arrojen información con soporte empírico para el análisis de la evolución de los niveles de confianza y aprobación de los colombianos con respecto al ordenamiento jurídico colombiano y sus procedimientos dentro del régimen democrático vigente.

De acuerdo con la disponibilidad de la información, este estudio pretende analizar los grupos de datos y variables relacionados con la confianza y percepciones de los colombianos en lo referente a las instituciones de justicia, de los estudios de 2014 y 2016, y un análisis especial en el mismo grupo de variables para el estudio del año 2015, dado que tiene una muestra especial de las zonas de consolidación territorial, cuestión esta que se explicará a continuación con mayor profundidad.

Si bien las encuestas del Barómetro se realizan de manera anual desde 2004, durante los últimos años las encuestas y la presentación de los informes han tenido algunas variaciones, por lo que es preciso plantear las siguientes consideraciones.

Durante todos los años (con excepción de 2015) se han realizado los estudios con muestras nacionales con características especificadas en cada una de las fichas de los informes. El objetivo principal de esta muestra especial era indagar sobre los niveles de cultura de los colombianos ubicados en zonas de consolidación con énfasis en percepciones sobre el acuerdo de paz que, para ese momento, se estaba negociando con las FARC.

En los últimos datos publicados a la fecha son los de las encuestas realizadas en 2016, por lo que serán estos el referente último de los datos. Para el 2016 se construyeron cuatro informes cuyo compilado es el informe de dicho año: paz, posconflicto y reconciliación; actitudes y opiniones de la mujer colombiana; democracia e instituciones y discriminación.

Con estas consideraciones y solo por rigurosidad metodológica, el análisis que surge del Barómetro de las Américas está dividido en dos partes: en la primera, se realizará un estudio sobre los niveles de confianza y percepciones de los colombianos en las instituciones de justicia, en los periodos comprendidos entre 2010 y 2016, excepto el de 2015, con el fin de identificar tendencias sobre las variables estudiadas y; la segunda, el análisis de las variables de confianza en las instituciones de justicia en el estudio del año 2015 presentado con muestra especial, por lo que se logra realizar una aproximación sobre las percepciones de los colombianos ubicados en zonas de consolidación territorial.

En el apartado de análisis de las muestras nacionales (2010-2016) estas son las variables que estarán en consideración: niveles de confianza en el sistema de justicia, en la Corte Constitucional, en la Policía Nacional, percepciones de corruptibilidad de los funcionarios que hacen parte de la rama judicial y percepciones de efectividad de la justicia colombiana. Gracias a la rigurosidad y a la accesibilidad de los datos de Lapop, este capítulo realiza el análisis en los cuatro apartados mencionados. De los tres primeros se podrán identificar tendencias desde el año 2010, sin embargo, en el componente del Acuerdo de Paz solo se tendrán datos de 2016 en tanto que, antes de la fecha, ello no era factible.

En el segundo apartado del estudio propio del Barómetro de las Américas se hará la revisión de los datos de confianza hacia las instituciones de justicia obtenidos en la encuesta realizada en 2015. Como se mencionó, la muestra del año 2015 es considerada como una muestra especial en tanto se realizó con el objetivo de estudiar las actitudes y opiniones de los ciudadanos de territorios por ser catalogados como los más afectados por el conflicto armado. En total, la Muestra Especial (ME) se llevó a cabo en 62 municipios, que están agrupados en 5 regiones en las que tiene presencia la Unidad Administrativa de Consolidación Territorial (UACT): Montes de María, Nudo de Paramillo, Cordillera Central, Macarena-Caguán y Tumaco. De cada uno de estos dos universos poblacionales se elaboró una muestra representativa que, en conjunto, conforman la muestra especial:

Al hacer la comparación de las variables sociodemográficas entre las muestras generales estudiadas entre 2004 y 2014 y la muestra especial de 2015, se lograron hacer las siguientes afirmaciones: (i). en relación con el nivel educativo, en la muestra especial puede llegar a ser 1.6 años más bajo con respecto al nacional; (ii). en cuanto al lugar de residencia, en la muestra especial el 60% de los encuestados se encuentra en cascos urbanos, mientras que en el resto de muestras nacionales el 74% se localiza en esta zona.

Para el estudio que hemos pretendido hacer de la confianza, los resultados de Vanderbilt son determinantes solo en lo que respecta a la confianza en las instituciones de justicia. Este instrumento no indagapor la confianza social, salvo el IMR, no existe ningún otro que lo haga.

Se identifican los estudios en la siguiente ficha técnica:

Tabla 6. Ficha técnica Proyecto de Opinión Pública de América Latina (Lapop - Vanderbilt)

	2015 (Muestra especial).	2016 (Muestra nacional).
Universo poblacional	1. Población de municipios en los que opera el "Programa Iniciativa de Desarrollo Estratégico para Colombia (CSDI)" 2. La población de los municipios objetivos de la oficina para la Población Vulnerable (OPV).	Mayores de edad residentes en Colombia.
Muestra	1.390 individuos.	1.512 individuos.
Margen de error	2.50%.	2.50%.
Intervalo de confianza	95%.	95%.
Método de muestreo	Probabilístico, estratificado y multietápico con selección de unidades por Mmestreo aleatorio simple.	Probabilístico[8], estratificado[9], multietápico[10] con selección aleatoria de las unidades muestrales de cada etapa.
Recolección de datos	Entrevistas cara a cara con la aplicación Adgys en teléfonos inteligentes.	Dispositivos electrónicos – Aplicación Survey to go.
Duración de la encuesta		Una hora.
Número de preguntas		368.

Fuente: Vanderbilt University (2016).

---

[8]   Por muestreo probabilístico, el estudio entiende que cada individuo del universo poblacional tenía las mismas oportunidades de ser seleccionado para el estudio.

[9]   Por muestreo estratificado se entiende que la muestra del estudio representa conjuntos poblacionales dentro del universo: (I) población de seis regiones del país (Bogotá, Caribe, Central, Oriental, Pacífica y Antiguos Territorios Nacionales); (II) población en municipios de menos de 25.000 habitantes(municipios pequeños), en municipios con población entre 25.000 y 100.000 habitantes (municipios medianos) y municipios con más de 100.000 habitantes (municipios grandes) (III) población en zonas urbanas y rurales.

[10] Multietápico: la selección de la muestra se realizó en cuatro etapas (I) Etapa 1: Selección aleatoria de unidades primarias del muestreo (Bogotá, Medellín, Cali y Barranquilla).

Vale la pena advertir, para cerrar este apartado, que, como es apenas evidente, los distintos instrumentos de medición dan cuenta de realidades temporales distintas. Ello se debe a que fueron practicados por diferentes instituciones y con distintas intencionalidades. Por esta razón no son comparables entre sí, ni se pueden plantear, a partir de ellos, análisis lineales. La heterogeneidad en las ventanas temporales de observación, si bien puede ser una dificultad metodológica, es una dificultad insuperable que obedece a las dificultades de acceso y disponibilidad de la información.

Así las cosas, la presente investigación se basó en la información disponible y más reciente. El IMR solo se ha practicado una vez. La Encuesta Mundial de Valores se centró en el año 2019, de la misma manera que la encuesta realizada por Invamer y por el IMR, lo que dejó realizar una comparación entre los informes. En cuanto a la información del DANE, además de ser la última disponible, con los datos más recientes, y de coincidir en la anualidad con las encuestas anteriores, es particularmente relevante debido a que, por primera vez, el DANE buscó medir datos asociados con el capital social. Así, como señala el DANE (2019), "la confianza en los otros y en las instituciones es un atributo que facilita las acciones colectivas generando Capital Social" (p. 10). Los datos del Barómetro de las Américas que se analizan son aquellos disponibles a partir de 2004.

Se descartaron otros instrumentos de medición por las razones ya explicadas y que, quizás, no creaban total fiabilidad en los resultados. Así, en relación con la confianza social, presentaremos los resultados del IMR, de la Encuesta Mundial de Valores y del DANE. Frente a la confianza en las instituciones, se analizarán los resultados de los instrumentos más robustos que existen, como lo son la Encuesta Mundial de Valores, aquella realizada por el Invamer, el Barómetro de las Américas y los datos del DANE.

3.2. EVIDENCIA Y ANÁLISIS DE LOS DATOS

3.2.1. *Resultados del Instrumento de la Medición de Reconciliación (2019), realizada por ACDI/VOCA para Usaid*

El primer índice de confianza que queremos analizar es aquel que puede entenderse como el sustento de los demás: la confianza en el otro, es decir, en los términos del funcionalismo sistémico, aquella confianza en las expectativas ajenas comunes a las propias. Se trata de la confianza que debe emerger de la pura condición normativa de persona. El IMR es la encuesta más próxima que existe en nuestro país para evaluar la confianza social.

Gráfico 4. Respuestas a la pregunta:
¿En cuántos vecinos confía usted? (% nacional, año 2019)

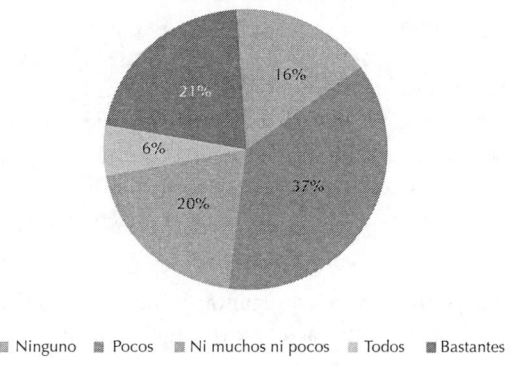

▨ Ninguno   ▨ Pocos   ▨ Ni muchos ni pocos   ▨ Todos   ▨ Bastantes

Fuente: elaboración propia a partir del IMR (2019).

Formulándose la pregunta en términos binarios (sí/no), y desagregando los resultados en porcentajes rurales y urbanos, las conclusiones son más contundentes, así:

Gráfico 5. % de personas que no confían en sus vecinos (2019)

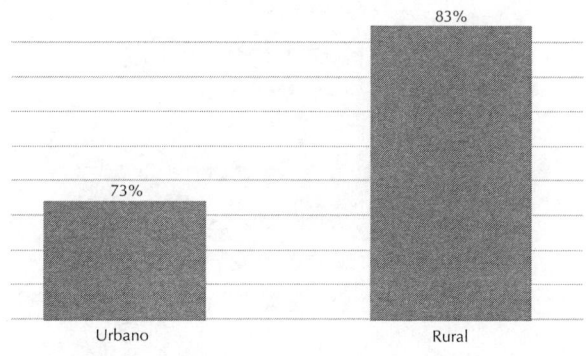

Fuente: elaboración propia a partir de IMR (2019).

Desde apenas este momento podemos determinar que en Colombia poco se confía en el vecino, que es, en términos equivalentes, el otro ser humano que no conocemos plenamente, pero que interactúa con nosotros. Apenas el 27% de la población encuestada confía en sus vecinos. De la población encuestada, un 73% de la población urbana desconfía de sus vecinos y, aunque en principio se pensaría de forma contraria, aumenta el porcentaje en zonas rurales. En el campo, el 83% de los encuestados desconfía de sus vecinos, esto es, en todos los casos un porcentaje muy bajo confía en que el otro se comportará como es esperable que lo haga.

Estas estadísticas sustentan una verdad de Perogrullo y es que, en Colombia, el grueso de personas no confía en los demás. En cuanto a la confianza en las instituciones, los resultados del IMR (2019) no prometen un mejor panorama.

Gráfico 6. Respuestas a la pregunta: ¿Qué tanta confianza tiene por los siguientes actores? (% nacional, año 2019)

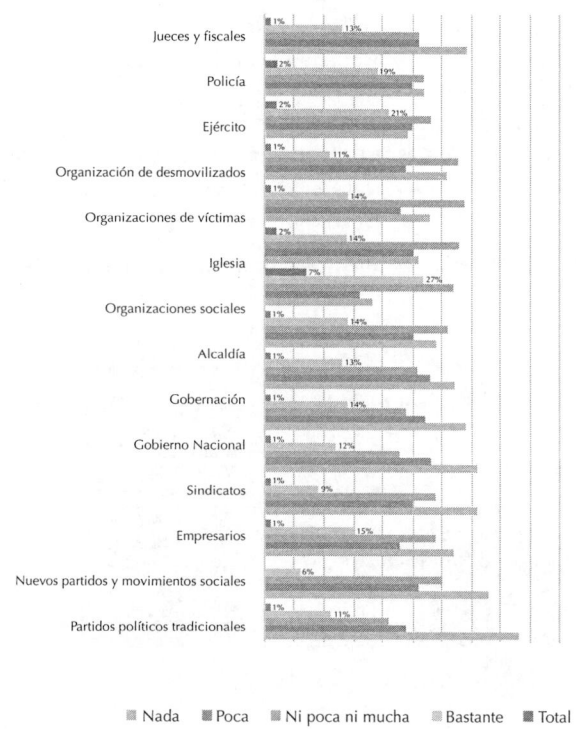

Fuente: elaboración propia a partir del IMR 2019

Para la encuesta liderada por Usaid y ACDI VOCA, las instituciones en las que más se confía en Colombia son: Iglesia, Policía y Ejército. Estos datos son contundentes para una texto que quiere poner a prueba el funcionalismo penal sistémico en Colombia pues, en primer lugar, se confía más en la Iglesia que en el Estado, lo que es una muestra de desdiferenciación funcional, en la medida en que funciones institucionales (en principio propias del Estado) producen mayores niveles de confianza si son llevadas a cabo por la Iglesia y, por otro lado, porque la confianza en la fuerza pública denota que, producto de los altos índices de violencia por los que pasa y ha pasado Colombia en su historia, la mayor confianza se asigna a aquella función que se relaciona con la seguridad, aspecto medular para lo que parece ser una de nuestra conclusiones del cuarto capítulo, mediante la persecución que se hace de enemigos comunes. Si bien son las instituciones en las que más se confía en Colombia, sus índices totales de confianza siguen siendo bajos con lo que debería ser para todos los subsistemas que componen el sistema social. La institución en la que más se confía en Colombia es la Iglesia, con un índice de 34% de altos niveles de confianza, seguido por el Ejército con 23% y luego por la Policía con el 21%.

3.2.2. Resultados del *World Values Survey* (2019)

Después de justificar el diseño metodológico de esta encuesta, consideramos la relevancia que de sus resultados queremos para nuestra investigación, porque además de publicarse en el año 2019, lo que denota actualidad, cotejamos los hallazgos con la muestra anterior, logrando concluir, con un alto nivel de fiabilidad, que los índices de desconfianza en Colombia por las instituciones del Estado son bastante altos.

Gráfico 7. % de personas que confían en las siguientes instituciones (2019)

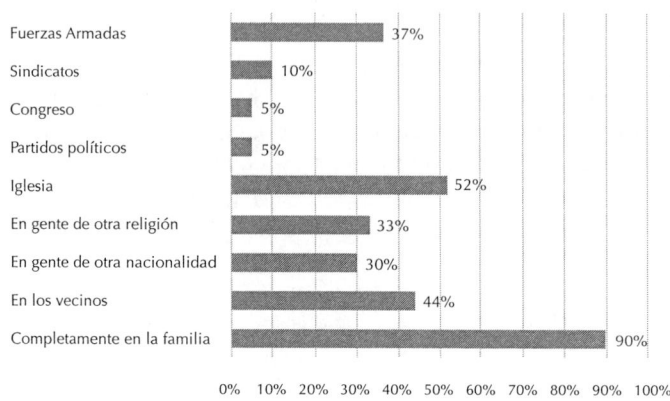

Fuente: elaboración propia a partir de *World Values Survey* (2019).

Del gráfico resaltamos, además de la relativa coincidencia en los bajos niveles de confianza en los vecinos, que la encuesta *World Values Survey* (2019) determina muy altos niveles de confianza en la familia. Al margen de las instituciones directamente vinculadas con el Estado, se trata de la institución social en que más confían los colombianos. Este asunto es trascendental para nuestra investigación: la alta confianza en la familia, unida a la alta desconfianza en todos los demás entes sociales, se traduce en la idea de que en Colombia las personas sí confían, pero solo en su familia, lo cual, de cierta manera, coincide con la perspectiva de modelos sociales premodernos, mas no, propiamente, con las bases de una sociedad funcionalmente diferenciada. Una sociedad funcionalmente diferenciada, en términos ideales, debería procurar, además de altos niveles de confianza en la familia, altos niveles de confianza en las demás personas y en las instituciones.

Esto nos lleva, desde este momento, y a partir de que no existe más información sobre la confianza social, a reconducir la encuesta a otros niveles más específicos: los niveles de confianza en las instituciones.

Para la reconducción de la investigación a la confianza en las instituciones, nos quisiéramos preguntar, en primer lugar, por los índices de democracia en Colombia. La relación entre confianza y democracia es apenas evidente: en palabras de Vives (2011) esta relación se traduce en que:

> (...) una sociedad democrática requiere de unas relaciones básicas que cohesionen, articulen y mantengan el aglutinamiento colectivo. El elemento fundamental para generar este tipo de relaciones, es la confianza. La confianza es la base de lo social, ya que para cualquier acto de interacción social es indispensable la credibilidad en los otros. (p. 285)

La reducción de la complejidad que se genera mediante la confianza o, lo que es lo mismo, la diferenciación funcional que opera como condición de posibilidad del funcionalismo penal sistémico, parte de considerar qué tanto se confía en las funciones atribuidas a ese otro que, como Estado, organiza lo social y que, desde la dimensión jurídica, tiene por función estabilizar contrafácticamente las expectativas normativas.

Desde la teoría de sistemas, un cuestionamiento por la percepción de la democracia en Colombia supone evidenciar los niveles de confianza en los repartos funciones por dentro y por fuera del Estado. Estas funciones se confunden, en términos disfuncionales, cuando se presentan casos de corrupción[11].

A partir de esta evidencia empírica, el funcionalismo sistémico se preguntaría por el cómo, desde el derecho y el poder político, se puede diferenciar claramente la función económica de otras funciones, lo que deriva, de nuevo, en la confianza en las instituciones, es decir, si los hallazgos demuestran que a mayor corrupción mayor desconfianza, el funcionalismo penal sistémico exigirá mayores ámbitos delimitados de diferenciación por el derecho para crear confianza en las instituciones.

---

[11]   La corrupción, vista desde la teoría de sistemas, es apenas otra muestra de desdiferenciación funcional de la sociedad. En la corrupción se confunde el sistema económico con otros subsistemas, casi siempre el político. Es decir, en la corrupción se vincula la función económica con el ámbito, casi siempre, público, lo que evidencia una periferia de la modernidad, según Luhmann.

Gráfico 8. Percepción de los encuestados sobre los actores
más involucrados en actos de corrupción (% nacional, 2019)

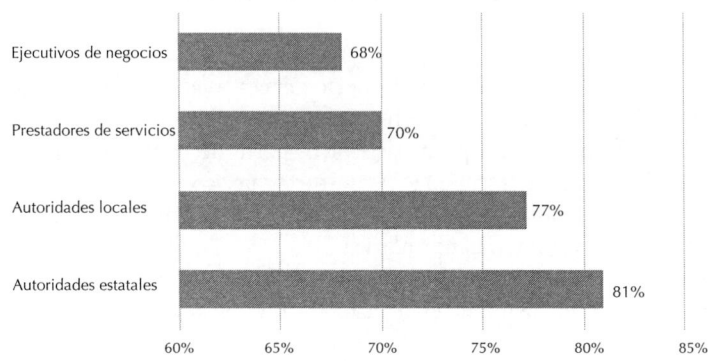

Fuente: elaboración propia a partir de *World Values Survey* (2019).

Por razones como estas es que, en Colombia, según el IMR (2019), en una escala de 1 a 10, solo el 3.54% de los encuestados siente satisfacción por el sistema
político. Se correlaciona esto, según el mismo estudio, con la afirmación de que
el 50% de los encuestados considera que el pago de sobornos es una experiencia
frecuente. Afirma el IMR que la tendencia es a percepciones de bajos niveles de
democracia, lo que, para nosotros, conduce a afirmar bajos niveles de confianza.

3.2.3. *Resultados de la Encuesta de Cultura Política, realizada por el DANE (2019)*

Los resultados empíricos que demuestra el DANE tienen una vinculación directa con nuestro planteamiento por tres razones: (i). porque se preguntan por
las percepciones frente a los niveles de democracia existentes en Colombia. La
democracia, frente al funcionalismo sistémico, es otra muestra de diferenciación
funcional, de modo que a mayores índices de democracia mayores niveles de
diferenciación y viceversa. La confianza en el cumplimiento efectivo de los roles
de cada quien en el Estado y la sociedad es una muestra de modernidad; (ii).
porque la encuesta se pregunta por la percepción que se tiene de la garantía de
los derechos fundamentales en Colombia. Hemos venido exponiendo que, en las
periferias, los equivalentes funcionales se consagran mediante el reconocimiento

de los derechos fundamentales. Sin embargo, el reconocimiento de los mismos no implica su necesaria garantía. Puede ocurrir, como se pasará a demostrar para Colombia, que, del reconocimiento o simbolización excesiva de los derechos fundamentales, no se sigan sus mismos niveles de garantía efectiva. Así, estos hallazgos determinan una de nuestras proposiciones del capítulo cuarto de la presente investigación: consistente en responder la legitimidad del funcionalismo penal sistémico en casos de poca garantía de los derechos fundamentales; (iii). porque para el año 2019, el DANE, por primera vez, buscó medir datos asociados con el capital social con estudios de los niveles de la confianza en el otro y en las instituciones del Estado.

Gráfico 9. Respuestas a la pregunta:
¿Usted considera que Colombia es un país democrático,
medianamente democrático o no democrático? (% nacional, 2019)

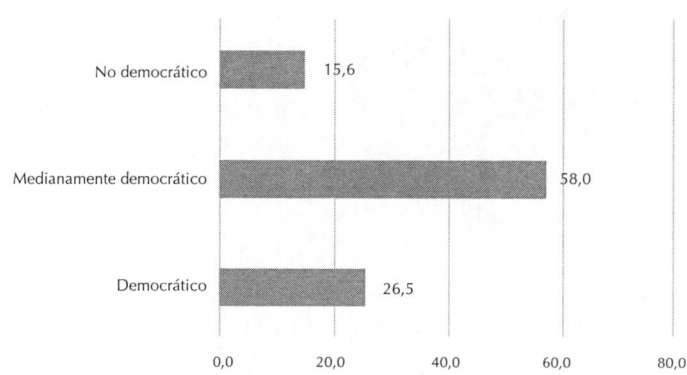

Fuente: elaboración propia a partir del DANE (2019).

En Colombia, apenas el 26.5% de los encuestados afirma que, efectivamente, es un país democrático; mientras que más del 50% se ubica en niveles medios con tendencia a la baja. Así pues, las personas poco confían en que el Estado actúa como debe actuar y poco confían en que el Estado represente aquello que, como personas, esperan que debería representar.

Esta situación, de forma correlativa, nos lleva a preguntarnos por las percepciones que se tienen de qué tanto se protegen y garantizan en Colombia los derechos fundamentales. Se trata de una pregunta por las percepciones de confianza en funciones de tipo institucional asignadas al Estado y que demarcan los contenidos de la democracia.

Una vez analizados los índices de democracia que se perciben en Colombia, el paso siguiente será determinar las evidencias empíricas frente a la garantía de los derechos fundamentales, de modo que, como se dijo, sus conclusiones sirvan para determinar parte de las proposiciones que se formularán en el último de los capítulos, relacionada con la legitimidad del método penal funcionalista para el caso colombiano.

Gráfico 10. Respuestas a la pregunta:
¿Usted considera que en Colombia se protegen y garantizan
los derechos a la vida, libertad, integridad, seguridad? (% nacional, 2019)

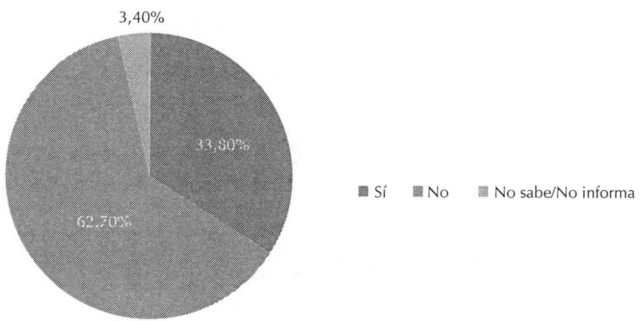

Fuente: elaboración propia a partir del DANE (2019).

En Colombia, únicamente el 33.8% de los encuestados por el DANE estima que se protegen y garantizan los derechos a la vida, libertad, integridad y seguridad. Se trata de derechos fundamentales de primer orden, pues garantizan, de forma mediática, la protección de los demás. Desde esta perspectiva empírica, más del 60% de los encuestados siente que en el país no se protegen o garantizan este tipo de derechos. Las periferias o desdiferenciaciones funcionales que se fundamentan en bajos niveles de confianza se manifiestan, de forma correlativa, en una baja garantía de los derechos fundamentales debidamente reconocidos o simbolizados.

Gráfico 11. Respuestas a la pregunta:
¿Usted considera que en Colombia se protegen y garantizan los derechos a la educación, salud, seguridad social y trabajo? (% nacional, 2019)

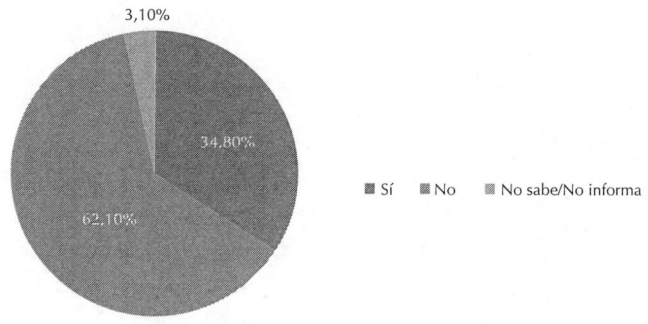

Fuente: elaboración propia a partir del DANE (2019).

Siendo apenas una consecuencia del hallazgo anterior, este gráfico evidencia los bajos niveles que existen en Colombia en la percepción de protección y garantía específica de los derechos a la educación, salud, seguridad social y trabajo. Más del 60% de los encuestados estima que los mismos no se garantizan, de modo que, como ya lo hemos venido indicando, en Colombia, el maximizado reconocimiento que existe de los mismos no se compadece con su protección. Estos son los porcentajes que exigirán una respuesta concreta de un sistema punitivo de carácter funcionalista.

Gráfico 12. Respuestas a la pregunta:
¿Usted considera que en Colombia se protegen y garantizan
los derechos a la libertad de expresión, conciencia, difusión
y divulgación de información? (% nacional, 2019)

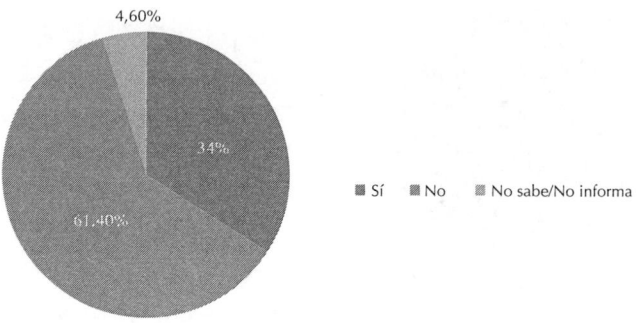

Fuente: elaboración propia a partir del DANE (2019).

La situación no parece ser distinta para otro tipo de derechos. Así, los hallazgos demuestran que, en Colombia, solo el 34% de los encuestados estima que se protegen y garantizan los derechos a la libertad de expresión, conciencia, difusión y divulgación de información.

En síntesis, como se puede percibir, en todos los casos los mayores índices se corresponden con una percepción de no garantía y protección[12].

---

[12]   Como afirma Sabino Cassese (2018), un Estado que no tenga como base la garantía de los derechos fundamentales de sus ciudadanos no puede ser considerado una democracia.

Gráfico 13. Respuestas a la pregunta ¿Qué tanto confía usted en las siguientes instituciones y/o actores? (% nacional, 2019)

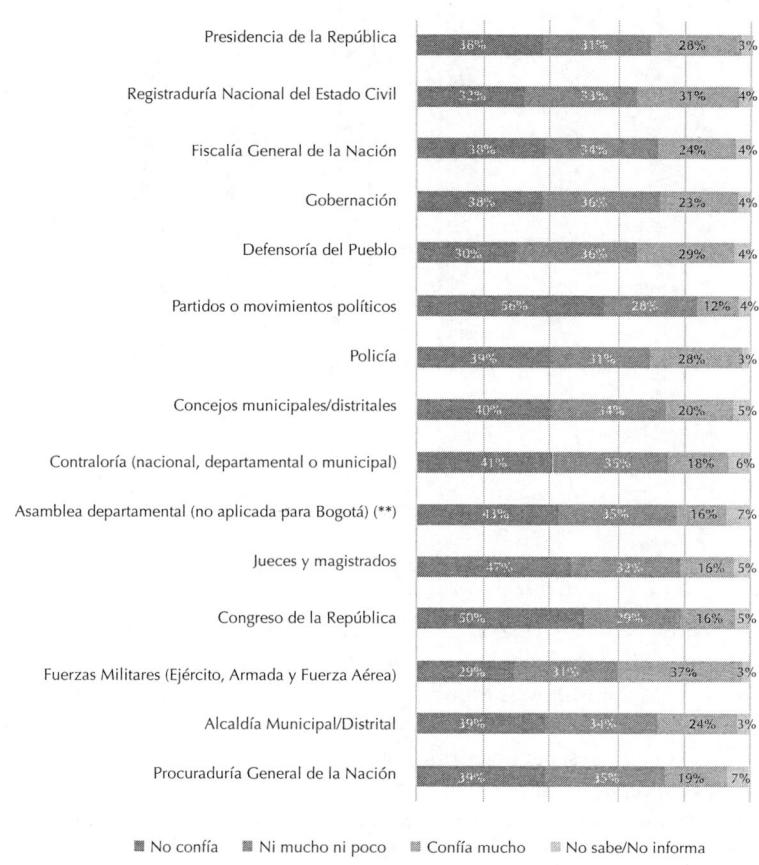

Fuente: elaboración propia a partir de DANE (2019)

Los datos evidencian que los niveles de desconfianza en las instituciones públicas siguen siendo muy altos y coinciden todas las encuestas en afirmar que la mayor confianza existe en las Fuerzas Armadas. Particularmente, los indicadores del DANE son elevados en los niveles de desconfianza en el poder legislativo y en el poder judicial, ya que llegan, en ambos casos, casi a un nivel de desconfianza cercano al 50%.

Gráfico 14. Respuestas a la pregunta
¿Cuánto confía en los siguientes grupos de personas? (% nacional, 2019)

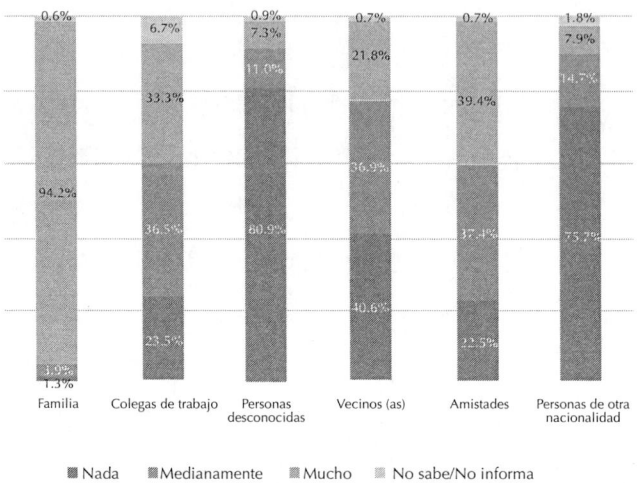

Fuente: elaboración propia a partir de DANE (2019)

Como ya indicamos el DANE, en el 2019, determinó los indicadores de capital social existentes en Colombia. Coherente con lo que viene siendo nuestro planteamiento, para este caso se especificó que la mayor confianza que existe, y la única que supera el 50%, se da en la familia. Lo anterior se explica pues es la institución social que representa niveles de cohesión correspondientes con esquemas de solidaridad mecánica, esto es, la confianza solo en la familia, en comparación con la desconfianza generalizada en todo lo demás, es una evidencia empírica de sociedades segmentadas. Es menester resaltar los altos niveles de desconfianza en personas desconocidas, que llega, incluso, al 80%. Los porcentajes no son menos alarmantes para el caso de los vecinos y de las personas de otra nacionalidad. Estos puntos son muy relevantes para nuestra investigación pues demuestran que la comunicación, tal y como la plantea Luhmann, difícilmente crea expectativas de comportamiento en los otros, salvo en los casos de la familia, lo que se explica, de una forma simple, porque hay precaria diferenciación funcional.

Los niveles de democracia, en comparación con los niveles de la protección y garantía de los derechos fundamentales, evidenciamos que existe una clara correlación en el país que aumenta los niveles negativos en ambos sentidos. Veamos:

Gráfico 15. Respuestas a la pregunta:
¿Qué tan satisfecho se siente con la forma en la que la
democracia funciona en Colombia? (% nacional, 2019)

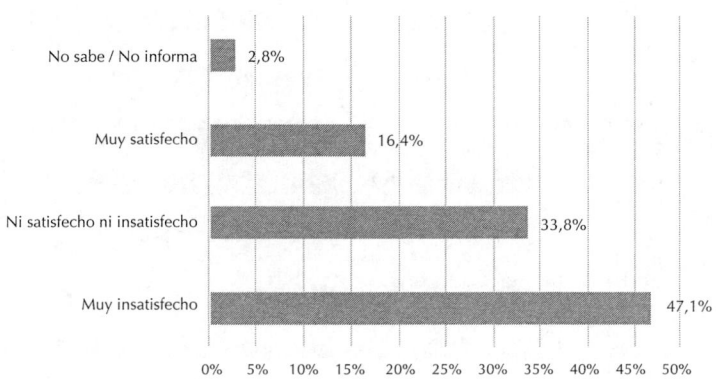

Fuente: elaboración propia a partir del DANE (2019).

En tanto que los niveles de satisfacción con las instituciones del Estado se evidencian como muy bajos, en la medida que casi el 50% de los encuestados se siente muy insatisfecho con el funcionamiento de la democracia en Colombia, esto afecta, como ya se demostró, los niveles de confianza en las instituciones de justicia, con porcentajes que, para el Congreso y los jueces, llegan a niveles de desconfianza cercanos al 70% (gráfica 13). Esta relación es significativa en la medida en que, en la sociedad, si bien son varios los subsistemas que generan expectativas de comportamiento que se traducen en niveles de confianza, solo a las instituciones de justicia se le asigna la función de estabilizar normativamente a la sociedad y garantizar la vigencia de los símbolos normativos.

La correlación planteada se aumenta más con la aparición de altas sensaciones de corrupción en el sector público. Veamos:

Gráfico 16. Respuestas a la pregunta: ¿Cuál considera que es el nivel de corrupción de los siguientes grupos o actores? (% nacional, 2019)

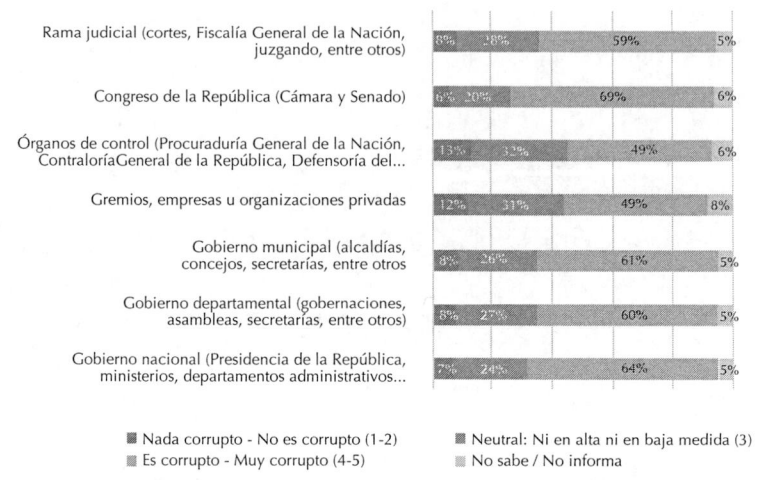

Fuente: elaboración propia a partir del DANE (2019).

Particularmente, para el caso de las instituciones que administran justicia, son casi coincidentes los niveles de desconfianza con las sensaciones de corrupción en ellas. Esta evidencia es sustancial en nuestra propuesta porque ante estos contextos de desdiferenciación, solo le queda al subsistema jurídico intervenir con el objeto de estabilizar la expectativa contrafáctica aun reconociendo que no hay sustento empírico de confianza, es decir, ante los casos de desconfianza no podría el derecho simplemente no hacer nada, pues ello solo reproduciría más desconfianza. Sobre qué debe y cómo debe operar el derecho en estos contextos, nos ocuparemos en el siguiente capítulo.

Gráfico 17. Respuestas a la pregunta:
¿De los siguientes factores cuál o cuáles pueden motivar o inducir a que se presenten actos de corrupción? (% nacional, 2019)

Fuente: elaboración propia a partir del DANE (2019).

Evidenciamos con esto que las sensaciones de desconfianza se reproducen ante la falta de sanciones, esto es, la inoperancia del derecho para estabilizar la expectativa solo ha derivado en más desconfianza. El 94% de los encuestados estima que son inexistentes las sanciones a los corruptos. Es esto lo que debe motivar la actuación del derecho. Sin embargo, no cualquier actuación sería posible y legítima, pues, en contextos de desdiferenciación, mayores límites se imponen a la política criminal para justificar sus comunicaciones de sentido. Estos límites se deben, en parte, al equivalente de los derechos fundamentales como institución.

Gráfico 18. Respuestas a la pregunta:
¿En cuál área o asunto considera que se presentan los casos más graves
de corrupción en el sector público en general? (% nacional, 2019)

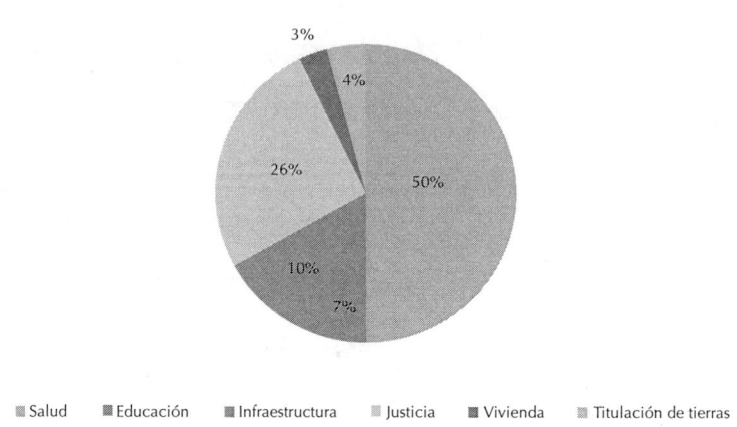

▨ Salud   ▨ Educación   ▨ Infraestructura   ▨ Justicia   ▨ Vivienda   ▨ Titulación de tierras

Fuente: elaboración propia a partir del DANE (2019).

Al continuar con los gráficos que sustentan las relaciones de concordancia que venimos planteando, este evidencia que, entre los mayores porcentajes de corrupción, están las instituciones de justicia. Estos niveles son determinantes, pues, a diferencia de la salud, que representa los mayores porcentajes, en principio se pensaría que la justicia no es una preocupación que comprometa el día a día de las personas. Las instituciones de justicia, desde nuestro marco teórico, son las encargadas de estabilizar la expectativa. De allí, todas las consecuencias negativas que se siguen y que hemos verificado anteriormente.

Gráfico 19. Respuestas a la pregunta por el cambio percibido en el nivel de corrupción en Colombia (% nacional, 2019)

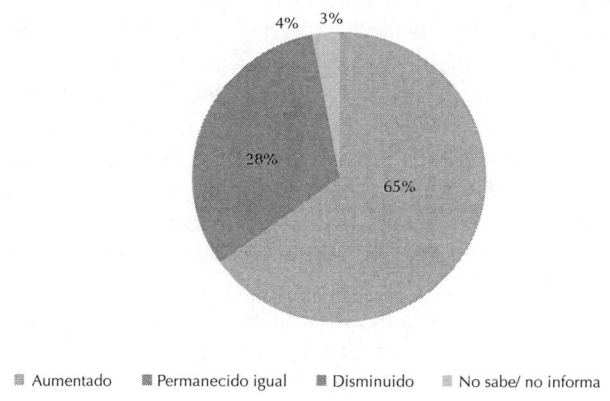

▨ Aumentado ▨ Permanecido igual ▪ Disminuido ▨ No sabe/ no informa

Fuente: elaboración propia a partir del DANE (2019).

Para finalizar este estudio, solo falta mencionar las sensaciones de corrupción van en aumento en los encuestados. Al tratarse de una lectura sistémica, la única manera de variar positivamente los porcentajes sería a través de la debida intervención del subsistema jurídico.

Pasaremos a partir de este momento, a reiterar por los niveles de confianza que se tienen en ciertos actores, entre ellos, por supuesto, las instituciones de justicia. Con esta finalidad, el Barómetro de las Américas es sumamente útil, pues genera consecuencias objetivas a través de la comparación con los demás.

3.2.4. Resultados de la Encuesta Gallup Poll # 134 Colombia, realizada por Invamer (2019)

De la misma forma que los estudios ya analizados, la encuesta realizada por Invamer en el año 2019 midió el nivel de percepción de los colombianos frente a ciertas instituciones. Los resultados que se pondrán en consideración son objeto fundamental en la presente investigación, pues, además de ser coincidentes, en términos objetivos, con los demás estudios, se enfocaron en un amplio horizonte poblacional de las ciudades capitales de Colombia. Desde esta perspectiva, no es posible afirmar que el nivel de acceso a las instituciones, a partir, por ejemplo, de la circunscripción territorial a una ciudad capital, hace que los ciudadanos confíen más. La tendencia en los déficits de confianza en Colombia se mantiene.

Antes de exponer las gráficas, veamos la percepción de los colombianos frente a las principales instituciones encargadas de la creación y adjudicación del derecho.

El sistema judicial colombiano hace parte, dentro de la teoría de Luhmann, del sistema jurídico. En él, quizás, con mayor énfasis, se concretan las expectativas de estabilización de expectativas, es decir, los altísimos niveles de desconfianza en el sistema judicial significan, en Colombia, un reparo a la función que se le asigna a los jueces de administrar justicia. Desde esta premisa evidente, la legítima aplicación de Luhmann se puso en entredicho en las periferias de la modernidad. Si no se confía en el derecho, básicamente no se confía en la existencia de la sociedad que el derecho, mediante su función, hace que se mantenga. La desconfianza en el derecho, por un lado, es una muestra de desdiferenciación funcional, y, por otro, una muestra de la poca identidad normativa que se cree debe existir. Con mayor razón, ante este panorama tan desolador, deben intervenir los equivalentes funcionales con miras a proyectar una diferenciación. De allí la la tendencia que se evidencia en el Gráfico 20.

En el mismo sentido, la desconfianza en la Corte Suprema de Justicia (Gráfico 21), como organismo de cierre en la jurisdicción ordinaria, evidencia los altos índices de desdiferenciación judicial que padece Colombia, y hace, salvo por la existencia de equivalentes funcionales reconocidos mediante los derechos fundamentales, inviable la aplicación del funcionalismo penal sistémico en el país.

Aunque se sigue manteniendo la tendencia de los hallazgos anteriores, en el sentido de la alta desconfianza en todos los organismos de justicia, la Corte Constitucional de Colombia es la que, entre todos, por mucho tiempo mantuvo los porcentajes de desconfianza distintos (Gráfico 22). Esta razón es apenas coherente con la intuición que ya hemos manifestado. En las periferias de la modernidad los equivalentes funcionales se traducen en el reconocimiento normativo de los derechos fundamentales. Si bien el reconocimiento no implica garantía o efectiva protección, sí supone una menor desconfianza para aquella entidad con la que los ciudadanos representan el goce efectivo de los derechos fundamentales, esto es, si bien la desconfianza existe, la diferencia con la medición global de todo el sistema de justicia se traducía en el símbolo normativo que por esencia emana de la Corte Constitucional ante el ejercicio de los derechos fundamentales que de ella se desprenden. Esta confianza, como es apenas evidente, afirma que están, por lo menos reconocidos, los derechos fundamentales en Colombia. Sin embargo, a partir de ciertos hechos valorados de forma muy negativa por la comunidad en general y que han vinculado a la Corte Constitucional. A partir del 2010 se ha venido incrementando la desconfianza generalizada también en este organismo y existe ahora la misma tendencia que con las demás entidades.

A su turno, como se verá en el Gráfico 23, desde hace ya varios años y con tendencia al alza, la desconfianza existe también en la Fiscalía General de la Nación. Se trata de otra coherente consecuencia de la ya manifestada desconfianza en todo el sistema judicial colombiano.

No menos preocupante es la situación desde la perspectiva del legislador (Gráfico 24). La desconfianza ha alcanzado al sistema judicial colombiano y se manifiesta también, y de una forma muy alta, en el Congreso de la República. La desconfianza en el legislador se traduce en una baja percepción de democracia en el país, lo que es totalmente coherente con gráficos analizados con anterioridad respecto de la cultura política del país.

Los datos que arroja la encuesta en relación con las Fuerzas Militares son coincidentes en todos los demás estudios que hemos venido analizando (Gráfico 25). Si bien siguen existiendo altos niveles (generales) de desconfianza también en ellas, el punto para resaltar es que en Colombia las Fuerzas Militares junto con la Iglesia son las dos instituciones en las que más confían los colombianos. Para esto nos remitimos a las consideraciones que, sobre este punto, en relación con la diferenciación funcional, ya hicimos y dejamos los datos para plantear una proposición relacional en el capítulo siguiente de este escrito.

Semejante a las fuerzas militares, la confianza en la Policía tiene mayores índices que las demás instituciones del Estado que puedan intervenir en la distribución funcional de competencias para el mantenimiento de las expectativas de los asociados (Gráfico 26).

La desconfianza en las instituciones puede estar correlacionada con la percepción negativa sobre la corrupción en el país (Gráfico 27).

Gráfico 20. Respuestas a la pregunta: ¿Usted tiene una opinión favorable o desfavorable del sistema judicial colombiano? (% nacional, 2019)

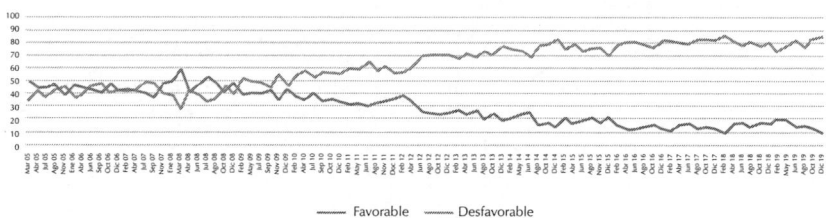

Fuente: elaboración propia a partir de INVAMER (2019).

Andrés Felipe Duque Pedroza

Gráfico 21. Respuestas a la pregunta: ¿Usted tiene una opinión favorable o desfavorable de la Corte Suprema de Justicia? (% nacional, 2019)

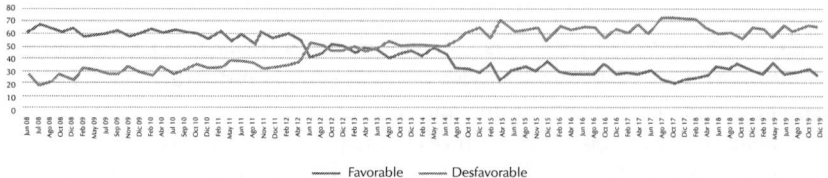

Fuente: elaboración propia a partir de INVAMER (2019).

Gráfico 22. Respuestas a la pregunta: ¿Usted tiene una opinión favorable o desfavorable de la Corte Constitucional? (% nacional, 2019)

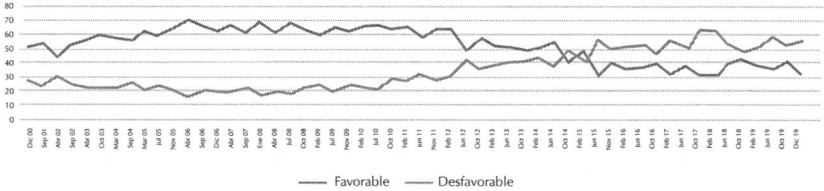

Fuente: elaboración propia a partir de Invamer (2019).

Gráfico 23. Respuestas a la pregunta: ¿Usted tiene una opinión favorable o desfavorable de la Fiscalía General? (% nacional, 2019)

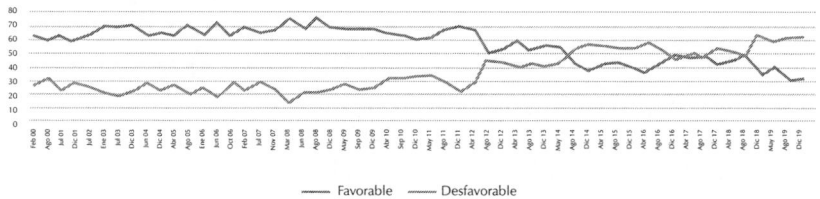

Fuente: elaboración propia a partir de Invamer (2019).

Gráfico 24. Respuestas a la pregunta: ¿Usted tiene una opinión favorable o desfavorable del Congreso? (% nacional, 2019)

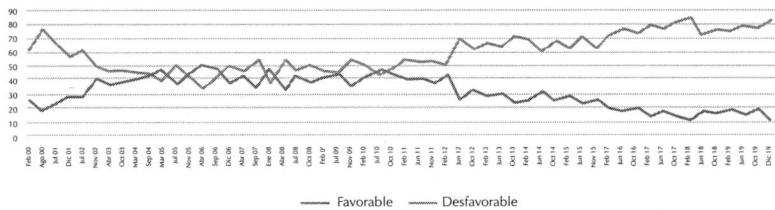

Fuente: elaboración propia a partir de Invamer (2019).

Gráfico 25. Respuestas a la pregunta: ¿Usted tiene una opinión favorable o desfavorable de las Fuerzas Militares? (% nacional, 2019)

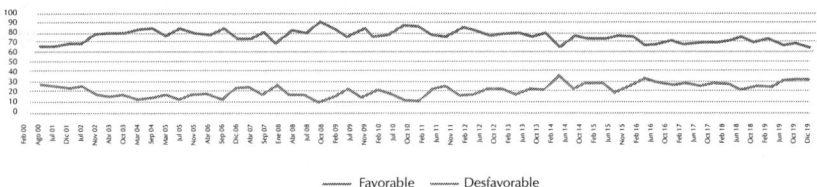

Fuente: elaboración propia a partir de INVAMER (2019).

Gráfico 26. Respuestas a la pregunta: ¿Usted tiene una opinión favorable o desfavorable de la Policía? (% nacional, 2019)

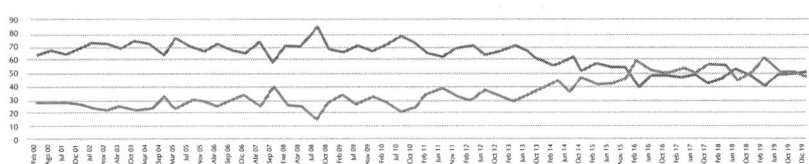

Fuente: elaboración propia a partir de INVAMER (2019).

Gráfico 27. Respuestas a la pregunta: ¿Usted considera que la corrupción en Colombia está mejorando o está empeorando? (% nacional, 2019)

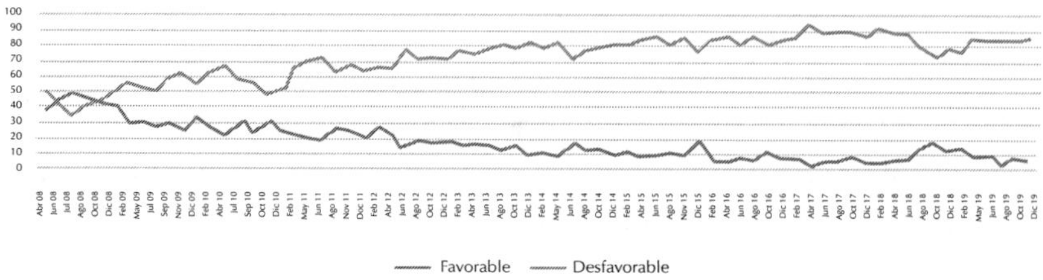

Fuente: elaboración propia a partir de INVAMER (2019).

Demostramos en la presente investigación el nivel de correspondencia que existe entre la percepción de corrupción que se manifiesta en el ámbito público y la desconfianza general en todos los demás subsistemas. Esto es, a mayores niveles de corrupción, mayores niveles de desconfianza. En este sentido, los datos que se presentan en las encuestas relacionados con los niveles de corrupción buscan sustentar una proposición que se hará en el último de los capítulos y que está relacionada con la legítima de aplicación del funcionalismo penal sistémico en aquellos casos vinculados con el servicio público.

3.2.5. Resultados de la Encuesta Lapop, realizada por Vanderbilt University (2016)

El Barómetro de las Américas también se ha interrogado por la confianza en las instituciones y ha llegado a conclusiones coherentes con los resultados expuestos hasta ahora. Esto reafirma la objetividad de las conclusiones frente a las altas percepciones de desconfianza. No solo por ello consideramos el evidenciar los datos de esta otra encuesta, sino que, además, porque desde Vanderbilt pudimos obtener los datos desagregados por sexo masculino y femenino y se especifican aún más los resultados.

Gráfico 28. Percepciones de confianza en algunas instituciones por personas del sexo masculino (% nacional, 2016)

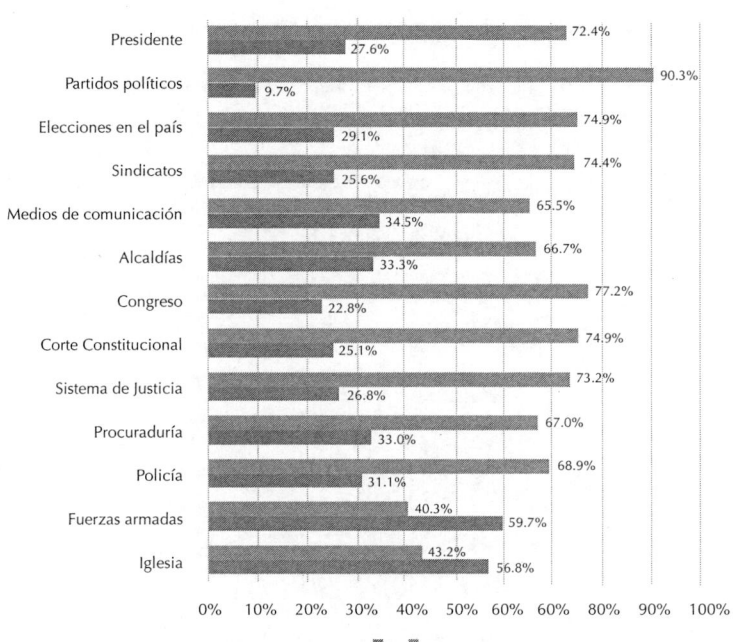

Fuente: elaboración propia a partir de Vanderbilt University (2016).

En este caso, de la misma manera que en el IMR (2019), se reafirma que la institución y las Fuerzas Armadas, con un porcentaje del 59.7 y 56.8%, respectivamente.

Andrés Felipe Duque Pedroza

Gráfico 29. Percepciones de confianza en algunas instituciones
por personas del sexo femenino (% nacional, 2016)

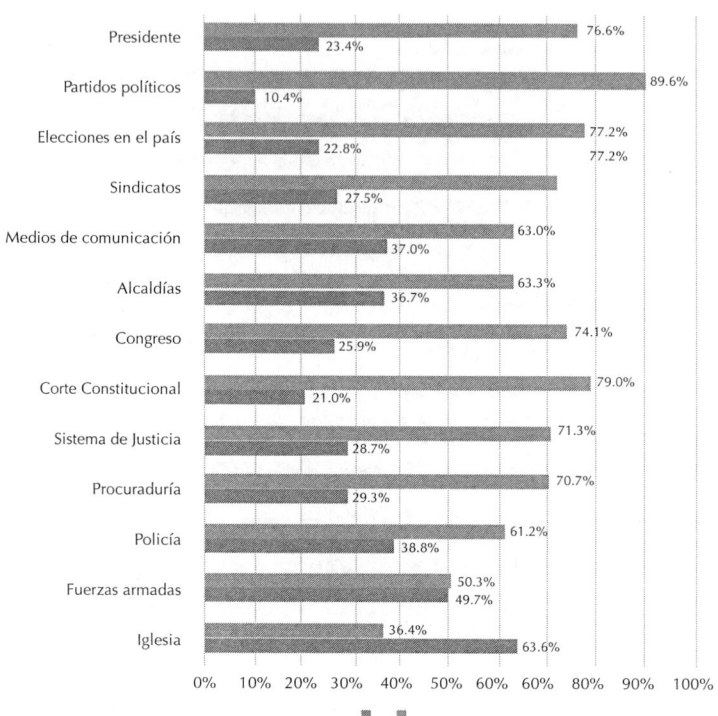

Fuente: elaboración propia a partir de Vanderbilt University (2016).

De lo dicho se desprende que, por un lado, sigue siendo la Iglesia la institución en la que más confían los colombianos, seguida por la confianza que producen las Fuerzas Armadas del Estado y, por otro, que ninguna otra institución del Estado alcanza una confianza siquiera cercana al 50% en los colombianos (hombres y mujeres), lo que implica recalcar, en los términos del funcionalismo sistémico, la clara desdiferenciación funcional que sigue existiendo en Colombia.

Dentro de la desconfianza generalizada aparecen las instituciones de justicia. Para ellas, solo el 28.7% de las mujeres y el 26.8% de hombres encuestados reflejan percepciones de confianza, y solo el 21% y 25.1%, respectivamente, confían en la Corte Constitucional Colombiana.

Estos resultados, en general, pueden apreciarse también desde una dimensión histórica para los años 2007 a 2016.

Gráfico 30. Niveles de confianza en instituciones del poder público (% nacional, 2016)

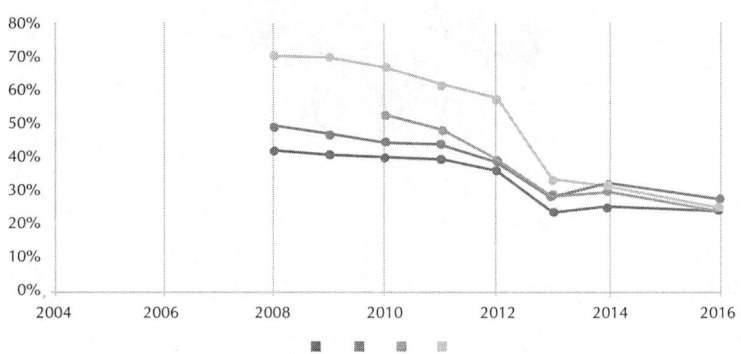

Fuente: elaboración propia a partir de Vanderbilt University (2016).

Se encontró que, comparando los valores de los últimos cuatro años, se puede determinar que en los nueve años anteriores el porcentaje de confianza en el sistema judicial ha disminuido y se nota un punto de inflexión en el 2012, cuando el porcentaje de confianza pasó del 36.3% a 23.9% en 2013 y mantiene la misma tendencia para los años posteriores hasta 2016.

Con la gráfica destacamos, además de lo anterior, los niveles descendentes frente a la Corte Constitucional. Dentro del sistema de justicia pareciera ser, *prima facie*, la institución que más confianza debería generar, pues representa, por un lado, la garantía de los derechos fundamentales y, por otro, el acceso a la justicia para los ciudadanos por el ejercicio y la exigibilidad de los derechos fundamentales (acción de tutela).

Gráfico 31. Niveles de confianza en la Corte Constitucional (% nacional, 2016)

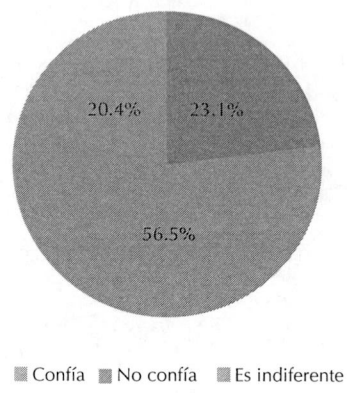

■ Confía   ■ No confía   ■ Es indiferente

Fuente: elaboración propia a partir de Vanderbilt University (2016).

Lo anterior es coherente con los bajos niveles de satisfacción que tienen los colombianos respecto de los derechos fundamentales.

Si, por intereses relacionados con las ciencias penales, enfocamos nuestra atención en la denuncia como mecanismo válido de acceso a la justicia, los resultados son los siguientes:

Gráfico 32. Motivos por los que los colombianos no denuncian cuando son víctimas de la delincuencia (% nacional, 2016)

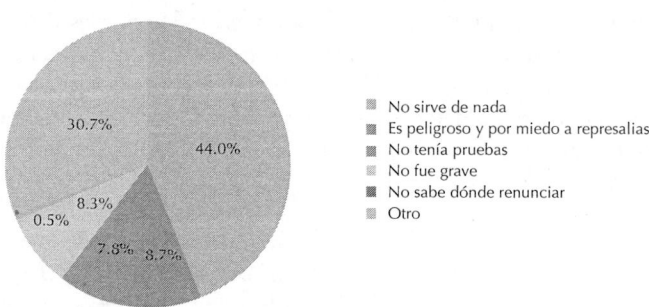

Fuente: elaboración propia a partir de Vanderbilt University (2016).

El que el 44% de los encuestados afirmó no denunciar los hechos delictivos de los que tienen conocimiento ante las autoridades competentes pues ello no sirve para nada; mientras que un 8.7% manifestó no hacerlo por temor a las represalias que su acto puede provocar. Lo anterior es apenas una muestra que evidencia los niveles correlativos que existen entre la desconfianza generalizada en el Estado, en las instituciones de justicia y en la denuncia como mecanismo válido para la reparación, así sea simbólica, del daño causado.

Tratándose de un ciclo que comunica y reproduce cada vez más desconfianza en Colombia, un porcentaje muy alto de los encuestados aprueba hacer justicia por su propia mano. La desconfianza en las instituciones de justicia genera actitudes de los colombianos que, como no confían en el sistema de justicia de forma suficiente, se ven llamados a creer en la justicia por mano propia.

Gráfico 33. Niveles de aprobación de hacer justicia por mano propia, según sexo (% nacional, 2016)

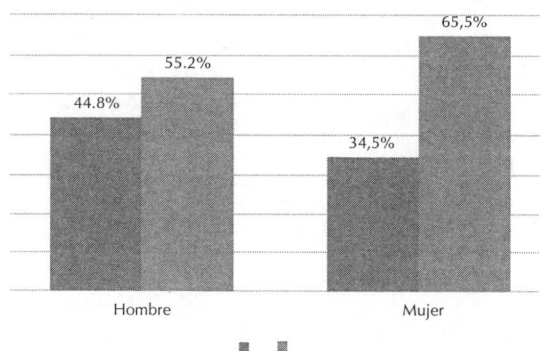

Fuente: elaboración propia a partir de Vanderbilt University (2016).

Esta gráfica evidencia que, aunque la desconfianza en las instituciones vinculadas con el sistema de justicia es bastante alta y generalizada en todo Colombia, ello no significa, *per se*, que en los mismos porcentajes se avale hacer justicia por propia mano, es decir, la desconfianza en las instituciones judiciales no se traduce siempre en una motivación para ejercer los derechos por fuera de cualquier jurídico legítimo. Aunque siguen siendo muy altos los niveles de desconfianza en las instituciones de justicia, no es posible afirmar que en Colombia los niveles de desconfianza en ellas estén al tope, o, lo que es lo mismo, que no exista ningún grado de confianza en ellas. Por tener porcentajes de confianza verificables en las instituciones, no son acertadas las afirmaciones que rechazan, de una forma absoluta y para todos los casos, la aplicación del funcionalismo penal sistémico en Colombia. Lo que sí es cierto, por supuesto, es que los altos niveles de desconfianza limitarán su legítima aplicación solo a ciertos casos, situación que se analizará y propondrá en el siguiente capítulo.

Si queremos identificar una causa determinante —que no la única—, y coherente con los resultados que expusimos a partir de la Encuesta Mundial de Valores (2019), tenemos que los niveles de desconfianza en las instituciones pueden estar relacionados con la percepción de corrupción, esto es, la corrupción por parte de servidor público, vista desde el funcionalismo sistémico, evidencia una desdiferenciación del rol público: lo público trasciende a los límites de lo privado y viceversa (Escalante, 1994), de modo que se presentan actos reprochables que afectan el deber funcional del funcionario y que, consecuentemente, producen mayores niveles de desconfianza institucional, como se aprecia a continuación.

Gráfico 34. Evolución de la percepción de que la corrupción de los funcionarios públicos está muy generalizada (% nacional 2004-2014)

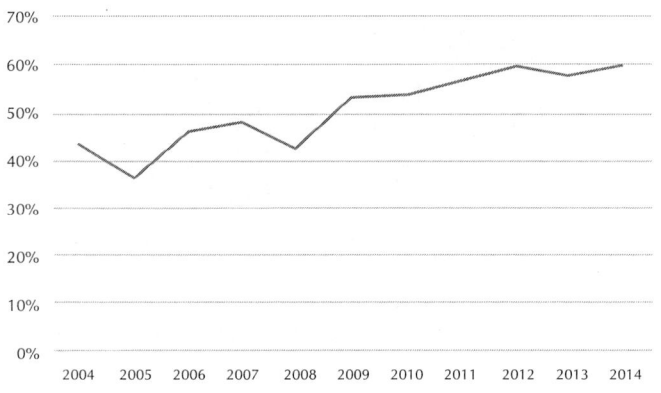

Fuente: elaboración propia a partir de Vanderbilt University (2016).

Así analizada, la tendencia descendente en los niveles favorables de confianza se puede correlacionar con la tendencia ascendente en torno a la percepción de la corrupción.

La situación no cambia cuando se pregunta por la percepción de corrupción particularmente en esferas políticas, en las que incluso la desconfianza es mayor. Veamos.

Gráfico 35. Percepción de cuántos políticos están involucrados en corrupción (% nacional, 2016)

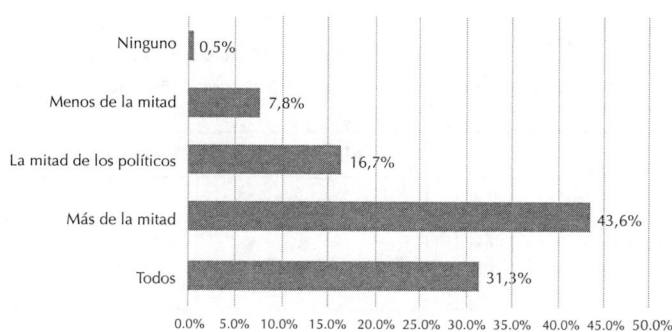

Fuente: elaboración propia a partir de Vanderbilt University (2016).

Gráfico 36. Consolidado de promedios nacionales de confianza en las instituciones de justicia en Colombia (% nacional, año 2016)

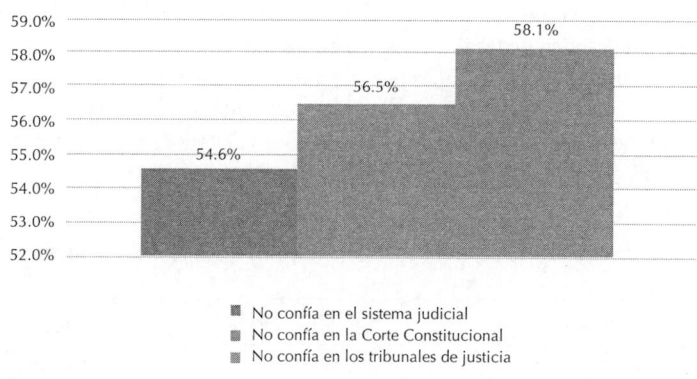

Fuente: elaboración propia a partir de Vanderbilt University (2016).

La percepción en torno a los niveles de confianza en las instituciones puede ser desagregada de acuerdo con diferentes variables, de carácter demográfico, educativo, económico y regional.

Tabla 7. Consolidado de niveles de desconfianza
en instituciones de justicia por nivel de edad

Por edad	Adultos mayores	Adultos	Jóvenes
No confía en el Sistema Judicial	46.15%	55.67%	55.56%
No confía en Corte Constitucional	50.63%	59.33%	52.51%
No confía en tribunales de justicia	49.42%	60.02%	57.31%

Fuente: elaboración propia a partir de Vanderbilt University (2016).

El análisis por grupo etario refleja que los niveles de desconfianza más altos están en los adultos, teniendo mayor desconfianza en que los tribunales de justicia garanticen juicios justos, nivel que se mantiene con los jóvenes. Para el caso de los adultos mayores, reflejan que el nivel de desconfianza más alto está en la Corte Constitucional. Igualmente, cabe mencionar que los niveles de desconfianza que reflejan los adultos mayores en cada uno de las categorías están por debajo de los promedios nacionales, lo que nos lleva a afirmar que los adultos mayores encuestados perciben, levemente, una mayor eficiencia en la justicia con respecto a los adultos, jóvenes y en general al promedio nacional.

Si analizamos los datos diferenciados por sexo encontramos que, en general, no hay diferencia significativa en ellos, de modo que, ser hombre o mujer no parece ser un hecho que modifique las percepciones negativas o positivas en torno a la confianza en las instituciones de justicia.

Tabla 8. Consolidado de niveles de desconfianza en instituciones de justicia por sexo

Por sexo	Mujer	Hombre
No confía en el Sistema Judicial	54.84%	54.29%
No confía en Corte Constitucional	60.22%	52.88%
No confía en tribunales de justicia	57.16%	59.08%

Fuente: elaboración propia a partir de Vanderbilt University (2016).

Tabla 9. Consolidado de niveles de desconfianza
en instituciones de justicia por nivel educativo

Por nivel educativo	Superior	Secundaria	Primaria	Ninguno
No confía en el Sistema Judicial	57.63%	56.04%	48.01%	32.26%
No confía en Corte Constitucional	53.76%	55.08%	61.87%	70.59%
No confía en tribunales de justicia	58.75%	60.53%	51.63%	51.61%

Fuente: elaboración propia a partir de Vanderbilt University (2016).

El cruce de datos con la variable de educación refleja que los encuestados con nivel de educación superior tienden a mayores percepciones de desconfianza hacia las instituciones de justicia por encima del promedio nacional. Cabe precisar que hay un dato por fuera de los promedios que se refleja en los encuestados con ningún nivel educativo, quienes en un 70.59% manifiesta desconfiar de la Corte Constitucional, situación que se puede asociar al desconocimiento de las funciones de la Corte Constitucional. Esta situación se repite con los encuestados cuyo nivel educativo más alto es primaria, con un nivel de desconfianza por la Corte Constitucional de 61.87%. Por otro lado, los niveles de desconfianza más altos están en que los tribunales de justicia garanticen juicios justos. Esto es, los niveles de desconfianza en la rama judicial son más altos en los encuestados con nivel de educación superior, es decir que a mayor nivel de educación mayores niveles de desconfianza hacia las instituciones de justicia.

Por otro lado, si situamos nuestra atención en variables socioeconómicas, encontramos que, paradójicamente, existen mayores de desconfianza en los sectores con mayores ingresos. Este hecho puede estar correlacionado, también, con una tendencia similar que se presenta cuando comparamos el centro y su periferia. Así, las regiones periféricas y las personas de menores ingresos, paradójicamente, parecen desconfiar un poco menos en las instituciones de justicia. Ello puede estar condicionado por los grados de acceso a la información que incentivan un mayor espíritu crítico en la población.

Tabla 10. Consolidado de niveles de desconfianza en instituciones de justicia
por quintil, según nivel de ingresos, estrato, capacidad económica.

Por quintil	1-Más pobres	2	3	4	5- Más ricos
No confía en el Sistema Judicial	44.83%	51.86%	56.31%	57.49%	57.88%
No confía en Corte Constitucional	58.55%	54.07%	62%	52.14%	53.91%
No confía en tribunales de justicia	60.34%	58.48%	63.14%	54.24%	55.12%

Fuente: elaboración propia a partir de Vanderbilt University (2016).

De acuerdo con los datos propuestos, se encuentra que los niveles de desconfianza hacia las diferentes instituciones de justicia tienen niveles similares en todos los quintiles, sin que se observen diferencias considerables entre los quintiles más pobres y los más ricos.

El quintil 4 y 5 manifiestan que su nivel de desconfianza más alto está en el sistema judicial en general, mientras que los quintiles 1, 2 y 3 desconfían más de la administración de justicia justa.

Por tanto, del análisis se rechaza una primera hipótesis que, por simple intuición, pudiera tenerse. Así, no es cierto que los niveles de desconfianza en la rama judicial sean más altos en el quintil uno y dos, que agrupa los sectores más pobres del país y más bajos en el quintil 5, que agrupa a los más ricos, lo cual se podría asociar con las dificultades y bajas garantías en el acceso a la justicia en los sectores más pobres del país.

Tabla 11. Consolidado de niveles de desconfianza
en instituciones de justicia por región

Por región	Orinoquia/ Amazonia	Pacífica	Oriental	Central	Bogotá	Caribe
No confía en el Sistema Judicial	48.98%	51.12%	59.31%	54.37%	66.91%	43%
No confía en Corte Constitucional	22.27%	52.28%	58.74%	55.74%	65.67%	54.41%
No confía en tribunales de justicia	60%	54.14%	61.64%	58.98%	68.63%	47.32%

Fuente: elaboración propia a partir de Vanderbilt University (2016).

Los niveles de desconfianza en el sistema judicial son más altos en Bogotá y en el centro del país, aunque se trata de las regiones en las que los colombianos tienen mayores posibilidades de acceder a la justicia. Bogotá, por ejemplo, capital del país, refleja los niveles de desconfianza más altos con respecto al resto de las regiones, incluso con respecto al promedio nacional. Después de Bogotá, las regiones que reflejan niveles más altos de desconfianza son la Oriental y la Central, que tienen niveles de desconfianza en las instituciones judiciales que están por encima del promedio nacional, pero más bajos que los niveles de desconfianza que refleja Bogotá.

La región de la Orinoquia-Amazonia es la que refleja niveles de desconfianza más bajos con respecto al resto de las regiones y con respecto al promedio nacional.

En perspectiva comparada entre las regiones y las categorías, observamos que la mayor desconfianza está en los tribunales de justicia, lo que demuestra que, en todas las regiones, a excepción de la Caribe, es esta la institución en la que mayor desconfianza hay. Por su parte, la región Caribe manifiesta mayor desconfianza en la Corte Constitucional. En cuanto a la categoría con menor desconfianza, la región Orinoquia-Amazonia refleja que la menor desconfianza está en la Corte Constitucional.

A partir de este análisis de datos concluimos que la diferencia en los niveles de confianza en las instituciones judiciales, visto desde las regiones, puede asociarse con las contingencias de acceso a la misma y proximidad a estas instituciones.

A continuación dedicaremos un espacio a la muestra especial que el Barómetro de las Américas dedicó en el año 2015 solo para población vinculada en
procesos de justicia transicional.

A nuestro juicio, este punto es igualmente relevante para los planteamientos
que hemos venido haciendo sobre la confianza pues, quizás, dentro de las particulares circunstancias de los encuestados, los resultados sean distintos, lo que haría
valorar propuestas posteriores diferenciadoras en cuanto a ellos. En este apartado se presentarán los datos sobre las percepciones y niveles de confianza de los
colombianos que conformaron la muestra especial para el año 2015, que como
indicamos en el acápite metodológico, corresponde a la muestra de 62 municipios en los que : (I) opera el *"Programa Iniciativa de Desarrollo Estratégico para
Colombia (CSDI)"* y, (II) municipios objetivos de la *oficina para la Población Vul-
nerable (OPV)*. La característica principal de esta muestra es que está compuesta
por población de municipios altamente afectados por el conflicto armado, el cual,
para la época en la que se realizó, la encuesta se encuentra en negociaciones para
ponerle fin a dicho conflicto.

En la primera variable de interés para la presente medición sobre la confianza
en instituciones se encuentra que la Iglesia Católica sigue siendo la institución con
mayor nivel de confianza, seguida por las Fuerzas Armadas, con niveles de 63,1%
y 54,6%, respectivamente. Los altos niveles de confianza en la Iglesia Católica
podrían asociarse con que, en las zonas más afectadas por el conflicto armado, la
carencia de Estado en muchos casos ha sido llenada por instituciones o servicios
pastorales que han motivado y apoyado procesos orientados a la reconstrucción
del tejido social. Cabe resaltar, de igual manera, los relevantes índices de confianza en las Fuerzas Armadas, lo que supone no solo una coincidencia con la muestra general, sino, además, que los procesos de transición hacia la paz implican,
correlativamente, una confianza en las instituciones del Estado, incluidas, por
supuesto, en primer lugar, las Fuerzas Armadas.

Gráfico 37. Confianza en las instituciones. Muestra especial (% de personas de 62 municipios altamente afectados por el conflicto armado, 2015)

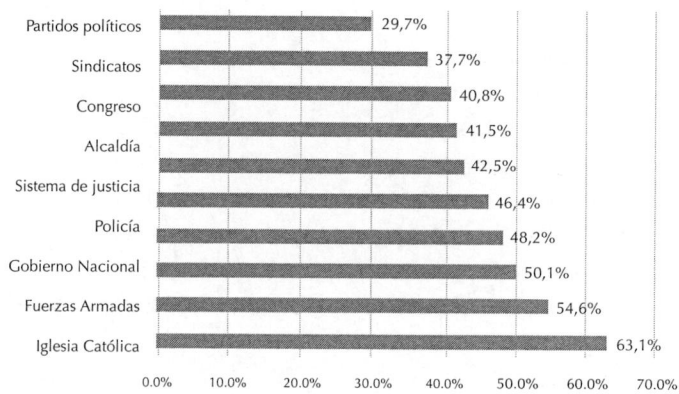

Fuente: elaboración propia a partir de Vanderbilt University (2016).

La lectura que desde el funcionalismo sistémico se haría de esta gráfica es relevante: si bien siguen siendo bajos niveles de confianza en comparación con un ideal de sociedad funcionalmente diferenciada, los índices de la muestra especial representan, para las instituciones del Estado, mayores niveles de confianza que aquellos que surgen de la muestra general. De lo anterior deducimos que las mayores expectativas que el Estado ha generado en torno a los acuerdos transicionales que se materializarían años después, en 2016, es decir, esto puede obedecer a los niveles de esperanza en que se llegase a una paz negociada entre las FARC-EP y el Gobierno de Colombia. Situación distinta ocurre con las demás personas agrupadas en el territorio colombiano (muestra general): sus mayores niveles de desconfianza se producen por la constante defraudación de las expectativas en el cumplimiento de las funciones del Estado con ellos.

Esta conclusión es coherente con la mayor confianza que en la muestra especial se produce el acudir ante las instituciones de justicia para solucionar un problema o, por lo menos, a la baja legitimación que tiene la solución de los problemas por mano propia, a diferencia de lo que ocurre con la muestra general.

Gráfico 38. Acciones que tomarían en caso de enfrentar un problema.
Muestra especial (% de personas de 62 municipios altamente
afectados por el conflicto armado, 2015)

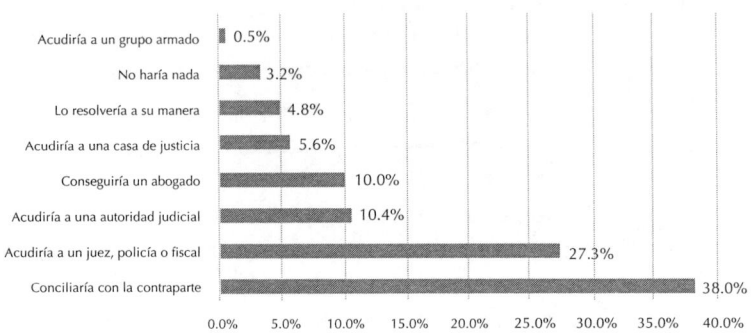

Fuente: elaboración propia a partir de Vanderbilt University (2016).

En la muestra especial se sigue verificando una desconfianza generalizada en la denuncia como mecanismo de acceso a la justicia, lo que implica una desconfianza en las instituciones.

Gráfico 39. Razones por las que no denuncian la delincuencia. Muestra especial (% de personas de 62 municipios altamente afectados por el conflicto armado, 2015)

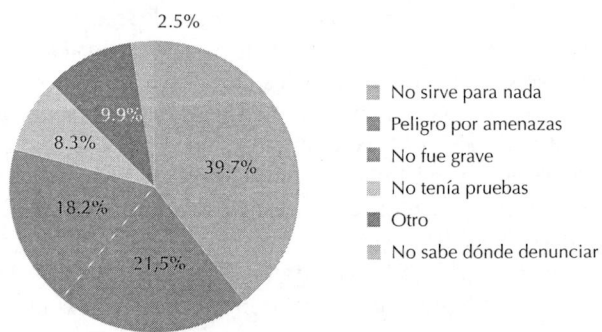

Fuente: elaboración propia a partir de Vanderbilt University (2016).

La encuesta encontró que la población en estos municipios no denuncia pues estima que no sirve para nada (39,7%) y, debido al peligro por amenazas (21.5%). Así vistos, siguen porcentajes altos que demuestran altos niveles de desconfianza generalizada. Como pasará a evidenciarse, solo el 36.5% de los encuestados afirma que sí denuncia actos delincuenciales.

Gráfico 40. ¿Denuncia actos delincuenciales? Muestra especial (% de personas de 62 municipios altamente afectados por el conflicto armado, 2015)

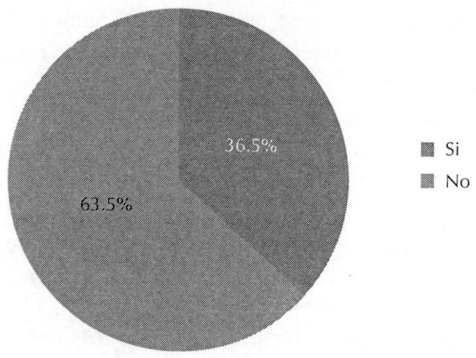

Fuente: elaboración propia a partir de Vanderbilt University (2016).

3.3. CONCLUSIONES DEL ANÁLISIS EMPÍRICO DE LA CONFIANZA EN COLOMBIA

A partir de la información analizada y desde la óptica del funcionalismo sistémico, esto es, de los niveles de confianza como su condición de posibilidad, se realizarán algunas aproximaciones generales y afirmaciones, después de comparar los resultados obtenidos de todos los datos presentados, incluidas, por supuesto, tanto la muestra general como la muestra especial del Lapop, así como los demás instrumentos de medición, practicados por entes públicos y privados, que fueron utilizados.

El IMR (2019) y la Encuesta Mundial de Valores (2019) son coincidentes porque reflejan bajos niveles de confianza en el otro-vecino. Es decir, las expectativas de comportamiento propias del *(alter)* se mueven en mayores márgenes de contingencia de aquellas que presuponen, de manera ideal, un sistema funcionalmente diferenciado.

En cuanto a la confianza depositada en las instituciones el panorama no es mejor.

En lo que concierne a los porcentajes de confianza en el sistema de justicia se encuentra que hay coincidencia en todos los sistemas de medición utilizados porque se destacan, en este caso, las evidencias de Lapop (2016) y de Invamer (2019), pues, además de ser, en términos generales, coincidentes en sus resultados, verifican una línea de tiempo mayor que se ha venido representando como una constante desde hace ya varios años. Ello puede deberse a las constantes defraudaciones de expectativas que se presentan en Colombia frente al otro y frente al Estado. Este dato reafirma la tesis luhmanniana que rodea la confianza: la confianza existe en el tiempo porque es una relación del pasado, presente y futuro que logra reducir la complejidad del sistema social (1996). La defraudación presente y pasada de la confianza solo reproduce más desconfianza.

Es preciso mencionar que los índices de desconfianza en el sistema de justicia se especifican aún más en la ineficacia de la denuncia, es decir, no se confía en la función que puede representar la intervención del derecho penal en el entramado social. Ello generaría dos consecuencias que afectan el orden: (i). se pueden lograr nuevos aprendizajes ante la no aplicación del derecho penal, aun existiendo una afectación de las expectativas normativas o (ii). se le podría confiar la función de estabilizar contrafácticamente a la sociedad a otros subsistemas, muchas veces paraestatales, como lo es la justicia por mano propia. De allí que, sería explicable cómo se puede llegar a confiar más en un cumplimiento de funciones estatales a quienes actúan al margen del debido esperar.

Las instituciones en las que más confían los colombianos son la familia, la Iglesia y las Fuerzas Armadas. En una palabra, se confía en instituciones que representan valores colectivos de cohesión social. Este paradigma, para ser más apropiado en sociedades premodernas, no funcionalmente diferenciadas, en las que se confía en instituciones típicamente tradicionales.

Los altos niveles de confianza en la Iglesia se compadecen con sociedad altamente estratificada en la que se le encarga a dicha institución funciones de variada índole, muchas veces, como se demostró, ante la carencia del Estado. Un fenómeno similar acontece con las Fuerzas Militares y con la Policía. Por último, también son de resaltar los altos niveles de confianza que se tienen en la familia, pues analizados estos indicadores con los bajos niveles de confianza en todo lo demás que conforma el componente social, las cifras indican que, en efecto, Colombia estaría catalogado como un país, aún, sin modernidad funcional o, lo que es lo mismo, con diferenciación estratificada, no funcional.

Existe una clara correlación entre los altos y reiterados niveles de desconfianza y las percepciones de corrupción en los ámbitos público y privado. Incluso, los valores de percepción de que los funcionarios públicos están involucrados en corrupción son muy similares en la muestra general y especial del Lapop (2016), en Invamer (2019) y el IMR (2019). Estas percepciones hacen que se desconfíe por igual, tanto del sistema jurídico como del sistema político, lo que supone graves peligros en la legitimidad del método penal funcionalista.

La desconfianza en el sistema también se ve afectada, de conformidad con los datos analizados por el DANE (2019), en una muy alta sensación de desprotección y no garantía de satisfacción de los derechos fundamentales. Aunque pueden —y deben— existir como símbolos reconocidos normativamente, ello no significa, necesariamente, su efectiva protección. El asunto es vital para nuestras proposiciones político criminales a tocar en el siguiente capítulo. Los datos suministrados por el DANE, en general, son significativos. Se trata de la única institución oficial que, por primera vez, se ha preguntado por el capital social y, específicamente, por las percepciones de confianza. Ello revela que las preguntas en torno a estos indicadores sociales empiezan a ser relevantes en las agendas de política pública, con lo que se comienzan a suplir déficits de información. De alguna manera, esto ratifica la pertinencia y relevancia de toda investigación que, como la presente, afinque sus bases sobre estas cuestiones.

En general, de la lectura de todos los indicadores concluimos que no existen en Colombia niveles de confianza, satisfactorios, en las instituciones de justicia que, operen, de conformidad con el funcionalismo penal sistémico, como órganos encargados de la estabilización contrafáctica de las expectativas normativas.

Las variables demográficas, educativas, económicas y regionales no repercuten, al menos no significativamente, en los hallazgos. Contrario a la intuición común, de forma general podría afirmarse que las personas con mayor capacidad adquisitiva, mejores niveles educativos y que habitan en zonas en las que el Estado tiene mayor presencia, no por ello confían más en las instituciones de justicia.

Por haberse demostrado que en Colombia no existen altos niveles de confianza ni en lo social ni en lo institucional no puede desprenderse, de forma categórica, que en ningún contexto se pueda aplicar el funcionalismo penal sistémico para la adjudicación del derecho penal positivo. Sería tanto como afirmar que los indicadores de confianza en Colombia son cero, en todos los casos, y que no existen los equivalentes funcionales que hacen posible (mas no por ello también legítimo), hacer dogmática penal funcionalista basada en roles y expectativas. Para determinar los contextos de legitimidad relacionaremos en el cuarto capítulo dos evidencias empíricas aquí manifestadas: (i). los altos niveles de desprotección de los derechos fundamentales reconocidos y (ii). la relación de correspondencia que existe entre la corrupción y los niveles de desconfianza.

En medio de este panorama empírico se presentaría una paradoja para el sistema jurídico: ¿qué le queda al derecho? Normativamente Colombia posee una Constitución y un ordenamiento jurídico que es coherente con un Estado Social de Derecho. El problema de que los asociados, mayoritariamente (que no de forma absoluta), desconfían y perciban la corrupción y la ineficacia del Estado en la garantía de los derechos. Se trataría de un problema que, en Luhmann, es político. Esto es, la ineficacia del derecho no es problema del sistema jurídico sino del político. Como es función del derecho simbolizar la expectativa y estabilizarla luego, así esa estabilización no se materialice en la realidad, paradójicamente, ante un sistema político que no ha funcionado muy bien, al derecho le queda, no potenciar la inoperancia del sistema, porque eso generaría más desconfianza, sino, por el contrario, normativizar más que nunca, es decir, idealizar más las expectativas. ¿Para qué? Porque además de contener la fuerza del símbolo, con menores posibilidades de defraudación de expectativas para que los asociados que no confían en el otro ni en la justicia, al menos no dejen de confiar del todo.

A modo de introducción a la discusión que plantearemos en el siguiente capítulo, en Colombia son palmarias las relaciones entre política y derecho. En las mencionadas relaciones de acoplamiento estructural que deben darse en sociedades periféricas hemos querido encontrar los contextos de legitimidad para la aplicación del funcionalismo penal sistémico.

USOS Y ABUSOS DEL FUNCIONALISMO PENAL SISTÉMICO EN LA POLÍTICA CRIMINAL COLOMBIANA

Por lo sugerente del título y con la finalidad de delimitar el discurso que rodeará el presente capítulo, quisiéramos precisar el orden que guiará nuestros argumentos. En un primer momento, centraremos la discusión en un concepto sociológico con el que hemos identificado los niveles empíricos de confianza demostrados previamente para Colombia: como sociedad periférica o en proceso de modernidad. Con lo anterior allanaremos el terrero para responder a la pregunta de cómo se hace posible o cómo opera el funcionalismo en estas particulares realidades. En este acápite nos dedicaremos a analizar las relaciones que, desde el funcionalismo sociológico, existen entre la política y el derecho. Este cómo, si bien afirma la existencia del modelo teórico, trasladará de inmediato la pregunta a su legitimidad. Es por ello que hemos denominado *usos* a los casos en los que, por las particulares realidades empíricas colombianas, además sería legítimo adjudicar, crear o interpretar el derecho positivo a través del método propio del funcionalismo penal sistémico. En contraste con ello, la expresión abusos servirá como referente para identificar los casos en lo que la legitimidad sería puesta en entredicho.

4.1. LA MODERNIDAD NO ALCANZADA: LAS PERIFERIAS O DESDIFERENCIACIONES SISTÉMICAS

Los bajos niveles empíricos de confianza existentes en Colombia hacen que podamos rotularla como una periferia de la modernidad[1]. El término, si bien desplegado por Luhmann en su estudio sobre los derechos fundamentales como

---

[1]   El término periferia, desde una mirada más general, ha sido utilizado también para caracterizar a todos aquellos espacios territoriales que, respecto de una sociedad "centro", se encuentran en vía de desarrollo. Si bien el término, así utilizado, puede significar también el mismo sentido que aquí utilizamos, preferimos concretar la expresión en el sentido propio de la teoría de sistemas: como aquello que actúa al margen de los procesos de diferenciación funcional propios de la sociedad moderna.

institución, no fue utilizado por él con el rigor metódico que suele caracterizarlo[2]. Quizás, entendía que, en tales periferias, su ideal de comprensión macro de la sociedad se desdibujaba un poco, por lo que dejó a sus críticos y adeptos el poner a prueba su método en estas particulares complejidades. Desde esta perspectiva, los planteamientos sobre sociedades periféricas han sido, sobre todo, explicados por la sociología latinoamericana y por los estudios económicos que se han hecho desde la Comisión Económica para América Latina (Cepal), específicamente a partir de la década de los noventa. Entre ambas parcelas de conocimiento es necesario ubicar, en primer lugar, al sociólogo Jorge Larraín. Este autor, a finales de 1980, comenzó a categorizar las particularidades latinoamericanas como realidades al margen del ideal social europeo o anglosajón. Para ello, vinculó estudios económicos con planteamientos sociológicos que, si bien no llegaron a negar una particular modernidad en América Latina, en todo caso sí negaron su adecuación a los niveles de desarrollo existentes en otros lugares, casi siempre europeos (Larraín, 1989).

Aunque estas ideas han sido reiteradas y explicadas por Larraín[3], debe decirse que, con posterioridad, algunos académicos han explicado el qué y el cómo de América Latina para ser identificada como una modernidad en formación o, mejor, como una periferia de la modernidad. Así, la Cepal[4], por su parte, hace poco publicó el informe titulado "Panorama Social de América Latina" (2018). En este estudio se hizo alusión a la problemática, aún constante en estos territorios, que desde ciertas características ubican a sus países como sociedades en desarrollo: (i). desigualdades socioeconómicas: distribución del ingreso y de la riqueza, (ii). tendencias recientes y de largo plazo de la pobreza, (iii). el gasto social: evolución y políticas públicas en el mercado de trabajo, (iv). desafíos estructurales de la inclusión y el mercado de trabajo y (v). autonomía económica de las mujeres ante los cambios en el mercado laboral[5].

─────────────

[2]   Luhmann (2006) también utilizó la diferencia centro/periferia para significar modelos de sociedades que, en el proceso de evolución, establecían diferenciaciones segmentarias, no funcionales, casi siempre basadas en el concepto de la familia y en el cual seguía siendo el ser humano el criterio para la configuración y conceptualización de lo social.

[3]   En el texto publicado en el año 2005, el autor continúa con su planteamiento sobre la particular modernidad existente en América Latina, al margen de la europea (2005).

[4]   El sistema centro-periferia ha sido explicado por la Cepal en diversas publicaciones, sobre todo, a partir de la década de los noventa. Al respecto, puede verse, por ejemplo (Rosenthal, 1989; Floto, 1989). Aunque no se refieran, en esencia, a lo mismo, los planteamientos de sociedades centro-periferia podrían también generarse hoy dentro de una misma circunscripción territorial estatal. Se trata de aquellos territorios conocidos como "sociedades paralelas" (Cano, 2014), con la que se explica, sobre todo, la inmigración que se presenta desde hace ya varias décadas en Europa.

[5]   Las conclusiones del estudio fueron las siguientes: i) La erradicación de la pobreza conti-

Ahora, retomando el análisis, no desde la economía sino desde la sociología, entre los académicos que han participado de la discusión del entendimiento de América Latina como periferia de la modernidad, queremos destacar los aportes de Mascareño.

Esta escogencia, pues, por un lado, obedece a su amplio conocimiento de la teoría de sistemas luhmanniana y, por otro, porque sus investigaciones han sido, en gran parte, desde una mirada *crítica* de esta teoría (en el sentido kantiano de la expresión), a través del *buen* poner a prueba los planteamientos sistémicos en las particulares realidades latinoamericanas[6]. Este autor, en un texto, junto con

---

núa siendo un desafío central para los países de América Latina. Aunque la región logró avances entre la década pasada y mediados de la presente, desde 2015 se han registrado retrocesos, particularmente en la extrema pobreza. ii) Debe prestarse especial atención a los factores que llevan a que la pobreza afecte de manera desproporcionada a niños, niñas, adolescentes y jóvenes, a la población en zonas rurales y a las personas indígenas y afrodescendientes. iii) La desigualdad de ingresos se reduce apreciablemente entre 2002 y 2017, pero a un ritmo menor en años recientes. La participación de la masa salarial en el PIB aumenta, incremento que se enlentece a partir de 2014. iv) Los ingresos laborales, las pensiones y las transferencias a los hogares más pobres tienen un rol clave en la reducción de la pobreza y de la desigualdad de ingresos. La protección social es fundamental para contener deterioros distributivos y evitar mayores retrocesos en estos indicadores. v) El gasto social mantiene su importancia en el gasto público total y crece a una tasa superior a la del producto entre 2015 y 2016. Su contribución ha sido clave en los avances registrados durante el período; sin embargo, persisten grandes desafíos de financiamiento de las políticas sociales. En un contexto menos favorable, deben realizarse esfuerzos para fortalecerlo. vi) Entre 2002 y 2016 se registran mejoras significativas en indicadores de inclusión social relacionados con la educación, la salud y la infraestructura básica, pero con brechas de acceso y de calidad de los servicios. vii) Persisten desafíos para la inserción laboral: desempleo, bajos ingresos, altos niveles de informalidad y desprotección en el trabajo. viii) Las brechas estructurales de inclusión afectan a la población rural, las mujeres, los jóvenes y las personas indígenas y afrodescendientes. ix) Frente a un contexto de cambios en el mundo del trabajo, a escenarios de incertidumbre económica y a un ciclo de débil crecimiento en la región, es imperativo reforzar las políticas sociales y laborales para enfrentar la pobreza, la desigualdad y los déficits de la inclusión social y laboral. x) En ese contexto, deben enfrentarse explícitamente las desigualdades de género para evitar su profundización y avanzar en su superación. xi) Son centrales las políticas universales e intersectoriales, sensibles a las diferencias y orientadas al aumento de la cobertura y calidad de los servicios sociales, a la protección social y al trabajo decente. xii) Estas políticas se deben vincular con los desafíos de los necesarios cambios a la estructura productiva para alcanzar el desarrollo sostenible con igualdad.

6   Mascareño, por ejemplo, en muchos textos, (1988; 2000; 2010; 2012b; 2013), ha ocupado su atención para explicar cómo, desde la sociología, se ocupa del problema de América Latina en clave de Luhmann. En sus obras reconoce los obstáculos epistemológicos propios de la realidad latinoamericana y afirma que todavía puede hablarse de verdaderos procesos de diferenciación funcional. Ahora, particularmente desde el derecho y la sociología, queremos, además, resaltar los aportes que desde Latinoamérica ha realizado Neves (2015a; 2015b; 2009). En varios escritos ha dedicado su atención al problema de la

Chernilo, estimó que en la sociología latinoamericana había tres obstáculos epistemológicos que impedían comprenderla dentro de la modernidad sistémica. Por un lado, (i). la modernidad latinoamericana podría ser vista como una versión limitada de la modernidad occidental (europea y anglosajona); por otro lado, (ii). la existencia, aún de ideales de Estado-nación o de comunidades cohesionadas y, por último (iii). la sola generación de conocimiento sociológico para la modelación política de las sociedades latinoamericanas (Mascareño y Chernilo, 2012).

Estos planteamientos, releídos desde Luhmann, equipararían a las periferias de la modernidad con la no diferenciación funcional en la sociedad. La Modernidad es, para Luhmann, solo diferenciación funcional. Las expresiones de periferia, sociedades en proceso de modernidad, en desarrollo, sociedades desdiferenciadas, obedecen a un mismo criterio: escapan de los discursos que explican a la sociedad como orden normativo idealmente diferenciado.

En el tercer capítulo concluimos que los niveles de confianza que existen en Colombia son bajos. En ningún índice se concluyó que no existe confianza, es decir, los bajos niveles de confianza no suponen total desconfianza. Lo dicho, para nuestra investigación, significaría concluir que no sería viable aplicar el funcionalismo penal sistémico en todos los casos, pero que sí lo sería en algunos. Con esto, se rechazaría aquella tesis que niega su aplicación, de forma contundente, en todos los casos[7], pues sería tanto como afirmar, categóricamente, que no hay ningún índice de confianza en Colombia. Se trataría, de ser así, del país más inviable e inimaginable de todos. A nuestro juicio, la conclusión no puede ser tal. Ahora, ¿cómo predicar la posibilidad del método si la condición de su existencia (la confianza) es baja? La respuesta a este interrogante vendrá dada por la institución de los derechos fundamentales, que se ubican, en un proceso de cartografía sistémica, en los intersticios de los sistemas político y jurídico. Veamos por qué.

Los sistemas con bajos niveles de confianza suponen construcciones desdiferenciadas. En estos, los subsistemas sociales suelen, permanentemente, confundirse. Las funciones atribuidas a los subsistemas se mezclan de forma que no pueden diferenciarse por sus límites. Particularmente, la función de estabilización de expectativas se diluye en el sistema político y este, a su vez, se confunde con el subsistema jurídico.

---

modernidad en Luhmann a la luz de los estados periféricos. Su relevancia, para nosotros, obedece a la aceptación de los denominados acoplamientos estructurales que se producen entre el sistema jurídico y el político a través de la Constitución, de lo cual deduce serias consecuencias (2015a; 2015b; 2009).

[7]   Para Colombia, por ejemplo, un rechazo total ha sido planteado por Velásquez-Velásquez (2005). Desde una perspectiva más general, latinoamericana, el rechazo puede ser estudiado en el texto de Zaffaroni (1993).

Las periferias de la modernidad se traducen en la constante confusión que se plantea entre la política y el derecho[8]. No se afirma aquí que no pueden existir relaciones de acoplamiento estructural entre ambos subsistemas, pues, por el contrario, esto sería el ideal de todo sistema funcionalmente diferenciado, es decir, la confusión de funciones es, por supuesto, un concepto diferente al debido acoplamiento estructural entre sistemas. Las relaciones de acoplamiento entre el sistema político y jurídico mutuo harían surgir los puntos en común de ambos sistemas: la política jurídica. Como ya se dijo en otra ocasión (Duque, Solano, Arrieta, et al., 2019), "la política jurídica explora las relaciones entre el derecho y el poder, fijando su mirada en los medios normativos a través de los cuales es posible conducir las conductas humanas. De esta manera, la política jurídica explicita los fines que persigue una determinada sociedad y propone los medios para su consecución, revisando su idoneidad, necesidad y proporcionalidad". Son estos, pues, los debidos acoplamientos estructurales entre la política y el derecho, que surgen de entender, en primer lugar, como pasará a explicarse, cuál es la función de la política.

Dos conceptos son clave para entender la política desde la teoría funcionalista sistémica: su función y el código o forma que en ella se utiliza.

La función de la política radica en garantizar que las decisiones que en la sociedad se toman puedan vincularse colectivamente, con independencia de los motivos de aceptación o rechazo por lo que se actúa frente a ellas (Luhmann, 2014; 2009b). La función de la política es crear, mediante el poder, comunicaciones vinculantes de cumplimiento de expectativas.

La política, para Luhmann, como toda comunicación, reduce la complejidad pues facilita los medios para evitar las constantes frustraciones que sobre las expectativas pueden darse. Esa evitación se logra a través del poder. Para Luhmann, este concepto produce y, al mismo tiempo, reduce la libertad de decisión del sistema (1995). Solo así puede entenderse porqué, desde una misma línea de pensamiento o marco teórico, Hegel construyó su absoluto a partir del concepto de Estado y únicamente así puede entenderse porqué, tanto en Luhmann como en Hegel, la libertad es un concepto puramente normativo: la libertad estaría determinada por el código poder que, desde el Estado, supone el reconocimiento, asimismo la negativa de comportamientos[9].

---

[8]   Duque-Pedroza, Vélez, y Montoya (2021), han estudiado las relaciones entre política y derecho, en Luhmann, reconociendo su dificultad de comprensión como sistemas completamente independientes. Algunas ideas que se recogen en este libro, se encuentran, asimismo, sintetizadas en el mencionado escrito de estos autores (en prensa).

[9]   Uno de los autores contemporáneos que, quizás, de forma más detallada representa la relación entre la teoría penal funcionalista y Hegel, es Pawlik. Así, en uno de sus textos

En este panorama, el Estado, para Luhmann, hace parte del sistema político. La relación entre sociedad y Estado no ubica al último por encima de la primera, ni hace que existan diversas sociedades en atención a diversos Estados. Si el Estado hace parte del sistema político, *ergo*, el Estado no está por encima del sistema social. Por ello Luhmann no dedicó, con directa fijeza, su producción intelectual al concepto de Estado. Sí lo hizo, por ejemplo, al estudio del sistema político como parte del sistema social global. Entendemos, con Luhmann, que el sistema político utiliza sus propias operaciones de producción y autoproducción en tanto únicamente hará parte del sistema político aquello que sea autopoiético a él. Así, mientras que el sistema jurídico produce operaciones que comunican sentido en atención a la validez jurídica, regulándose por normas que se encuentran estabilizadas contrafácticamente, el sistema político comunica a través de operaciones de poder político.

> El sistema político, para Luhmann, no ha de entenderse ni como el colectivo del pueblo que forma un Estado ni como la mera organización del gobierno y una administración. Ni el concepto alemán de Estado ni la concepción anglosajona del goverment resultan aquí apropiadas para lo que hoy se empieza a investigar como «sistema político». Lo que viene referido es aquel sistema social de acción que, de acuerdo al sentido primario de sus acciones, está especializado en la función política. Sin embargo, por lo demás, este sistema, como todo sistema social, es un sistema de acción que, frente a su entorno, muestra un orden superior y necesitado de estabilización; y es un sistema que, por ello, está en condiciones de aprehender y reducir la complejidad de su entorno de acuerdo a puntos de vista selectivos que le son propios. (Luhmann, 2014, p. 25)

---

dedica gran parte de sus consideraciones a exponer el qué y el cómo de dicha relación. Particularmente para la idea de Estado y libertad, expresa Pawlik: "El espíritu objetivo constituye la esfera del Derecho. La idea del Derecho es, como concreción saciada de realidad de la idea lógica, el «concepto de derecho y su realización»... El mundo que el espíritu objetivo alcanza en el Derecho, se corresponde en verdad, por una parte, con su propia forma, la del espíritu subjetivo. «Principio y fundamento sustancial de todo Derecho» es, por tanto, la «libertad de voluntad»... Por otra parte, aquella libertad está, sin embargo, afianzada institucionalmente ante todo en la esfera del espíritu objetivo; de este modo, ella se libera de la contingencia que no puede desechar una libertad anclada meramente en el sujeto individual... El Estado es, según Hegel, la voluntad libre fundada en la existencia, «lo racional en atención a la voluntad como realidad», la «realización del Derecho»" (2010, p. 24). De este modo, la relación con Hegel y en ese sentido sus necesarias negaciones ontologicistas llevan a Pawlik a concluir "A la realidad del derecho estatal se contrapone la irrealidad del injusto. Ontológicamente considerado, el injusto es pura apariencia y, de esta forma, "en sí nulo". Esto no altera en nada, por cierto, el hecho de que el injusto tiene existencia —aunque esta se encuentre vacía de ser—. Su inadecuación ontológica, así como la realidad del derecho, tienen que ser claramente expuesta hacia afuera, esto es, tienen que ser «manifestadas»" (2013, p. 42).

En Luhmann, al igual que en Parsons, el poder es un medio de comunicación simbólicamente generalizado. En ese sentido, el poder comunica y atribuye determinado sentido a las comunicaciones del sistema político: "Al decir medios de comunicación me refiero a un mecanismo adicional al lenguaje, en otras palabras, a un código de símbolos generalizados que guía la transmisión de selecciones" (Luhmann, 1995, p. 11). Por tanto, como lo vamos a decir más adelante, cuando se afirma que el Estado se comunica mediante el poder, se colige, necesariamente, que sus actuaciones (órdenes), producirán un reforzamiento en lo esperado, esto es, los asociados, en mayor medida, cumplirán lo ordenado. De lo que viene de mencionarse, puede decirse que comunica más poder quien tiene más libertad, esto es, quien tiene más contingencias de actuación legítimas (reconocidas). El Estado, por ende, comunica más poder que sus asociados. En igual medida, por ejemplo, un grupo armado al margen de la ley, aunque pueda comunicar poder, tendrá menos posibilidades de actuación que el Estado.

Considera Luhmann que:

> El poder también supone apertura a otras acciones posibles por parte del ego afectado por el poder. El poder hace su trabajo de transmitir, al ser capaz de influenciar la selección de las acciones (u omisiones) frente a otras posibilidades. El poder es mayor si es capaz de mantenerse incluso a pesar de alternativas atractivas para la acción o inacción. Y solo puede aumentarse junto con un aumento de la libertad por parte de cualquiera que esté sujeto al poder. (Luhmann, 1995, p. 14)

El código de comunicación del sistema político sería tener el poder "gobierno-Estado" y no tener el poder (oposición).

> This is also the case for the political system, which, according to Luhmann, results from the differentiation of a particular system of communications, whose unique function is the production of collectively binding decisions. As such, the political system is the function system of modern society which provides power as a universal resource. It is, therefore, the system which enforces decisions in questions whose implications extend beyond the boundaries of one or another system, and which then create problematic couplings between distinct systems. Power is the necessary medium for the implementation of collectively binding decisions, and it is within the political system that issues which might be resolved by the application of power are addressed. (King y Thornhill, 2003, p. 71)

La comunicación sería previa al poder en la medida en que este (como medio de comunicación simbólicamente generalizado), exige primero de aquella para poder transmitir. Por ejemplo, si se afirma que el Estado colombiano emitió una orden a todos sus asociados, este —el Estado— confía en que la orden se va a cumplir en la medida en que sus actos están rodeados por una comunicación previa que sólo la dan los actos de Estado. El poder, en este caso, actúa y comunica simbólicamente de forma generalizada para lograr reducir la contingencia en el comportamiento de los asociados. Es decir, evita que, en gran medida, se realice un comportamiento diferente al ordenado.

Como conclusión de lo hasta ahora dicho, el que gobierna y ostenta el control del Estado, detenta el poder. Sus actos con los asociados previamente exigen de comunicación de su parte. Una orden del Estado supone un proceso previo de comunicación, por lo que, puede decirse, todos los medios de comunicaciones simbólicamente generalizados reducen la complejidad o la contingencia. El poder es al sistema político lo que la validez al sistema jurídico y el dinero al sistema económico.

La comunicación que proviene del poder político es una comunicación concreta, con sentido específico, racional, emanada por parte de quienes ostentan el poder. Es decir, el Gobierno.

> Solo una teoría del sistema político establece un marco de referencia conceptual en el que pueden ser consideradas las cuestiones acerca de la diferenciación dinámica y la autonomización de roles especiales del público. Hablamos de una teoría que —frente a la concepción anglosajona del goverment— se extienda también al público y que —frente al concepto alemán de Estado— integre el público en el sistema político solamente en forma de roles, pero no en tanto personas. (Luhmann, 2014a, p. 282)

Toda esta explicación para decir que, en últimas, poder y comunicación descansan sobre la base de la confianza como condición de posibilidad. Es decir, tanto en el sistema social como en el político hay confianza en la medida en que se busca hacer probable la comunicación. El Estado, como criterio delimitado dentro del sistema político en la sociedad global, en atención a territorios y comunicaciones concretas de poder, produce confianza en sus asociados. Por ello es que el poder sigue comunicando dentro del sistema político y, por la confianza, el poder logra su cometido como medio de comunicación simbólicamente generalizado.

> La confianza solamente está implicada cuando la expectativa confiable hace una diferencia para una decisión; de otro modo, lo que tenemos es una simple esperanza. Si una madre deja al niño al cuidado de una niñera, un número de esperanzas se asocian con esto; que nada adverso sucederá, que la niñera será amorosa con el bebé, que no molestará su sueño con la radio, etc. Su confianza solamente se extiende a eventualidades que, de ocurrir, harían que ella lamentará su decisión de salir de casa y dejar a su bebé al cuidado de otra persona. Por lo tanto, la confianza siempre recae en una alternativa crítica, en la que el daño resultante de una ruptura de la confianza puede ser más grande que el beneficio que se gana de la prueba de confianza asegurada. (Luhmann, 1996a, p. 40)

Podríamos pensar en el caso colombiano: más que confianza en el Estado tenemos esperanza en él. La irracionalidad de la idea "Estado" parte de la esperanza, no "confianza", en la medida en que frecuentemente los asociados ven afectadas sus expectativas en relación con el primero. Las expectativas que se acaban de mencionar también pueden observarse desde el ángulo del Estado. Esto es, aunque la confianza o esperanza existen —incluso en términos de irracionalidad—, es posible que los asociados actúen de forma contraria a lo esperado o, mejor, comunicado, por el poder dentro del sistema político.

> A pesar de todo el esfuerzo de organización y planificación racional, es imposible que todas las acciones se guíen por las predicciones confiables de sus consecuencias. Hay incertidumbres sobrantes que tienen que ajustarse, y deban existir roles cuya tarea especial sea esto. Roles tales como los de un político o un gerente, son típicamente monitoreados en términos de los resultados exitosos más bien que de normas mensurables, precisamente porque la acción correcta no puede identificarse con suficiente detalle anticipadamente. (Luhmann, 1996a, p. 42)

De allí que los roles institucionalizados dentro del sistema político, en cuyo ejercicio se encarna el poder, actúan ante la verificación de acciones contrarias a lo esperado. La sanción política surgirá del incumplimiento del deber institucionalizado en el rol. Incluso, el sistema jurídico podrá, en algunos casos, seleccionar la sanción política y, al llevarla al derecho, imponerle su concreta consecuencia. Sería este un caso de acoplamiento estructural entre el sistema político y el jurídico. Por ejemplo, para el caso colombiano, los juicios políticos y jurídicos que se hacen por las investigaciones de ciertos hechos a determinadas personalidades (roles vinculados con el Estado), obedecen a los acoplamientos acabados de mencionar.

No quiere decir lo anterior que únicamente se ejerce poder desde lo público. El poder, dentro del sistema político, puede acoplarse también con esferas privadas reguladas desde la perspectiva legal e, igualmente, comunicar.

> El poder político puede, por decirlo así, conservarse en la forma de ley y mantenerse disponible para aquellos que no actúan políticamente ni tienen poder propio a su alcance. De este modo, un contrato legal debe, sobre todo, concebirse como un instrumento para poner el poder político no programado al servicio de propósitos (privados) no políticos (Luhmann, 1995, p. 133).

Desde ya puede inferirse que el concepto de Estado en Luhmann difiere del concepto de sociedad global abarcadora de todos los sistemas. El Estado serviría para delimitar territorialmente un concreto ejercicio de poder, es decir, aunque el entendimiento sistémico de la sociedad es global, el poder propio del Estado colombiano no será el mismo que el otro Estado Empero, si bien esta es la función de la política y en estos términos se acopla al derecho en la modernidad, puede ocurrir, como se afirmó al comienzo de este capítulo, que, en las periferias, más que acoplamientos exista confusión con el derecho. Esto, a todas luces, es inconveniente y en gran medida preocupante. La inconveniencia se manifiesta en exigir del derecho funciones que en principio le corresponden a la política y al ver, en su defraudación, un incumplimiento en las funciones de lo que se cree, erradamente, es el derecho. Pensar que el derecho puede, con su función, motivar la conducta de los asociados mediante la intromisión en sus psiquis de valores comunes que creen cohesión y justifiquen la coexistencia social. Tampoco podría exigirse que la política estabilice contrafácticamente mediante el establecimiento de sanciones a comportamientos que se consideran desviados. La política no puede cumplir el papel del derecho ni viceversa. Más allá de esto y, quizás, con mayores repercusiones negativas, planteamos la siguiente preocupación propia de la ya mencionada confusión: si el derecho y la política son lo mismo, fácilmente se podría, a través de ellos, proteger cualquier valor imperante en la sociedad en cierto momento histórico determinado. Quizás, por lo dicho, es que se suele reprocharse al modelo jakobsiano de proteger cualquier tipo de valores absolutos a cualquier sistema[10], pues, básicamente, como lo expresa Mir-Puig (2005a) se ha entendido que el normativismo funcionalista actúa sin límites en el momento de funcionalizar sus conceptos. Más que una crítica al sistema jakobsiano, es una crítica a desdiferenciación funcional, la cuales reprochada por el funcionalismo penal a partir de los presupuestos sistémicos en los que se soporta.

En este panorama, las confusiones entre sistemas requieren de una intervención del derecho a efectos de limitar el sistema político y con ello hacer la diferenciación que se presenta ante los bajos niveles de confianza. En lo que sigue de este libro nos encargaremos de demostrar cuáles serían los límites de legitimidad para normativizar sistémicamente en las periferias de la modernidad.

En el pensamiento de Luhmann aparece el concepto de los derechos fundamentales como institución. Solo así se entienden como verdaderos equivalentes funcionales: suplen los bajos niveles de confianza y proyectan diferenciaciones. Los derechos fundamentales serían las construcciones o simbolizaciones jurídicas que, producto de la evolución, la cultura o, lo que es lo mismo, la memoria histórica de la sociedad, se han consolidado a través de la garantía de su identidad normativa.

Al retomar la discusión sobre los límites, diríamos que únicamente con esta premisa la política no podría decidir de todo pues existiría otro sistema (el jurídico), que simbolizaría en normas de protección aquellos valores fundamentales

---

[10]   Este argumento de crítica suele estar unido a la denominada *deshumanización* del funcionalismo penal sistémico. Así, por ejemplo, Alcácer (1999).

necesarios para la existencia social, aun verificando precarios niveles de diferenciación. Con esto logran blindarse todas las garantías o construcciones que a lo largo de la historia se han manifestado mediante símbolos.

El equivalente funcional planteado representa una paradoja propia del método sistémico: en estos Estados, las garantías (derechos fundamentales) seguirán existiendo y serán cada vez más visibles mediante límites al poder político que en aquellos sistemas en los que, quizás ideales, todo opere con altos niveles de diferenciación[11].

No podría, con estas razones, pensarse en el origen de los derechos fundamentales solo en el sistema político, es decir, solo como aparentes decisiones de poder legítimo. Pero tampoco podría pensarse en su origen solo en el sistema jurídico, pues existen y han existido dentro de este por ciertas deficiencias empíricas que obligan al poder a simbolizar expectativas: únicamente así se entiende por qué, en las confusiones entre derecho y política nacen, mediante comunicaciones, los derechos fundamentales[12].

De allí que la posibilidad (reducida), de aplicación del funcionalismo penal sistémico en las periferias de la modernidad queda permitida sí, y solo sí, a través de la confusión entre política y derecho se construyen simbolizaciones de protección a derechos fundamentales.

---

[11]   Por razones como estas, leídas desde la perspectiva de las relaciones entre el sistema psíquico y el sistema social, es que en ocasiones anteriores se ha afirmado que el humanismo de Luhmann es, incluso, más humanista que el mismo humanismo. Es decir, los seres humanos serían límites infranqueables de todos los demás sistemas sociales, pues serían ajenos a toda posible comunicación que los perjudique. En esa ocasión se expresó "En este sentido, y contrario a lo que se afirma por parte de la crítica, la deshumanización de la sociedad no supone el desconocimiento existencial de los hombres concretos. Los individuos siguen existiendo en la teoría de Luhmann, pero ahora ocupan el lugar que les corresponde. Ahora bien, si se insiste en llevar la discusión epistemológica al plano moral, habría que responder de manera contundente. El humanismo negativo de Luhmann, deshumanizando a la sociedad, es más humanista que el mismo humanismo. De acuerdo con esto, no sería exagerado afirmar que el funcionalismo penal sistémico es un humanismo" (Arrieta-Burgos y Duque-Pedroza, 2018, p. 29).

[12]   Frente a la calidad jurídica de estos derechos, Müller, en su texto sobre la *Positividad de los derechos fundamentales*, expresa: "Que ningún derecho fundamental está garantizado de forma ilimitada se deriva del hecho de la única restricción que se puede considerar verdaderamente «inmanente» del derecho fundamental: a saber, su propia calidad o cualidad de derecho. De lo cual se deduce que los derechos fundamentales solamente pueden considerarse a través del ordenamiento jurídico (constitucional) y como derechos constituidos jurídicamente, no como derechos asegurados de forma sustancialmente suprapositiva" (2016).

Ya lo intuía Luhmann cuando en su texto *Los derechos fundamentales como institución*, reconocía que en ciertas latitudes en las que la diferenciación fuese aún precaria o segmentaria, era necesaria, y cada vez más necesaria, la presencia, mediante su institucionalización, de los derechos fundamentales[13]. En este sentido, reiteramos una cita de Luhmann por su mayor comprensión en este estado del escrito:

> Los derechos fundamentales sirven al orden social industrial- burocrático como una de las instituciones (entre otras muchas funcionalmente equivalentes) que ayudan a consolidar la índole de la comunicación, con el fin de mantenerla completamente abierta a la diferenciación. Garantía de libertades no es otra cosa que garantía de posibilidades de comunicación —no con ese propósito declarado, pero sí con la función latente de asegurar una cierta disponibilidad y, con ello, la índole de motivación de las comunicaciones. Presupone desligar las posibilidades de comunicación de vías de expresión demasiado afianzadas en el plano emotivo, demasiado personales, demasiado grupales. Los derechos fundamentales se relacionan con este momento del desarrollo civilizatorio de la sociedad —por eso son algo enteramente distinto a "derechos humanos" eternos— y lo confirman en la medida en que intentan contrarrestar las tendencias involutivas contenidas en él. (2010a)

La razón exigiría verificar aquel equivalente funcional que supla los bajos niveles de confianza social: la existencia de símbolos de protección normativa de derechos fundamentales. El común encontrar que en muchos Estados que pueden rotularse como periferias de la modernidad hay constituciones con un altísimo reconocimiento de derechos. Ello se debe a la necesaria exigencia de los sistemas políticos y jurídicos para consolidarse de una forma legítima, aunque las condiciones reales de índole social sean adversas a un orden diferenciado. El sistema político no podría, aunque reconozca que no hay confianza, operar con su medio poder de forma que reproduzca más desconfianza. La única decisión en las sociedades desdiferenciadas sería aquella que conduzca, indefectiblemente, a lograr la diferenciación. Esto es, los límites de lo legítimo están dados de modo que se evite que, con sus decisiones, se profundice la desdiferenciación.

Pensemos en el reconocimiento constitucional que en Colombia existe frente al derecho a la salud. No es que se afirme que todos los ciudadanos colombianos tienen una efectiva protección de su derecho fundamental a la salud, pues no es cierto. Lo que sí ocurre con dicho símbolo es que, aunque no se confíe en el cumplimiento de las expectativas para la garantía del derecho a la salud, sí existe

---

[13]   Un estudio concluyente sobre la aparición de los derechos humanos (aquí fundamentales), desde la obra de Luhmann, a partir de los acoplamientos entre Derecho y política, puede encontrarse también en Neves (2007; 2014; 2015b).

una clara identidad en el sentido de representarse el ciudadano variados instrumentos y autoridades existentes en caso de materializarse una defraudación a sus expectativas de protección. El sistema jurídico simboliza, a través de la tutela, que se debe seguir confiando, aun ante las evidentes defraudaciones en esta materia.

El mencionado movimiento y auge constitucional reconoce las grandes deficiencias empíricas en las que se sustenta cada Carta de derechos. Este tema ha sido ya tratado por la doctrina con diversos nombres. Mauricio García-Villegas ha caracterizado la constitucionalización propia de América Latina como un "constitucionalismo aspiracional" (2013). Según sus consideraciones, en él se reconocen las deficiencias del presente y se exige y confía en la existencia cada vez más de mayores reconocimientos constitucionales que aparentemente conducen al progreso. Así, la confusión que existe en América Latina en las funciones de los sistemas jurídicos y políticos suele identificarse mediante el tipo de Constitución[14]. Expresa, textualmente, García-Villegas lo siguiente:

> Las Constituciones aspiracionales se caracterizan por mantener una profunda distancia respecto de las realidades sociales y políticas que quieren transformar. Esta ruptura está inscrita en su naturaleza futurista y progresista. La constitución no expresa el país que existe sino el que queremos. Eso tiene sus ventajas y sus desventajas, como lo hemos visto. Pero, ¿qué incidencia tiene esta brecha en el concepto y la explicación de lo que llamamos Constitución? He querido enfrentar esta paradoja sugiriendo, en primer término, que el constitucionalismo en general y de manera particular el constitucionalismo aspiracional mantiene una ambivalencia y una tensión permanente entre lo jurídico y lo político; obedecen, por un lado, a una lógica instrumental destinada a producir el tipo de sociedad que consagran sus textos, pero, por el otro, obedecen a una lógica comunicacional y simbólica destinada crear representaciones que operan en el mundo político. (2013, p. 96)

Se ha afirmado que las características propias de esta creciente tendencia pueden ser identificadas como un "fetichismo constitucional o legal" (2009). En este sentido se ubica Julieta Lemaitre, quien, con particular detalle, explica las razones de los amplios contenidos políticos reconocidos a partir de la Constitución de 1991 y su relación con la simbolización "fetichista" que, para los movimientos sociales, por fortuna, representa.

Radica en la Constitución la finalidad de reemplazar la ausencia parcial de confianza aun existiendo evidentes márgenes de desconfianza social[15]. La política,

---

[14] Son las Constituciones la muestra de los acoplamientos estructurales entre la política y el derecho.

[15] Esta evolución o lucha histórica constitucional, que da cuenta de las características propias de nuestra Carta de derechos, fue también puesta en evidencia por Valencia-Villa, en su reconocida obra Cartas de batalla (1987).

mediante el poder vinculante previsto en la Constitución, se representa como la salida (quizás la única) que pueda evolucionar hasta el punto de diferenciar sistemas o, lo que es lo mismo, que pueda lograr se confíe en aquello que se desconfía.

Si retomamos lo que ya hemos mencionado, en tanto que afirmamos que (ii). la función del derecho radica en estabilizar expectativas, (ii). que la función del derecho penal radica en garantizar la identidad normativa de la sociedad, (iii). que la función de la política es generar decisiones vinculantes mediante el poder y (iv). que en sociedades periféricas el sistema político se confunde con el sistema jurídico, tendríamos que concluir que la identidad normativa en las sociedades con bajos niveles de confianza se alcanza mediante procesos constitucionales que recogen los mínimos, pero en todo caso ineludibles[16] valores que representan los límites y, a la vez, los procesos de creación de los sistemas[17].

Las jurisdicciones transicionales[18]son apenas una de las muestras de las ya evidentes y recalcadas confusiones entre sistemas. Veamos por qué: se trata de ideales políticos que, confundiéndose con el derecho, buscan, en últimas, crear

---

[16]   A partir de la fuerza vinculante de las Constituciones y del marcado énfasis que en ellas se hace de los derechos fundamentales, algunos han, incluso, planteado conceptos como los de la ciudadanía social (más allá de vinculación territoriales o estatales), que garantiza, desde el lenguaje propuesto en este escrito, las expectativas frente al otro con independencia de su cultura, origen o condición alguna. Al respecto puede verse (Bonfiglio, 2017).

[17]   Compartimos los planteamientos que, sobre democracia, derechos fundamentales y garantismo, ha hecho Ferrajoli (Ferrajoli, 2001; 2008); y Ferrajoli, Moreno y Atienza (2008). Nuestra propuesta teórica ha sido pretender demostrar cómo, desde los terrenos propios de la teoría de sistemas, son compatibles y, además, necesarias, todas las valoraciones del profesor italiano. De una forma más cercana a realidad colombiana, Sotomayor, sobre la base de los planteamientos de Ferrajoli, ha hecho consideraciones alrededor del garantismo penal (Sotomayor, 2006). Con esto queremos evidenciar la posibilidad de compaginar, frente a una teoría de la Constitución basada en los derechos fundamentales, los planteamientos sistémicos con las necesarias y bien pensadas construcciones garantistas.

[18]   De allí que se entienda, por transición, no tanto lo excepcional sino el ideal político del paso, de la excepción que opera a la normalidad sistémica. Esta precisión fue hecha por Arrieta, quien expresa lo siguiente: "La justicia transicional se ha considerado, generalmente, como un tipo de justicia especial y alternativa. Conviene replantear esta idea y migrar hacia una comprensión de la justicia transicional como una expresión de la justicia ordinaria en períodos de transición. Ésta se ofrece, así como una respuesta a las "injusticias alternas", de carácter ético-político e institucional, que reproducen el conflicto armado interno en Colombia. Ante una excepción generalizada (injusticias alternas) es preciso ratificar la regla general de justicia ordinaria. ¿En qué medida ello es posible y legítimo? Se trata, en últimas, de esbozar las condiciones de posibilidad y los límites de validez de la justicia ordinaria en períodos de transición para hacerle frente a estas injusticias alternas" (2015, p. 287).

procesos de diferenciación, reconociendo, previamente, que con las funciones ordinarias atribuidas al derecho no se logró conjurar la crisis[19].

Luhmann ya identificaba la particular situación en la que, en tiempos contemporáneos aumentaba la confusión entre política y derecho. Estimaba que "los nuevos tiempos del liberalismo político celebran el logro de la Constitución, la cual somete al derecho al Estado que crea el derecho y, con ello, desplaza al derecho la paradoja política. El concepto de Estado, originariamente una descripción concentrada del sistema político, se convierte al final, en la teoría del derecho, en un concepto jurídico" (2014b). Todo esto, al relacionar el tercer capítulo con lo que hasta el momento hemos dicho en el cuarto, se justifica así: cuando fácticamente no hay confianza, le corresponde un mayor peso al sistema político para estabilizar expectativas que son lejanísimas de la realidad pero que, en todo caso, hay que estabilizar para que se produzca la diferenciación.

En tanto que la investigación por la que discurrimos exige, en este punto, solo evidenciar la existencia de garantías constitucionales que, a modo de derechos fundamentales, se han simbolizado en el subsistema jurídico penal, expresamos que son de resaltar los aportes que, en materia de garantismo y derecho penal colombiano, ha hecho Sotomayor, a los cuales remitimos (1999; 2006; 2000). Para nuestros intereses conclusivos y propositivos inferimos que en la Constitución hay una clara vinculación con postulados fundamentales que deben guiar todas las actuaciones penales: el postulado de la libertad (desde todas sus manifestaciones) como regla general y de difícil limitación, el debido proceso, la presunción de inocencia, la prohibición de penas capitales o degradantes, la prohibición del *Ne bis in idem*, el principio de legalidad de los delitos y de las penas, entre otras. Esta situación de claro reconocimiento constitucional demuestra, para Colombia, la existencia del equivalente funcional. Se reitera que no se afirma aquí que del reconocimiento de derechos se deduce su efectiva protección. Valorar la segunda situación implicará las consecuencias para definir los contextos de aplicación legítima e ilegítima del funcionalismo penal sistémico, como pasará a demostrarse.

Esto es, si bien existe un reconocimiento de derechos fundamentales en la Constitución colombiana, no se deduce de ello, para nuestra propuesta, que se afirme la aplicación legítima en todos los casos del funcionalismo penal sistémico. Los equivalentes funcionales suplen los déficits de confianza, pero, en ningún

---

[19]   La tensión entre política y derecho y sus repercusiones constitucionales, por las que surgen posteriores simbolizaciones jurídicas, ha sido reconocida ya, en Colombia, por la denominada Jurisdicción Especial para la Paz. En auto 019 de 2018, se dijo: "El régimen jurídico de la JEP, tanto en su parte competencial, sustantiva y procesal, exhibe una nítida finalidad política que lo justifica y que revela la tensión constitucional que le dio origen".

caso, eliminan la desconfianza. Es, en este punto, donde los derechos fundamentales, además de constituirse como la posibilidad parcial de aplicación, también se constituyen como sus límites legítimos de aplicación. Es decir, los derechos fundamentales, a la vez que avalan parcialmente el uso del modelo funcionalista, también lo limitan a aquellos casos en los que, pese a la desconfianza, y aun con mayor razón, se le asigna al derecho la función de garantizar la diferenciación funcional.

Para entender, ya no la simple utilización (a través del reconocimiento y simbolización jurídica), sino la legitimidad, es necesario preguntarnos por los niveles de protección y garantía efectiva en Colombia de los equivalentes funcionales.

Empecemos por decir que Mauricio García-Villegas y José Rafael Espinosa publicaron un texto con evidencia empírica titulado *El derecho al estado* (2013). En este libro se evidencia que para una amplia población colombiana *el Estado no está*[20]. Demuestran que hay un evidente abandono institucional en grandes porciones de Colombia (más del 60% del territorio nacional). Las personas que viven allí, se encuentran por fuera de la institucionalidad, particularmente en todo lo que tiene que ver con las instituciones básicas, entre ellas las de justicia. Esta cifra es coherente con los bajos niveles de confianza en las instituciones que hemos demostrado ya para Colombia (DANE 2019), en la medida en que, en más de la mitad de la porción espacial que corresponde al Estado, básicamente este no cumple su expectativa como tal.

Dentro de esta perspectiva, es necesario soportar, de una forma cualitativa, los índices de desconfianza asociados con la amplia desprotección y no garantía de los derechos fundamentales que se presenta en Colombia. Lo anterior, si bien es un fenómeno multicausal y complejo, leído desde Luhmann, solo crea mayores brechas entre el centro y la periferia en Colombia. El conflicto armado, la falta de equidad entre las regiones, la corrupción o las imposibilidades de acceso a la justicia, son solo algunas de las causas que acrecientan la situación que se ha acreditado empíricamente. En este sentido, son varios los estudios que se han acercado a las causas de la segmentación del país y la desprotección de derechos. Por ejemplo, Gouëset (1999); Cortés y Vargas (2012); La Rota, Lalinde y Mata (2014); García-Villegas (2008); García-Villegas, Espinosa, Lalinde, Arroyave y Villadiego (2015); García-Villegas, García, Rodríguez, Revelo y Espinosa (2011); Chambers (2013); Clammer (2012) y Harilal (2015), por mencionar solo a algunos. Los estudios, en su conjunto, sirven para determinar que la historia en Colombia ha significado una constante defraudación de las expectativas institucionales por parte

---

[20]   Esta idea ha sido ya también explicada por otros, entre ellos, Solano Vélez (2016).

del Estado. A nuestro juicio, en últimas, los niveles de funcionalización que se admite una determinada sociedad requieren, desde los presupuestos teóricos vistos, que el reconocimiento de la personalidad (centro de imputación jurídica), previamente se soporte en el cumplimiento de unos mínimos de expectativas a cargo del Estado. De allí que, como pasaremos a explicar, ya no será la mera simbolización normativa de los derechos fundamentales (aquella que opera como equivalente funcional), sino su efectiva garantía, la que representará los límites del funcionalismo penal sistémico. Ante este estado de crisis, solo le queda al derecho ratificar la expectativa con los límites propios de las garantías constitucionales. De esa forma, producto de la evolución del sistema, esperamos que el derecho sustituya las reiteradas defraudaciones a las expectativas que se han presentado en Colombia. Por ende, las crisis sistémicas son entendidas como muestras de la desdiferenciación funcional que padecen algunos países de América Latina. Por ello mismo, expresó Mascareño[21] (2017a) que "las crisis son implosión de la reflexividad. Puesto que la función del derecho es proteger la memoria normativa del sistema, su rendimiento en transiciones críticas es el de un acompañamiento reflexivo que ofrece a la incertidumbre de la crisis un horizonte para la ratificación, variación o sustitución de la norma" (p.13).

En Colombia los índices de reconocimiento de los equivalentes funcionales no se compadecen con los índices de efectiva protección y garantía hacia ellos. Dentro de un contexto de baja garantía y protección por parte del Estado hacia el equivalente funcional, la pregunta que surge a continuación es: ¿en qué casos, además de posible, es legítimo adjudicar el derecho penal positivo desde el método propio del funcionalismo penal sistémico? Esta pregunta nos lleva al terreno

---

[21]   En otros textos, desde una mirada sociológica, Mascareño se ha ocupado de la crisis de la diferenciación funcional en América Latina y explica, por ejemplo, cómo opera aquí la semántica de la diferencia: "En el siglo XIX América Latina enfrenta un estado muy especial de complejidad del sistema social, el que probablemente sea, en aquel momento, también encontrable en África o Asia, aunque no en Europa. El siglo XIX es el instante en que la diferenciación funcional aparece en América Latina como un serio candidato para asumir el primado del modo generalizado de regulación de la sociedad. Las formas de diferenciación estratificadas o centro-periféricas del período colonial no han sido suprimidas, como tampoco la organización social segmentaria de los pueblos indígenas, pero paralelamente, la diferenciación funcional, especialmente en el ámbito económico y político, inicia un despliegue evolutivo de alta preponderancia. Esto es particularmente visible en la segmentación moderna de los estados nacionales y su incorporación a un sistema político mundial a inicios del siglo XIX. Si la forma de diferenciación produce directa o indirectamente correlatos semánticos, parece ser sistémicamente interesante preguntarse por el tipo de autodescripciones que produce la sociedad en un momento evolutivo en que distintas formas de diferenciación luchan por el primado de la conducción general de la sociedad" (Mascareño, 2009b).

propio de los acoplamientos estructurales que, entre política y derecho penal, deben darse en sociedades en proceso de modernidad.

4.2. POLÍTICA CRIMINAL: ACOPLAMIENTO ESTRUCTURAL Y SURGIMIENTO DE LOS LÍMITES DE VALIDEZ

La pregunta que rodea este acápite, es la siguiente: ¿qué relaciones o acoplamientos deben darse entre la política y el derecho penal en sociedades con déficit de confianza? Esto, es, desde una perspectiva sistémica, ante los altos márgenes de desconfianza que existen en Colombia, unidos a las altas sensaciones de desprotección de las garantías constitucionales por parte del Estado ¿cuál será la política criminal legítima para lograr la diferenciación?

Aunque parezca extraño para algunos[22], en esta investigación hemos demostrado que, en sociedades periféricas, el funcionalismo penal sistémico exigiría del reconocimiento del equivalente de los derechos fundamentales como instituciones vinculantes en el Estado para su posible aplicación. De acuerdo con este planteamiento, unido a la verificación cuantitativa y cualitativa de la que emergen altos índices de desprotección institucional para los ciudadanos, la única política criminal legítima en Colombia —la única que conduce a lograr la diferenciación—, será una política criminal garantista[23].

El anterior marco conceptual es la premisa de entendimiento de la siguiente conclusión: no es acertado afirmar, de forma absoluta, que la escogencia del funcionalismo penal sistémico conduce, indefectiblemente, a proponer una política criminal eficientista, en la que, por esencia, se reducen las garantías con el fin de

---

[22]   Suele ser un lugar común, en esta investigación desvirtuado, relacionar los planteamientos sistémicos que fundamentan el método jakobsiano con políticas criminales siempre eficientistas o negacionistas de todo tipo de libertades para los ciudadanos. Esto, como pasará a demostrarse, sería contrario a lo que, precisamente, se exige en el funcionalismo penal sistémico en sociedades periféricas.

[23]   En este contexto se entiende la razón por la que Neves (1992), en una lectura que hace de Teubner, estima que el último plantea un sistema un poco más abierto que el primero, ya que, según lo entiende, en Teubner se admiten interferencias intersistémicas entre la política y el derecho. De todo esto, el autor citado ubica el concepto de autopoiesis en contraposición a la alopoiesis (producción del sistema a partir del entorno) y concluye que, aunque en principio no sería posible el funcionalismo en sociedades periféricas, es más conveniente acoger este sistema que otro, pues, suprimir las fronteras o límites entre el sistema jurídico y los demás sistemas sociales sería importar el caos de uno a otro o, lo que es lo mismo, sería tanto como duplicar la complejidad de cada subsistema.

obtener mayor eficiencia en el sistema de respuesta penal, aun corriendo el riesgo de responsabilizar penalmente a inocentes. Esta relación de correspondencia que, con frecuencia, suele hacerse, se basa en encontrar en el mismo Jakobs el origen, para el derecho penal, de la expresión "derecho penal del enemigo".

Por nuestra parte, en esta investigación se afirma que (i). verificar o proponer un sistema de derecho penal del enemigo para el tratamiento de cierto tipo de delincuencia no es una consecuencia que únicamente puede aparecer de acoger métodos funcionalistas basados en teoría de sistemas. Ello puede (es cierto), surgir de las mencionadas bases (sobre todo por la diferenciación que en este modelo teórico se hace entre sistemas, individuos y personas). Puede también el derecho penal del enemigo surgir de otros tipos de derecho penal, no funcionalistas y disímiles a una teoría de sistemas, en los que, de modo contrario a la diferenciación funcional, se acogen consensos o identidades totales propias de esquemas con una lógica mecánica de solidaridad. Se trata este caso de la regulación que de los delitos sexuales se hace en Colombia (ii). si el derecho penal del enemigo es una realidad verificable en los ordenamientos jurídicos a partir de encontrar en ellos ciertas características en el tratamiento de los delitos, solo es posible afirmar que existe porque hay, previamente, una política criminal (del enemigo) que así lo propone. De allí que la preocupación (apenas evidente y necesaria), por este tipo de derecho penal, más que hacerse al derecho debe hacerse a la política, pues es la que propone las valoraciones que acogerá, luego, el derecho. Analicemos, con más detalle, cada una de estas consideraciones:

El funcionalismo penal sistémico reconoce que la persona, a diferencia del individuo de carne y hueso, es quien hace parte del sistema sociedad. De igual forma, desde este esquema de pensamiento, la persona, a diferencia del enemigo, representa algún tipo de seguridad cognitiva con la que pueda comportarse frente a lo esperado por el sistema. Ante el enemigo, por no prestar ningún tipo de seguridad cognitiva, el sistema responderá con otras medidas con la finalidad de eliminar el foco de peligro y confirmar la vigencia de la norma, esto es, no se niega que desde la teoría de sistemas puede, como también desde otras teorías, echar raíces el derecho penal del enemigo. Tampoco se reconoce en esta investigación mérito alguno a la propuesta político criminal que se deriva del derecho penal del enemigo, pues, es apenas evidente, es contraria a las garantías o los límites necesarios para el ejercicio legítimo del poder punitivo.

El derecho penal del enemigo puede ser compatible con otros esquemas de pensamiento no sistémicos. Ello se da en aquellos casos en los que hay cierto consenso o unidad en valores que representan mínimos en toda sociedad. En esos casos suele exigirse, socialmente, una respuesta punitiva diferente. Se trata del caso de la denominada solidaridad mecánica que, como lo explicamos en el primer capítulo, es contrario a la diferenciación funcional. Ejemplificamos lo dicho con la regulación penal en contra de la delincuencia sexual que viene dándose en Colombia. En este último evento no hay necesidad de ninguna diferenciación porque hay cierta cohesión plena en torno a la protección de los menores frente a agresiones sexuales[24].

El derecho penal del enemigo es una constante histórica que ha estado presente en evolución misma de la sociedad occidental, con lo que no es del todo cierto atribuir a Jakobs alguna proposición para la legitimación de algún tipo de criminalidad de esta índole.

Si bien Jakobs no es frecuente en su discurso en utilizar la palabra legitimidad[25], la cual suele ser reemplazada por la palabra funcional o no funcional, ha construido, sí, su planteamiento, desde la proyección propia de una sociedad que, como la alemana, suele ser garante de expectativas y con mínimos de orden social por encima de aquellos que podrían tenerse en cualquier sociedad latinoamericana. De allí que sea difícil pensar que, en esas perspectivas, proponga, como político criminalmente viable, un sistema reductor de garantías o límites a los ciudadanos que rememore los tormentosos y penosos momentos históricos que soportó, por algunos años, Alemania y Europa.

Más que un problema atribuible al derecho, la existencia del derecho penal del enemigo será un asunto de la política. Ello no significa hacerse a un lado de la discusión por tratarse el presente de un asunto investigativo de carácter jurídico. Si bien no es un problema atribuible al derecho, el cual solo reconoce su existencia, la teoría de sistemas, a través de los denominados acoplamientos estructurales que pueden producirse en toda sociedad, requerirá nuestra atención en este punto. Hemos dicho ya que los acoplamientos estructurales que pueden producirse entre el derecho y la política, sobre todo en sociedades desdiferenciadas o con déficit de confianza, únicamente son legítimos si, además de afirmar la posibilidad a través de la consagración de los derechos fundamentales, conducen a lograr la diferenciación, es decir, el funcionalismo sistémico no concluye que la política opere sin límites, de modo que pueda producir decisiones vinculantes, en

---

[24] Una explicación sobre los fundamentos teóricos del tratamiento de la delincuencia sexual con menores de 14 años en Colombia, puede encontrarse en Cáceres (2018). La tesis sobre la recepción del derecho penal del enemigo en Colombia, en contextos de delincuencia sexual contra menores, fue previamente desplegada por el autor en otro escrito (Arrieta-Burgos, Duque-Pedroza y Díez, 2020).

[25] La legitimidad es analizada expresamente por Jakobs, como se verá más adelante, luego de permitir en su discurso justificaciones materiales más allá de la lógica formal sistémica con la que construyó en principio su planteamiento. Este *segundo* pensamiento jakobsiano tiene mucho que ver con su nueva justificación de la fidelidad al derecho como base de la culpabilidad a partir de la legitimidad que el Estado previamente ha generado en su respuesta punitiva. Este cambio será analizado, con más detalle, en páginas siguientes.

cualquier caso, con independencia de sus consecuencias frente a los otros sistemas. Esto solo existiría con indebidas comprensiones de la teoría. Así, un sistema coherente con los planteamientos luhmannianos limitaría, en mayor medida, las manifestaciones de poder en aquellos territorios en los que hay altos índices de desconfianza. En estas periferias no sobre todo se puede decidir y no sobre todo se puede dejar de decidir, como bien lo ha expresado Ferrajoli en sus escritos sobre democracia y garantías (2004). Con todo, una decisión política que, en estas sociedades, busque la incorporación del derecho penal del enemigo, estaría construida por fuera o al margen de los planteamientos de la teoría de sistemas. De esta manera, como se rotulará más adelante, sería un abuso del funcionalismo penal sistémico.

Para el caso colombiano, a la luz de los índices empíricos evaluados en el capítulo tercero de este escrito, manifestaciones que propendan por establecer medidas más invasivas y eficientistas a las ya existentes por la vía penal, como la prisión perpetua o la pena de muerte, serían contrarias a lo que espera el funcionalismo luhmanniano de la respuesta punitiva. Lo dicho en tanto que estas medidas, en una lectura sistémica, solo reproducirán la desconfianza generalizada que existe ya en Colombia.

De este modo, el *deber ser* de la política criminal en sociedades periféricas será solo el propio de una política criminal garantista. Aunque viene al traste con nuestra propuesta teórica, Colombia sigue acogiendo, en muchos casos, decisiones propias de un derecho penal del enemigo, que no ayudan a lograr ámbitos de diferenciación funcional. No podemos aceptar propuestas de derecho penal del enemigo en Colombia si, como se demostramos en el capítulo tercero de este escrito, los índices de desconfianza hacia los sistemas que administran justicia son tan altos. Tampoco, si, como ocurre desde hace algunos años y con una tendencia al aumento, los índices de hacinamiento carcelario en Colombia son tan altos, lo que pone en evidencia el menosprecio por las garantías que emanan de la condición de persona. En modo alguno se avalaría tal propuesta si, en síntesis, se ha demostrado que las ya existentes en poco o nada han servido para erradicar la criminalidad[26].

---

[26]   Para el caso de Colombia, en un escrito publicado ya hace algunos años, Sotomayor planteó lo que denominó "El derecho penal garantista en retirada" (2008) —cuestión que se ha mantenido a la fecha—. En él expresó, de forma crítica, que las representaciones de aquel "derecho penal moderno" que, cada vez, con más frecuencia, han cuestionado aquel derecho penal garantista que también aquí se comparte. Una preocupación similar, pero para el caso español, puede encontrarse en el escrito de Landrove (2009).

Para reforzar nuestro planteamiento frente a la vinculación del funcionalismo penal sistémico con la política criminal garantista, esbozaremos tres razones:

En primer lugar, como ya dijimos en capítulo inicial de este libro, la sociología sistémica de corte luhmanniano establece que la modernidad es pura y simple diferenciación funcional. Los sistemas funcionalmente diferenciados son producto de la evolución histórica de la sociedad: de las sociedades segmentadas a la diferenciación ha habido un largo camino que conduce a afirmar que la sociedad, hoy, es una suma de complejidades. De allí que la función de la comunicación en la sociedad sea, precisamente, reducir la complejidad mediante procedimientos autopoiéticos y manifiestos de sentido.

Dentro de todo este trayecto, la evolución juega un papel trascendental: si la sociedad es sociedad moderna por la evolución en todos sus procesos, y si todos los subsistemas sociales se mueven en el terreno de la comunicación, necesariamente habrá que concluir que la evolución, de igual manera, ha tenido un papel fundamental en la formación de todos los subsistemas.

Su función constituye en Luhmann una garantía de estabilización. En ese devenir, el derecho opera mediante símbolos que, positivizados, garantizan la permanencia o estabilidad de la expectativa. La memoria histórica de la sociedad (cultura, en Luhmann), hace que aun cuando todos los sistemas tengan en común la comunicación, en cada uno de ellos los procesos operen a través de la perfección en sus operaciones de frente a la evolución. El sistema jurídico penal, sin duda, ha estado permeado de una razón histórica que lo ha determinado hasta el punto de ser lo que es hoy: la formalización de los procesos y los principios limitadores al poder punitivo, entre otras razones, han hecho parte de todas las ganancias históricas de la evolución que han operado en el derecho.

En la sociedad moderna el derecho será tal si se cumplen, material y formalmente, todos los procesos que internamente se han construido para diferenciarse de los demás sistemas y para autorreproducirse. Tanto es así que, incluso, en los ordenamientos jurídicos, como ocurre en Colombia, hay procedimientos detallados y previamente establecidos para la modificación de dichos símbolos y, hay, además, símbolos que no pueden ser modificados sin alterar la esencia de la Constitución. Estos últimos símbolos, conocidos como *cláusulas pétreas*, releídos desde Luhmann, garantizarían la identidad normativa del marco constitucional de determinado ordenamiento. La estabilidad que otorga el derecho es, desde esta órbita, seguridad. Es cognición que se traduce en certidumbre jurídica. No podría la sociedad estabilizarse debidamente si la norma (recogida en un símbolo), no representa garantía de cognición futura, pues en este caso nunca habría, realmente, identidad.

Todo esto para afirmar que las garantías (permítasenos utilizar esta expresión para referir todas las conquistas que en materia de derechos y libertades ha recogido el proceso evolutivo de tipo jurídico), en cuanto a su reconocimiento, se encuentran hoy estabilizadas en la sociedad, incluso, por supuesto, en aquellas sociedades con poca diferenciación funcional, como el caso de Colombia.

El planteamiento aquí defendido podría vincular necesarias limitantes o garantías en estadios posteriores a la imposición de la pena: esto es, en la ejecución de la pena. Lo anterior recobra mayor importancia cuando se tiene presente que una fundada y seria crítica que se le hace a la teoría de la pena propuesta por Jakobs estima que para lograr la "comunicación" que exige el sistema bastaría con la imposición de la misma y deja a un lado, por no ser propiamente derecho penal, todos los momentos posteriores de ejecución de la pena, es decir, según esta crítica, como la reafirmación del derecho vulnerado se logra con la imposición de la pena, la teoría comunicativa sistémica olvida aquello que, para la persona, supone la pena en su fase de ejecución[27].

Justificado como está, debemos recordar que en el acápite anterior demostramos cómo, en sociedades con déficit de confianza, las Constituciones suelen robustecerse más en relación con el reconocimiento de los derechos o garantías necesarias para la permanencia de la identidad. La identidad normativa de la que habla Luhmann y que recoge Jakobs, se encuentra, así, reconocida material y formalmente en todas las garantías que reposan en el texto constitucional de derechos y deberes.

La conclusión de este primer apartado con el que pretendemos sustentar nuestra posición frente a la política criminal del funcionalismo en sociedades periféricas no es otra distinta a afirmar la estabilidad jurídica que representan las garantías producto los procesos evolutivos de la sociedad.

En segundo lugar, la exigencia que desde el funcionalismo surge de una política criminal garantista en sociedades con déficit de confianza, se explica como una consecuencia de los acoplamientos estructurales o irrigaciones mutuas que se dan entre el derecho y la política.

---

[27]   En un seminario de Derecho Penal realizado en la Universidad Pompeu Fabra de Barcelona, en el año 2015, entre Sánchez-Ostiz, Silva-Sánchez y Pawlik se desarrolló esta crítica. La misma, así como su respuesta, quedó consignada en el texto publicado con el título de Ciudadanía y derecho penal, de Pawlik: "Pues bien, si se parte de que la pena significa el restablecimiento del Derecho, ¿sería posible entender que la importancia de la pena no está en su ejecución sino en la declaración jurídica?" (2016, p. 61). En este horizonte crítico y con miras a limitar y garantizar un derecho penal que no pierda de vista al delincuente, recientes escritos, construidos a partir de conceptos sistémicos como el de los equivalentes funcionales, han tratado de exigir medidas que aminoren el dolor propio de las penas, representado, con mayor énfasis para el penado, en la etapa de ejecución. Para estos efectos pueden consultarse los escritos en este sentido de Silva-Sánchez (2018; 2017).

Para entender a cabalidad el argumento, creemos oportuno recapitular algunos puntos: analizamos en el primer capítulo que, a través de los acoplamientos estructurales, los sistemas toman del entorno aquello que estiman viable para su propia reproducción y lo hacen, mediante sus propios códigos y operaciones, propio. Acoplar no es confundir entorno con sistema, es tomar algo del entorno y releerlo en clave del sistema que lo recibe. Analizamos igualmente al inicio de este capítulo, que en las sociedades con bajos niveles de confianza los límites de diferenciación funcional entre el derecho y la política no son tan claros. La desdiferenciación es una consecuencia negativa de la baja confianza demostrada empíricamente. De la misma forma dijimos que, en las periferias, para solucionar ese problema, se construye el equivalente funcional de los derechos fundamentales con el fin de legitimar la aplicación del modelo, de forma que aun en las periferias las garantías constitucionales asentadas evolutivamente mediante procesos de diferenciación, —concepto este que podría equiparse a la simbolización normativa de los derechos fundamentales—, estabilizan garantizando la identidad normativa de la sociedad.

El paso siguiente lo construiremos a partir de la siguiente premisa: el funcionalismo luhmanniano garantiza que las decisiones políticas no puedan afectar las construcciones jurídicas que constituyen la identidad del sistema, es decir, si jurídicamente se han reconocido garantías constitucionales, simbolizadas, de forma genérica, por medio de derechos fundamentales, los acoplamientos entre derecho y política, a través de la forma de la política criminal, deben, necesariamente, respetar los símbolos jurídicos.

Es apenas una de las consecuencias teóricamente esbozadas en el primer capítulo: los sistemas, si bien se acoplan, no se confunden. Si en el sistema político, pensemos, una decisión de poder vinculante, quisiera afectar las garantías jurídicamente estabilizadas, eso exigiría que la decisión de poder se vincule con el sistema jurídico, pues dejaría de ser política para convertirse en derecho. Así, al recibir ese *input* del sistema político, el derecho debe someter la decisión a todas las formas por él mismo establecidas para garantizar su propia comunicación y autopoiesis. Y es allí donde el derecho, en los términos ya explicados para las sociedades periféricas, limitaría cualquier expresión política de poder.

Expliquémoslo de forma más sencilla con un ejemplo: si desde del clamor social se reclama, por ejemplo, que el reproche penal que se debe seguir ante la comisión de ciertos delitos debe ser la pena capital o la prisión perpetua, cualquier decisión política que busque hacerse vinculante en ese sentido debe acudir al sistema jurídico e insertarse en sus formas propias. Los límites entre sistemas, paradójicamente, en tantas ocasiones criticados por los detractores del pensamiento luhmanniano, terminarían siendo totalmente garantistas para, quizás, impedir la intromisión de la nueva propuesta buscada. Por ello es que el derecho traza límites o procedimientos en su interior. Y por eso es que se exige que en las sociedades periféricas la garantía de los derechos fundamentales se simbolice de mayor forma (mediante un catálogo cada vez más amplio de instituciones). Todos los símbolos jurídicos, por ser jurídicos y ya no únicamente políticos, serán la identidad normativa, pero a su vez las barreras de cualquier dudosa pretensión política[28].

---

[28] De allí se justifica la razón del acoplamiento estructural entre la política y el Derecho a través de las Constituciones. En un sentido similar al aquí planteado, Neves (2014), quien en sus estudios ha hecho particular énfasis en el análisis de las periferias de la modernidad sobre la teoría de sistema luhmanniana, expresa: "La Constitución, al mismo tiempo que posibilita la diferenciación entre sistema político y sistema jurídico, actúa como acoplamiento estructural entre ambos. Pero, ¿qué significa esto? Esto quiere decir que los mecanismos de dos sistemas autónomos se influyen y afectan recíprocamente, de forma duradera y permanente, sin que ninguno de esos sistemas pierda su respectiva autonomía. Los acoplamientos estructurales son filtros que excluyen ciertas influencias y facilitan otras. Hay afectaciones recíprocas, vinculadas a la relación simultánea de independencia y dependencia entre los sistemas que se encuentran acoplados estructuralmente. No se trata de un mero acoplamiento operativo, momentáneo, sino de interpenetraciones e interferencias de carácter continuo. Las estructuras de un sistema pasan a ser, mediante los acoplamientos estructurales, relevantes e indispensables para la reproducción de las estructuras del otro sistema y viceversa. En tal sentido, funcionan como acoplamientos de este tipo el lenguaje en la relación entre consciencia y sociedad; los contratos y la propiedad en la relación entre derecho y economía; la tributación en la relación entre política y economía; las asesorías de especialistas («experts») en la relación entre política y ciencia; la universidad en la relación existente entre educación y ciencia; los títulos y diplomas en la relación entre economía y educación; las galerías de arte en la relación entre economía y arte, etc. Entonces cabe preguntarse, ¿cómo funciona la Constitución en cuanto acoplamiento estructural entre política y derecho? En cuanto acoplamiento estructural entre política y derecho, la Constitución, por un lado, convierte al código binario «lícito/ilícito» en relevante para el sistema político; esto implica que las exigencias del Estado de derecho y de los derechos fundamentales pasan a construir contornos estructurales de la reproducción de los procesos políticos de búsqueda del poder y toma de decisiones colectivamente vinculantes, incluso en la medida en que las decisiones mayoritarias democráticamente deliberadas puedan ser declaradas inconstitucionales. Por otro lado, convierte al código binario «poder/no poder» en relevante para el sistema jurídico. Esto significa que el proceso democrático de toma de decisión política, en el sentido de formación de la mayoría, pasa a constituir una variable estructural de la reproducción de los procedimientos jurídicos, de solución y absorción de conflictos, incluso en la medida en que la producción de normas jurídicas legislativas depende de las decisiones políticas deliberadas democráticamente y tomadas mayoritariamente. Este acoplamiento estructural se concreta y realiza por medio de procedimientos estatuidos constitucionalmente, esto es, procedimientos judiciales, administrativos, legislativos, electorales y democráticos directos, organizados en una escala que pasa del énfasis en la racionalidad jurídica (procedimientos judiciales) a una prevalencia de la racionalidad política (procedimientos parlamentarios, electorales y plebiscitarios). De tal forma, existe una legitimación política (democrática) del derecho, y una legitimación jurídica (rule of law) de la política" (2014, p. 169).

En el ejemplo acabado de plantear, entonces, el sistema jurídico exigiría que la intención se someta a los complejos procesos de modificación constitucional, intención que, en algunos casos, quizás, podría ser rechazada de plano por tratarse de asuntos vinculados con las denominadas cláusulas que sustentan la razón de ser de la Constitución.

Esto es, Luhmann reconoce que hay contenidos políticos, morales, religiosos, etc., que pueden introducirse al sistema jurídico. Pero esa intromisión debe respetar las formas del derecho, pues ya dejaría de ser entorno para convertirse en parte del sistema. De allí que, podría pensarse, rápidamente, que su teoría no es tan "pura", como en principio pareciese. Sin embargo, sí lo es. Vista bien, lo puro será la forma o la operatividad del derecho, la autopoiesis jurídica. Si bien la comunicación del sistema jurídico puede estar alimentada de *inputs* de otros sistemas, la gramática, la lógica, los términos, los procedimientos de debate, de discusión, de cómo se introducen todos esos contenidos al sistema jurídico (que es lo que termina por preservar las garantías constitucionales que por la evolución ya se han adquirido), serán los propios del derecho. Aquí, aprovechando una precisa construcción ya hecha Juan Oberto Sotomayor, más que un derecho penal garantista en retirada[29], Luhmann lo que habilitaría es la aparición de un derecho penal garantista conservador, en la medida en que, para variar las garantías, es necesario inmiscuirse en la gramática propia que, para las mismas garantías, ha diseñado el sistema jurídico.

El principio de proporcionalidad nos ayudará para facilitar de mejor forma el discurso que se propone. En últimas, el principio de proporcionalidad es una forma que se ha incrustado dentro del sistema jurídico. Si se quisiera con una decisión política modificar la pena asignada a un delito por considerarla ínfima frente a algún tipo de exigencia social de punición, dicha decisión debe someterse al trámite propio establecido por el sistema jurídico para este principio. Ese proceso podría conducir a negar la modificación punitiva al no cumplir con el test de razonabilidad y ello sería así por más que existan grandes clamores populares recogidos políticamente para querer modificar la respuesta punitiva.

El funcionalismo sistémico de corte luhmanniano conducirá a estabilizar una política criminal de tipo garantista en sociedades sin claros procesos de diferenciación funcional.

En tercer lugar, un argumento que puede servir para justificar nuestro planteamiento viene dado de una interpretación que pretendemos hacer del mismo

---

[29]   Sotomayor (2008) utilizó esta expresión para referirse a los riesgos a los que, en materia de garantías, se estaba sometiendo el derecho penal producto de los denominados procesos de modernización del mismo.

Jakobs. La obra de Jakobs puede ser catalogada como una lectura penal de dos corrientes de pensamiento: una sociológica, a partir de la teoría de sistemas de Luhmann, sobre todo en lo que tiene que ver con su concepto de contrafacticidad y expectativas, y otra de corte filosófico, a partir del materialismo dialéctico de corte hegeliano, sobre todo en su concepción de pena y su concepto normativo de libertad. Ahora, dentro de estas corrientes es posible identificar el pensamiento del reconocido profesor de Bonn en dos momentos. Un primer Jakobs centró su atención en la explicación sociológica de su método dogmático, para lo cual utilizó, en mayor medida, elementos de la teoría de sistemas. En un segundo momento centró su atención en explicar, de mejor manera, aquella relación filosófica que su teoría hacía de Hegel. Es, a partir de este segundo momento, cuando comenzó a reconocer en su planteamiento fundamentos de legitimación material que, construidos a la par de las bases sociológicas, servían para fundamentar las razones por las cuales la pena estatal podría ser legítima (Feijóo, 2012).

Todo ello lo logró a partir del estudio de la culpabilidad y la libertad que comenzó a realizar en la década de los noventa. La culpabilidad como ejercicio de fidelidad al derecho comenzó a reconocer su fundamento en la verificación previa del cumplimiento de expectativas por parte del Estado. En este segundo Jakobs, el fundamento material de la culpabilidad, por ende, su concepto de libertad y la justificación de la pena última a imponer, dependerá de la verificación de lo *mínimo* por parte del Estado como centro de expectativas de comportamiento[30]. Esta idea aparece claramente demostrada en un valioso texto denominado *La culpabilidad de los foráneos*. En este texto expresa Jakobs (2008):

> Para poder hablar de culpabilidad en sentido material, el Estado que quiera reclamar para sí el «precio» de la fidelidad al Derecho cuando observe la falta de esta fidelidad, debe demostrar dicha culpabilidad en el ciudadano que corresponda, debe darle a él o, por lo menos, ofrecerle una contribución acorde con ese «precio»; dicho con otras palabras, debe tratarse de un Estado legítimo. A dicha contribución pertenece modernamente empezando por la protección, luego la libertad y hoy, además, la posibilidad de participar en el proceso político, cada una de estas posibilidades en general, exceptuando, por supuesto casos especiales (prisioneros, deportados, pero también los viajeros de tránsito en lo que tiene que ver con las formas de participación, etc.) No obstante, la total estructura normativa no se desmorona con cualquier déficit parcial de legitimación. Por ejemplo, cuando una dictadura ofrece protección y no limita la propiedad privada, puede parecer poco oportuno hablar de culpabilidad en caso de

---

[30]   Arendt (1968) entiende que el derecho más básico que debe reconocérsele a todo ser humano es el derecho a tener derechos. A nuestro juicio, es este el mismo sentido que alcanza Jakobs cuando hace referencia a los mínimos de correspondencia entre el Estado y la persona para exigir de ella, luego, materialmente y con carácter legítimo, el fundamento propio de la pena estatal.

una alta traición que tiene como fin instaurar estructuras democráticas, pero, por el contrario, muy oportuno en un homicidio por celos, en un abuso de confianza en una empresa que no explota a las personas o en una conducción en un estado de embriaguez. Una cuestión muy distinta es cuando un Estado en descomposición no puede dictar una sentencia sólida ajustada a derecho en caso de culpabilidad debido a sus propias deficiencias. (p. 127)

Más que de un componente material de culpabilidad, se trata, en últimas, de una justificación de su teoría del delito con criterios de justicia al caso concreto, lo que, por supuesto, varía un poco su planteamiento formalista inicial. Hoy, el planteamiento medular de Jakobs, comprendido primero todo su fundamento sociológico, pasa por un re-entendimiento de la libertad normativa y el concepto material/funcional de culpabilidad[31].

Lo dicho, por sí, justifica el tercer argumento que aquí estudiamos para la proposición relacional funcionalismo/garantismo en el particular caso colombiano. Como vimos, una cosa es que la Constitución y el sistema jurídico simbolicen en gran medida el reconocimiento de los derechos fundamentales y otra, muy distinta, la garantía de su efectiva protección. En aquellas sociedades que además de

---

[31] Es en la culpabilidad, según la teoría de Jakobs, donde se materializa de forma más aguda la relación entre pena y delito. La distinción entre individuo y persona que Jakobs toma de funcionalismo sociológico y encuentra en la mencionada relación un pequeño matiz: la pena tiene efectos sociales en la medida que se impone a una persona (centro de imputación jurídica); de allí su carácter preventivo integrador; sin embargo, los costos de la misma necesariamente suponen un mal para el individuo o la persona de carne y hueso. La pena siempre es y será dolor (Jakobs G., 2007b). Esta situación, fue ya advertida por Molina (2008), así: "Incluso admitiendo, a efectos de la discusión, que fuera correcta la distinción entre individuo y persona, cabría preguntarse qué puntos de contacto existen entre ambas figuras. Si, como hace acertadamente Jakobs, se insiste en el principio de culpabilidad como fundamento de legitimar la sanción a una persona competente, no puede pasarse por alto que, aunque el infractor de los deberes jurídicos es la persona, la que sufre —en un sentido material, físico— la pena es el individuo (el propio Jakobs ha reconocido que la pena no se mueve solo en el plano comunicativo sino también en el fáctico; es un mal que causa sufrimiento a quien se le impone)" (p. 222). Si bien se reconoce un verdadero acoplamiento relación entre sistemas en relación con la culpabilidad y la pena, no significa lo anterior que Jakobs avale procesos fácticos o causalistas para determinar la libertad como supuesto de la culpabilidad. No se trata para él —la libertad— de ninguna estructura lógico objetiva que anteceda al derecho. Su concepto de libertad, como todos sus conceptos, son puramente normativos. Libertad en Jakobs, de la misma forma que en Hegel, es un concepto relacional al concepto también normativo de persona. Por todo este es que Jakobs es reacio en aceptar cualquier conclusión derivada de las ciencias naturales para justificar, por ejemplo, los problemas de las denominadas "neurociencias" y su relación con la libertad. Jakobs niega la posibilidad de cualquier determinismo natural. Sus posiciones en este sentido pueden encontrarse claramente sustentadas en Jakobs (2008) y Feijóo-Sánchez (2012).

periféricas manifiesten una situación masiva de atentados a derechos fundamentales, en atención al fundamento material de la culpabilidad que el mismo Jakobs esboza en sus últimos escritos, la única política criminal que el Estado puede asumir será una de tipo garantista. No sería consecuente afirmar un masivo incumplimiento de expectativas por parte del Estado para con sus asociados y, por otra parte, operar jurídicamente frente a ellos a través de esquemas eficientistas de represión. Se reitera que, en las periferias, las únicas decisiones que se estiman posibles y legítimas serán aquellas que conduzcan a lograr la diferenciación; no aquellas que la acentúan.

En este punto y sin pretensiones de exhaustividad, porque desborda el objeto mismo que hemos planteado para este escrito, basta con rastrear la situación colombiana:

Empecemos por decir que Mauricio García-Villegas y José Rafael Espinosa publicaron un texto con evidencias empíricas titulado *El derecho al Estado* (2013). En este libro se explica cómo, para una amplia población colombiana, *el Estado no está*[32]. Demuestran que hay un evidente abandono institucional en grandes porciones del territorio (más del 60% del territorio nacional). Las personas, por tanto, que viven allí, se encuentran por fuera de la institucionalidad, particularmente en todo lo que tiene que ver con las funciones básicas, entre ellas las instituciones de justicia. Esta cifra es coherente con los bajos niveles de confianza en las instituciones que hemos demostrado ya para Colombia, en la medida que, en más de la mitad de la porción espacial que corresponde al Estado, básicamente este no cumple su expectativa como tal.

Dentro de esta perspectiva es necesario soportar, de una forma cualitativa, los índices de desconfianza asociados con la amplia desprotección y no garantía de los derechos fundamentales que se presentan en Colombia. Lo anterior, si bien es un fenómeno multicausal y complejo, leído desde Luhmann, solo crea mayores brechas entre el centro y la periferia en el país. El conflicto armado, la falta de equidad entre las regiones, la corrupción o las imposibilidades de acceso a la justicia, son solo algunas de las causas que agudizan la situación que se ha acreditado empíricamente. En este sentido, son varios los estudios que se han acercado a las posibles causas de la segmentación del país y la desprotección de derechos. Por ejemplo, Gouëset (1999); Cortés y Vargas (2012); La Rota, Lalinde y Mata (2014); García-Villegas (2008); García-Villegas, Espinosa, Lalinde, Arroyave y Villadiego (2015); García-Villegas, García, Rodríguez, Revelo y Espinosa (2011); Chambers (2013); Clammer (2012) y Harilal (2015), por mencionar solo

---

[32]   Esta idea ha sido ya también explicada por otros, entre ellos, Solano Vélez (2016).

a algunos. Los estudios, en su conjunto, sirven para determinar que la historia en Colombia ha significado una constante defraudación de las expectativas institucionales por parte del Estado a favor de sus ciudadanos.

A nuestro juicio, en últimas, los niveles de funcionalización de determinada sociedad requieren, desde los presupuestos teóricos vistos, que el reconocimiento de la personalidad (centro de imputación jurídica), previamente se soporte en el cumplimiento de unos mínimos de expectativas a cargo del Estado. En pocas palabras, ya no será la mera simbolización normativa de los derechos fundamentales (aquella que opera como equivalente funcional), sino su efectiva garantía la que representará los límites del funcionalismo penal sistémico. Ante este estado de crisis, solo le queda al derecho ratificar la expectativa con los límites propios del equivalente funcional que asume una política criminal garantista. Es este el sentido de las crisis sistémicas como muestras de la desdiferenciación funcional que padecen algunos países de América Latina. Y fue, por ello mismo, que expresó Mascareño[33] (2017a) que "las crisis son implosión de la reflexividad. Puesto que la función del derecho es proteger la memoria normativa del sistema, su rendimiento en transiciones críticas es el de un acompañamiento reflexivo que ofrece a la incertidumbre de la crisis un horizonte para la ratificación, variación o sustitución de la norma" (p.13).

En todo este recorrido justificante hemos demostrado que, a partir del concepto de sociedad periférica y del equivalente funcional de los derechos fundamentales, es posible extraer la existencia de una política criminal de corte garantista coherente con los planteamientos del funcionalismo jakobsiano. Únicamente nos resta concretar qué se entiende por un modelo garantista de una política criminal.

---

[33]   En otros textos, desde una mirada sociológica, Mascareño se ha ocupado de la crisis de la diferenciación funcional en América Latina y explica, por ejemplo, cómo opera aquí la semántica de la diferencia: "En el siglo XIX América Latina enfrenta un estado muy especial de complejidad del sistema social, el que probablemente sea, en aquel momento, también encontrable en África o Asia, aunque no en Europa. El siglo XIX es el instante en que la diferenciación funcional aparece en América Latina como un serio candidato para asumir el primado del modo generalizado de regulación de la sociedad. Las formas de diferenciación estratificadas o centro-periféricas del período colonial no han sido suprimidas, como tampoco la organización social segmentaria de los pueblos indígenas, pero paralelamente, la diferenciación funcional, especialmente en el ámbito económico y político, inicia un despliegue evolutivo de alta preponderancia. Esto es particularmente visible en la segmentación moderna de los estados nacionales y su incorporación a un sistema político mundial a inicios del siglo XIX. Si la forma de diferenciación produce directa o indirectamente correlatos semánticos, parece ser sistémicamente interesante preguntarse por el tipo de autodescripciones que produce la sociedad en un momento evolutivo en que distintas formas de diferenciación luchan por el primado de la conducción general de la sociedad" (Mascareño, 2009b).

Comencemos por decir que la política criminal[34] forma parte de la política que se traduce en normas jurídicas (política jurídica) y del ejercicio, en general, del poder (política). Por política entendemos, siguiendo a Aristóteles (1967), el arte que se emplea para gobernar los pueblos, es decir, la tarea de disponer los medios que resultan ser idóneos, necesarios y proporcionados para alcanzar ciertos fines que le interesan a la polis y a la sociedad en general. En otro giro, podría decirse, con Gómez (2002), que la política es el arte de dosificar la libertad que el hombre puede soportar y la servidumbre que necesita.

Dicho esto, la definición tradicional de política criminal se le atribuye a von Liszt (1999), para quien la política criminal es la acción del Estado en contra del crimen. En ese sentido, afirma von Liszt (1999), el derecho penal es la barrera infranqueable de la política criminal, lo que quiere significar que el Estado debe actuar en contra del crimen, pero siguiendo los caminos trazados por el derecho penal positivo. Por ello mismo, se afirma que el derecho penal es la *Carta Magna* del delincuente, toda vez que la norma penal es, ante todo, la garantía que tiene el individuo para defenderse de la acción que el Estado promueve en su contra.

Algunos autores, desde una visión más reducida, afirman que la política criminal es "el arte de legislar en materia penal" (Creus, 1992). Esta concepción reduce la política criminal a una política penal propiamente dicha. Más bien, habría que entender que la política criminal, entendida como la acción del Estado frente al crimen, es mucho más que la política penal, porque, si pretende atacar las causas del delito (factores criminógenos) y atenuar sus efectos, la política criminal debe incluir políticas sociales, económicas, educativas, familiares, entre otras.

Más allá de lo anterior, la política criminal puede ser vista como la efectiva acción del Estado en contra del crimen y como una disciplina, como un saber penal (Mir, 2005b). En tal sentido, la política criminal será aquel saber penal que se ocupa de estudiar los fines del sistema penal y la forma cómo deben configurarse los medios para que este sea eficaz. Así, la política criminal se pregunta por los fines que la pena debe cumplir en la sociedad, por cómo deben redactarse las leyes penales, cómo deben construirse los tipos penales, cuáles deben ser las sanciones aplicables, cuál debe ser la magnitud de tales sanciones, cuáles expectativas sociales deben ser protegidas por el derecho penal y, más aún, cuáles no.

En suma, la política criminal se pregunta por el cómo y el para qué del derecho positivo, de modo que pueda ser eficaz en la prevención y reacción frente al delito. Que sea eficaz significa que cumpla con sus cometidos y que sus cometidos

---

[34]   Esta descripción fue elaborada ya por el autor en otro escrito. Se remite al texto de Duque, Solano, Arrieta y otros publicado recientemente (2019). Para efectos del escrito que aquí se presenta se sintetiza únicamente en cuanto la determinación de su contenido.

sean unos u otros depende del modelo de Estado que se asuma. De acuerdo con los fines que identifica la política criminal y los medios que dispone para su consecución, existirían, al menos, de dos clases de política criminal[35].

En primer lugar, la política criminal *garantista*[36], tiene por finalidad responder al delito sin violentar la dignidad humana. Lineamientos básicos para una política criminal garantista pueden verse en la obra de Beccaria (1797). El autor italiano, en su obra *De los delitos y de las penas*, no describe, en forma coherente, lo prescrito por el derecho penal positivo, sino que, en ella, más bien, se encarga de criticar, acerbamente, el derecho penal de su época, y de proponer reformas al mismo. Otro ejemplo, más reciente, a propósito de una política criminal garantista, puede verse en la obra de Ferrajoli (2011). Esa obra no describe un derecho penal positivo en particular, sino que perfila un modelo ideal de derecho penal[37].

La política criminal garantista se expresa como un saber que critica y busca reformar el derecho penal positivo cuando este se considera arbitrario. La política criminal garantista es la política propia del Estado personalista, por tanto, dicha política criminal se encamina a que ningún inocente sea castigado y a que el castigo del culpable se realice con el menor sacrificio posible de sus derechos y garantías. Sacrificio mínimo, pero, en todo caso, necesario para evitar la venganza privada.

Esta forma de política criminal propone la creación de un derecho penal edificado como un sistema de garantías para todos los ciudadanos, esto es, un sistema de límites formales y materiales al ejercicio del *ius puniendi*.

En segundo lugar, la política criminal eficientista, que es la propia de un *Estado transpersonalista*, maximiza la intervención punitiva con el fin de alcanzar, al costo que ello implique, un ideal colectivo. Esta política criminal, una vez materializada, corre el riesgo de sacrificar inocentes en función del logro de dicho ideal. Llevada al extremo, una política criminal eficientista se rebajaría al estatus del delincuente porque pretende combatir el delito con el delito mismo. Con frecuencia, una política criminal de este tipo comporta el aumento de las penas, la

---

[35]   Sobre la incidencia del contexto jurídico político, en el derecho penal, puede verse el texto de Solano (2008).

[36]   Sin duda, la más grande elación contemporánea que se ha hecho sobre el garantismo, se le debe Ferrajoli (2011). Quisiéramos resaltar, además, en este punto, las construcciones del Prieto-Sanchís (2011) y, para el caso de Colombia, los escritos Sotomayor (2006). En todas se exponen las características, fundamentos y legítimas conclusiones a las que llega este modelo de pensamiento.

[37]   En realidad, el garantismo penal no existe al margen de un modelo punitivo absoluto, preventivo general o preventivo especial. Por ello, afirma Silva-Sánchez (2012) que el garantismo, en el contexto de un derecho penal orientado a la prevención general positiva, constituye el estado más evolucionado de las actitudes político criminales básicas.

creación de nuevas figuras delictivas y la flexibilización de las garantías, materiales y formales, pensadas en favor del ciudadano. En consecuencia, en el ámbito penal, se habla de eficientismo cuando se acude a cualquier medio, por ilegítimo que resulte, para la obtención del resultado y del fin. Desde esta perspectiva, el Estado asume la respuesta al delito como una verdadera lucha, sin miramiento alguno por la dignidad humana.

La política criminal eficientista, en este orden de ideas, no critica el ejercicio del poder punitivo, sino que, más bien, lo justifica. En este sentido, da cuenta de un saber al servicio del *statu quo*.

Como expresión del eficientismo la política de seguridad ciudadana que se conoce con el nombre de "tolerancia cero". Esta política, que surgió en la década del 60 en los Estados Unidos y que cobró plena vigencia a partir de los atentados terroristas del 11 de septiembre de 2001, encuentra, en la historia de Occidente, diferentes correlatos, como lo fue el tratamiento de los delitos de lesa majestad en las civilizaciones antiguas.

Con estas premisas, la diferencia entre una política criminal garantista y una política criminal eficientista radica en los medios que se utilizan para dar respuesta eficaz al delito. La elección de estos medios dependerá, en últimas, de los valores de cada sociedad, los cuales, habitual y mínimamente, aparecen explícitos en su Carta Política. De este modo, puesto que delimita su margen de acción, la dimensión axiológica de la norma jurídica es de sumo interés para la política criminal. En un Estado personalista, el valor de la dignidad humana, como imperativo de lo que se considera correcto, condiciona la forma cómo se debe y se puede emprender la acción frente al crimen. Garantías penales como la presunción de inocencia, el principio de igualdad, entre otras, se desprenden de una valoración favorable a la dignidad humana. En cambio, en un Estado transpersonalista, encontraremos otros valores sociales que se sitúan por encima de la dignidad humana, como lo son, entre otros, la eficiencia, la seguridad y la utilidad. Estos valores determinan, pues, que poco importan los medios, siempre y cuando el fin sea alcanzable. Las políticas de tolerancia cero, las normas que presumen la responsabilidad penal de los individuos, los procedimientos que cercenan el derecho de defensa, entre otras medidas eficientistas, responden a una concepción del derecho penal entendido como instrumento de guerra.

En las complejas sociedades contemporáneas es difícil encontrar esquemas puros. Con frecuencia, un mismo sistema penal combina dosis de garantismo con necesidades de eficiencia. La expansión del derecho penal, como fenómeno que busca dar cuenta de las complejidades sociales, es un hecho innegable. Frente a esta realidad, Silva-Sánchez (1999) propone hablar de un derecho penal de dos velocidades. La premisa que sirve de soporte a esta teoría es sencilla: no todos los delitos se deben enfrentar de la misma manera. Así, el derecho penal clásico o nuclear se ocuparía de la respuesta a los delitos que defraudan expectativas normativas individuales de relevancia social; mientras que el derecho penal moderno o de frontera se encargaría, principalmente, de dar respuesta a los delitos que defraudan expectativas normativas colectivas de relevancia social. En el primer caso serían apropiadas las penas privativas de la libertad, mientras que, en el segundo, lo serían las penas resarcitorias. Solo en estas últimas formas de reacción al delito, que se encuentran a medio camino entre el derecho penal y el derecho administrativo, sería admisible flexibilizar algunas garantías.

Entre la dogmática penal, la criminología y la política criminal se presentan puntos de convergencia, al igual que factores de divergencia, en suma, tanto vasos comunicantes como rupturas.

La dogmática jurídico penal, en su fase relacionada con la crítica, se impregna de elaboraciones provenientes de la política criminal y de la criminología. A partir de esas elaboraciones, dicen algunos, el analista, una vez ha reconstruido sistemáticamente el derecho penal positivo, puede formular cuestionamientos al mismo. En este sentido, la dogmática jurídico penal instrumentalizaría a la criminología y a la política criminal para elaborar sus propias críticas.

Esto explica la tendencia que se percibe en la actualidad y que refiere la necesidad de un sistema dogmático abierto a las consideraciones propias de la política criminal, de modo que todo estudio dogmático tendría consecuencias políticas. Roxin (2000) afirma que cada una de las categorías dogmáticas del delito cumple una función político criminal: la tipicidad realiza el principio de legalidad, la antijuridicidad soluciona conflictos sociales y la culpabilidad se vincula con las teorías sobre los fines de la pena[38].

La criminología se vale de la dogmática para analizar, en la realidad, cómo el derecho penal es interpretado y aplicado por los operadores jurídicos. Así, la criminología puede convertir los estudios dogmáticos en hechos de estudio, en tanto que sirven para reproducir como limitar el ejercicio del poder punitivo. Estos estudios serían piezas documentales de la realidad. De este modo, la criminología, al analizar el concepto de control social, problematiza el alcance empírico de la política criminal.

---

[38] Una política criminal garantista debe dar lugar a una dogmática jurídico penal orientada a limitar el ejercicio del *ius puniendi*. Por esta razón, Silva-Sánchez (2012) afirma que: "determinadas concepciones dogmáticas —únicamente algunas—, al proponer la configuración de un 'sistema abierto', permeable a la incidencia directa de los principios materiales que han de inspirar la intervención penal, se constituye asimismo en un vehículo adecuado para traducir en términos conceptuales y trasladar a la práctica aspiraciones como la de restringir la intervención del poder punitivo al mínimo auténticamente necesario (perspectiva garantista material)" (p. 66).

La política criminal, por su lado, se nutre de las depuraciones técnicas contenidas en los estudios dogmáticos. Lo hace para crear, rigurosamente, disposiciones normativas coherentes con el sistema jurídico. A su vez, la política criminal se vale de la criminología para medir la eficacia o la ineficacia de los medios normativos existentes para hacerle frente al crimen, de modo que, si los considera ineficaces, habrá de reformarlos. La criminología le muestra a la política criminal el camino para atacar las causas y mitigar los efectos del delito. Corresponde a la política criminal valorar tales medios en términos de su idoneidad, necesidad y proporcionalidad. Si la política criminal omite considerar los adelantos dogmáticos y criminológicos, fácilmente podría degenerar en lo que suele llamarse "populismo punitivo". En este se privilegia la emotividad por encima de la racionalidad que le suministran, a la política criminal, los otros saberes. No obstante, también se presentan tensiones entre la dogmática, la criminología y la política criminal.

La dogmática jurídico penal descalifica, con frecuencia, los estudios criminológicos, por considerar que estos responden a determinadas ideologías o por estimarlos, simplemente, como ajenos a la ciencia del derecho. Desde otra perspectiva, la dogmática al detectar la introducción, en el sistema jurídico, de una norma que juzga irracional, no escatimará en su crítica. De allí que los estudiosos del derecho, constantemente, cuestionen la forma cómo se encuentran redactadas las disposiciones normativas, al igual que la labor de quienes las aplican.

La criminología muestra, en algunos casos, cuán alejada puede estar la dogmática de la realidad. Así, por ejemplo, la criminología ha cuestionado principios como el de igualdad y muestra la selectividad del sistema penal. De igual modo, controvierte la utilidad de las estrategias de política criminal y evidencia los altos índices de impunidad y lo poco que los ciudadanos, en algunos países, acuden a las instituciones del Estado. Los reparos criminológicos denuncian la falacia positivista o normativista que puede estar presente tanto en la dogmática como en la política criminal, sobre todo cuando estas pretenden derivar lo que es a partir de lo que debe ser (porque debe ser, es).

La política criminal, a su manera, reprocha a la dogmática su presunta neutralidad. Cuestiona, además, la falacia naturalista a la que pueden conducir los estudios criminológicos, sobre todo cuando estos concluyen lo que debe ser a partir de lo que es (porque es, debe ser)[39].

---

[39] Ferrajoli (1995) reformula la llamada Ley de Hume, que sirve de sustento al planteamiento de ambas falacias, en los siguientes términos: "no se pueden derivar lógicamente conclusiones prescriptivas o morales de premisas descriptivas o fácticas, ni viceversa" (p. 27). Los juristas, con frecuencia, absolutizan esta dicotomía. No obstante, a partir de la segunda mitad del siglo XX, la tesis de Hume (1896) ha sido reinterpretada por los filósofos en el sentido de que no puede leerse como una imposibilidad de desprender con-

Para concluir, parafraseando a Kant (2007)[40], podríamos decir que la política criminal, sin dogmática y criminología, es ciega, pero estas, sin aquella, son vacías.

En concreto, y retomando nuestra propuesta, la política criminal garantista podría, perfectamente, emerger dentro del paradigma funcionalista sistémico. La diferencia que suele plantearse entre Roxin y Jakobs y que conduce a reprocharle al segundo su no vinculación con la política criminal[41], quedaría relativizada si se entienden debidamente los presupuestos sistémicos de los que parte Jakobs. Si bien la política no es derecho y por ello el sistema jurídico —en Jakobs—, no está abierto a consideraciones políticas; el sistema jurídico sí puede y debe acoplarse al sistema político —mediante actos de política criminal— y tomar de él, con sus propias reglas de producción, lo que estime necesario para garantizar la identidad normativa. Esos actos de política criminal, en Colombia, por todos los informes empíricos analizados, solo serían los propios de las garantías penales. La pro-

---

secuencias lógicas y prescriptivas en el deber ser a partir de lo que es, sino que tal hecho, aunque posible, debe ser suficientemente explicado (Widow, 2015).

[40]   Para hacer justicia con Kant, recordemos que este, en el marco de la discusión entre racionalismo y empirismo, diría: "Pensamientos sin contenido son vacíos, intuiciones sin conceptos son ciegas. Por eso es tan necesario hacer sensibles sus conceptos (es decir, añadirles el objeto en la intuición) como hacer inteligibles sus intuiciones (es decir, llevarlas bajo conceptos)" (Kant, 2007, p. 123)

[41]   Es cierto que, metodológicamente, hay considerables diferencias entre los planteamientos de Roxin y Jakobs. Roxin entiende que los límites del derecho penal se sustentan en las particulares consideraciones político criminales que existen en todas sus construcciones normativas. En ello radica la diferencia. Jakobs no permitiría que el derecho, en cuanto sistema cerrado, se limitara por consideraciones políticas externas a él. Sin embargo, más allá de la discusión teórica, de lo que se trata aquí es de mostrar compatibles las exigencias de una política criminal garantista con los planteamientos funcionalistas sistémicos. En un sentido similar, ha estimado Silva-Sánchez (2013) no notar tan alejados de la política criminal las tesis sistémicas. Así, ha dicho: "Realmente, y sin desconocer las importantes discrepancias que separan a las dos posturas (el autor se refiere a Roxin y Jakobs), no estimo incorrecta su calificación como próximas. Como Neumann ha puesto de manifiesto, la orientación a fines políticos criminales de la dogmática jurídico penal exige que el jurista pueda disponer de conceptos flexibles, conceptos que solo pueden ser normativos, pues los ontológicos se caracterizan precisamente por la sumisión que exigen por parte del dogmático. Recíprocamente, la normativización de conceptos exige un punto de referencia para la atribución a los mismos de un contenido; algo que, en principio, corre el peligro de convertirse en un procedimiento tautológico si no se atiende a los fines del derecho penal. Expresado lo anterior de otro modo: un entendimiento normativo de los conceptos jurídico-penales es presupuesto de toda sistemática teleológica, que pretenda orientar la dogmática a la función social del derecho penal; pero, a la vez, resulta difícil imaginar una normativización de los conceptos que no haya de recurrir a las finalidades político-criminales" (p. 25). , De una manera un poco más general y en una ocasión anterior al texto citado, Silva-Sánchez se pronunció en este sentido de (1997).

puesta de este libro ha buscado dar respuesta a alguno de los retos a los que se enfrenta la ciencia del derecho penal contemporáneo[42], además, quiere hacer compatibles los modernos criterios de normativización sin que se vean afectadas las garantías penales del derecho penal ilustrado.

Estas garantías serían los límites formales y materiales que existen para el ejercicio del poder punitivo. Desde un claro marco funcionalista de tipo sociológico[43], las mismas fueron ya analizadas por Piña-Rochefort (2004) en un texto en el que se preguntaba sobre la legitimidad del derecho penal desde una perspectiva sistémico-constructivista. Además del anterior, Cancio-Meliá también ha querido demostrar cómo, desde un planteamiento funcionalista penal sistémico, es admisible hacer consideraciones de política criminal[44].

Incluso, de la manera que se propone, se limita la contingencia de dar pie a alguna crítica que estimaría que la teoría de la pena propuesta por Jakobs podría conllevar obligados ejercicios de fidelidad al derecho, sea cual sea el contenido[45].

---

[42]   Silva-Sánchez ha estimado que uno de los retos a los que se enfrenta la ciencia contemporánea del derecho penal es el de afrontar una legislación y una aplicación judicial del derecho que tienden al intervencionismo y a la restricción de no pocas de las garantías político-criminales clásicas.

[43]   Desde otra perspectiva (no propiamente luhmanniana) pero sí desde las ciencias sociales que están apoyadas en el concepto de complejidad, González (2004) ha afirmado que también es posible una mirada emancipadora o liberadora y no únicamente conservadora como suele, casi siempre, atribuirse a modo de lugar común.

[44]   Expresa Cancio-Meliá (2003) que: "...En esta medida, hay política criminal en el *micro-plano* en un sistema funcional como el de Jakobs. Por ejemplo, por plantear un supuesto perteneciente a la dogmática de la parte general, parece claro que —dentro del sistema en funcionamiento— la determinación de hasta dónde llega la autorresponsabilidad de la víctima, al menos en los casos límite, es algo que no viene prefijado por las coordenadas del sistema. Y la opción por una u otra determinación de la correspondiente institución dogmática solo puede obtenerse por medio de una información de los datos del sistema que incorpora tantos elementos de valoración que es, en última instancia, política criminal. Lo que no se puede hacer —como lo ha mostrado Jakobs— es pretender colocar en el contexto del análisis dogmático las críticas en el *macro-plano* que va más allá de la propia identidad de la sociedad. Eso es política" (p. 114).

[45]   Feijóo (2014a), consciente de la crítica que se acaba de mencionar y con ánimos también de salirle al paso, expresa: "Es cierto que una estrategia que busque ejercitar fidelidad al Derecho interiorizado, estabilizando o reforzando convicciones, conciencias, hábitos, costumbres o creencias, presenta serios y elementales problemas desde un punto de vista democrático. Sobre todo, porque no respeta el foro interno de los individuos, que forma parte de la propia definición de ciudadano. Pero este reproche que dirigen las —más liberales— teorías de la prevención general negativa a las teorías de la prevención socialmente integradora debido a la confusión entre moral y derecho que conlleva, tampoco es resuelto de forma satisfactoria por aquella. No tiene que asumirse necesariamente como algo menos intolerable que el Estado se entrometa en dicho ámbito interno atemorizando sin respetar la autonomía personal. Si el adoctrinamiento es malo la intimidación no es necesariamente mejor si contemplamos el problema desde la perspectiva de "un hombre

Con lo explicado, el sistema jurídico no podría hoy, —o por lo menos de una forma tan simple— modificar arbitrariamente todos los objetos de protección. Sería sí un riesgo[46] —por supuesto, reprochable—, que soporta toda sociedad pero que no puede imputarse al funcionalismo penal sistémico. Visto desde este modelo teórico, este riesgo, incluso, podría aminorarse pues, por un lado, la evolución jurídica ha estabilizado las garantías y, por otro, porque el sistema político, que opera como entorno del derecho, probablemente también lo impediría.

En este estado de la cuestión y con la premisa de la aparición de la política criminal garantista en el funcionalismo jakobsiano, queda enunciar los usos y abusos del modelo la particular realidad social colombiana.

---

[46] político" o ciudadano que disfruta de determinadas garantías y libertades fundamentales que determinan el trato legítimo que el Derecho le puede dispensar. Las teorías más clásicas de la prevención general, en su vertiente negativa o socialmente integradora, no respetan el "mandato de neutralidad" como principio de un sistema democrático" (p. 265). Este riesgo suele materializarse en las legislaciones casi siempre mediante las características propias de un derecho penal enemigo. Es en este escenario donde el derecho penal "moderno" representa un arriesgado cambio en comparación con el clásico derecho penal de carácter ilustrado. En este nuevo enfoque, construido mediante el paradigma de la seguridad, le correspondería al derecho penal reaccionar mediante la inocuización o neutralización de todo tipo de riesgos. Este asunto fue ya estudiado por Robles (2007), quien en un escrito referido a analizar las principales estrategias actuales del derecho penal de la peligrosidad sexual, expresó: "El cambio de paradigma se produce con la irrupción de la seguridad en el discurso político-criminal y su manifestación inmediata en la legislación penal: del Estado de Derecho basado en libertades y del correspondiente Derecho penal de la culpabilidad al Estado de la seguridad y al correlativo Derecho penal de orientación preventiva y policial. De lo que ahora se trata es exclusivamente de la efectiva y eficaz protección a la víctima. La pena y la medida de seguridad dejan de dirigir su atención al delincuente en tanto persona resocializable para pasar a satisfacer la exigencia ilimitada de seguridad en las víctimas potenciales. Siendo ello así, cae por su propio peso el establecimiento de una nueva relación entre pena (y medidas de seguridad) y fines de la pena y límites a la intervención del Derecho penal: a mayor inseguridad, más necesidad de intervención. En este proceso, la proporcionalidad cambia de objeto de referencia: el delincuente debe tolerar una intromisión en su libertad hasta el punto necesario para garantizar la seguridad de la sociedad frente a él. En cierta medida puede afirmarse que la rudimentaria noción de la peligrosidad criminal (y de los inseguros criterios para su determinación individual) se ha quedado anticuada para fundamentar la reacción penal. Más bien la tendencia parece ser la de que sólo la garantía de no peligrosidad impide la intervención coactiva. La suficiente seguridad sólo queda garantizada si la puesta en libertad del autor sólo acontece cuando no exista ningún riesgo (más) de reincidencia" (p. 15).

4.3. HACIA UN INTENTO DE SÍNTESIS: POSIBLES USOS Y ABUSOS DEL FUNCIONALISMO PENAL SISTÉMICO EN COLOMBIA

Desde la introducción de este libro, la legitimidad en la aplicación del método hace referencia a la válida creación y adjudicación del derecho penal positivo en el ordenamiento jurídico colombiano. Dicha labor, por supuesto, le corresponde en mayor medida al juez penal, quien debe decidir la adjudicación del derecho positivo a un caso concreto. El problema que se ha planteado, entonces, requiere establecer como premisa que la legislación penal común actual, consagrada en la Ley 599 de 2000, no puede adscribirse, de forma plena, a un esquema o método para la construcción dogmática del delito. Por el contrario, el problema reviste mayor importancia cuando se verifica que muchas de las disposiciones que se encuentran consagradas en la Parte General del Código Penal pueden ser interpretadas a la luz de varios esquemas dogmáticos, como ocurre con el dolo, particularmente con el dolo eventual, bien frente a la determinación del elemento cognoscitivo o bien frente a la problemática de los conocimientos especiales del sujeto que pueden o no vincular la imputación; o con la culpa, sobre todo para la fijación de los comportamientos violatorios al deber de cuidado y los riesgos tolerados en ciertos ámbitos de competencias; o con las posiciones de garantía; o en los criterios de diferenciación entre autoría y participación o, por último; en el contenido asignado a la libertad como premisa de la culpabilidad.

Lo mismo ocurre con la aplicación que del modelo teórico se haga por parte de legislaciones penales especiales. Estas representan, también, algún grado de apertura al funcionalismo sistémico. Por ejemplo, en toda la legislación especial que hoy vincula los escenarios de la denominada justicia transicional. Las mismas instituciones dogmáticas mencionadas se verán afectadas en su sentido dependiendo del esquema escogido. Ello ocurre, por poner solo un evento, con la institución de la responsabilidad por el mando en el marco del conflicto armado.

Esta investigación es solo el comienzo de otras que, a partir de sus resultados, podrían ser específicas en cuanto a la resolución de ciertos problemas dogmáticos. Así, hechas las conclusiones que siguen frente a la válida aplicación del funcionalismo penal sistémico en ciertos contextos, podría pensarse en investigaciones concretas que se hagan en esas perspectivas del dolo o de la culpa; de la imputación objetiva; de la autoría y la participación, entre otras.

Por lo dicho, en primer lugar, centramos nuestra atención en los usos legítimos del funcionalismo penal sistémico en Colombia para, en un momento posterior, determinar las constelaciones de abusos.

236 Andrés Felipe Duque Pedroza

Para determinar los contextos agrupados en la denominación *usos*, creemos necesario recordar las conclusiones parciales del camino investigativo hasta el momento transitado: (i). producto de la verificación empírica de los déficits de confianza existentes en Colombia, afirmamos que la única política criminal legítima en Colombia es una de tipo garantista; (ii). por la constante defraudación de expectativas institucionales en cabeza del Estado, la legitimidad en la intervención penal no puede emerger de políticas eficientistas que maximicen el ámbito de imputación; (iii). consecuencialmente, los derechos fundamentales, a la vez que habilitan, parcialmente, el uso del modelo funcionalista, también lo limitan a aquellos casos en los que, pese a la desconfianza, y aun con mayor razón, se le asigna al derecho la función de garantizar la diferenciación funcional.

¿Cuáles serían, entonces, los casos en los que el derecho, reconociendo las deficiencias empíricas de Colombia, tiene la concreta función de garantizar la diferenciación funcional?

La respuesta, evidentemente, no puede ser todos los casos. De serlo, sería una contradicción con dos planteamientos aquí ya explicados: primero, sería tanto como afirmar que la sola existencia de los derechos fundamentales como institución se legitima el modelo en todos los casos. Segundo, la funcionalización sistémica del derecho penal a partir de roles y expectativas defraudadas puede ampliar, fácilmente, los criterios de imputación[47]. La permisión de dicha ampliación para todos los casos, vista en detalle, constituiría una contradicción con las exigencias de una política criminal garantista. Sin ahondar en esta última consideración, podría solo ejemplificarse con un caso: la normativización sistémica flexibiliza un poco el principio de legalidad, en tanto que las construcciones normativas van más allá de las determinaciones estrictamente típicas: se construyen a partir del entendimiento de la identidad normativa de la sociedad y de las comunicaciones que subyacen a los roles.

Los casos de legítima aplicación sistémica del derecho penal serán, en todo caso, residuales. Todos deben tener en cuenta los déficits de confianza existentes en Colombia y, a partir de ellos, demostrar que la normativización de los conceptos penales, o, lo que es lo mismo, que la funcionalización sistémica conduce a una diferenciación funcional y no a reproducir la ya existente desdiferenciación.

---

[47] Sobre capacidad innegable de expansión de las categorías dogmáticas del delito por causa del normativismo, ha dicho Silva-Sánchez (2016) que el problema real, más que la expansión, es la razonabilidad de la expansión. De allí que no toda expansión, por ese solo hecho, sería ilegítima.

En todo este recorrido, la culpabilidad sería un correctivo a la aplicación legítima del funcionalismo penal sistémico. Para que se pueda, válidamente, normativizar los criterios de imputación jurídica, es necesario demostrar que el Estado ha dado, por lo menos, mínimos de expectativas satisfechas con los cuales pueda existir la diferenciación funcional. Aunque a continuación será explicado con más detalle, sería este el caso de la legítima normativización sistémica que se haga en el ámbito de los servidores públicos. Para ellos el Estado está, de tal forma, que ellos mismos lo constituyen. Por el contrario, si retomamos los estudios empíricos ya analizados, citados por García-Villegas y Espinosa (2013), no sería legítimo aplicar este modelo teórico en todos los contextos de aquellas poblaciones que ocupan el 60% del territorio colombiano en el que, básicamente, el Estado no está.

Así entendida, la legítima funcionalización ocurreen dos eventos: (i). en el caso de la normativización que se haga para los juicios de imputación en los ámbitos de competencia de los servidores públicos y (ii). en el caso de la normativización que se hace en la estafa, particularmente frente a la víctima, para aminorar las cargas de autoprotección de su patrimonio ante los actos engañosos de terceros.

Pasaremos a estudiar, desde los presupuestos de legitimidad planteados, por qué razón son estos casos de *usos* legítimos:

En lo que tiene que ver con la normativización válida en los ámbitos de competencia de los servidores públicos, es necesario recordar una conclusión a la que llegamos cuando analizamos los índices empíricos de la confianza en Colombia, según la cual hay una evidente correlación entre índices de corrupción y desconfianza en las instituciones de justicia.

La corrupción, analizada desde la teoría de sistemas, es una muestra de una desdiferenciación funcional: el dinero, como medio de comunicación del sistema económico, se introduce (sin acoplamiento alguno) al sistema en el que se comunica el servicio público. Esta intromisión de lo económico en el rol público degenera los actos de autoproducción con los que opera el último sistema. Ante esta situación, al derecho únicamente le queda reafirmar la diferenciación de ambos sistemas mediante el detalle, la concreción y la estabilización de deberes específicos a los servidores públicos para que se comporten de acuerdo con lo esperado. De allí que una mayor funcionalización en este caso podría generar mayores índices de diferenciación, es decir, al verificar los índices de corrupción no podría el derecho simplemente no hacer nada, pues, con ello, lo que haría sería reproducir más desdiferenciación. La estabilización de nuevos deberes de comportamiento para los servidores públicos derivaría en mayores expectativas de comportamiento con el fin de lograr la efectiva diferenciación funcional en este campo.

Con todo, y para reforzar la legitimidad que venimos planteando, se vinculará lo dicho con las consecuencias que emanan del postulado de legalidad para el caso de los servidores públicos. Según este, los servidores públicos solo pueden realizar aquello que expresamente tengan permitido realizar. Todo lo que no se encuentre regulado dentro de la permisión se encuentra prohibido. Esto hace que el derecho deba (de forma imperativa) reafirmar cómo deben comportarse los servidores públicos de conformidad con su rol. En estos casos, la institucionalización del rol[48] determina la legitimidad de funcionalizar, es decir, si, por ejemplo, en Colombia no se confía en los jueces, la única decisión válida del derecho será establecer más específicos deberes de comportamiento para ellos. A partir los deberes se podrían normativizar sistémicamente sus comportamientos y así producir más confianza en el rol institucionalizado.

De una forma más simple: esta investigación puede justificar la expansión de los deberes para los servidores públicos, pues únicamente así se puede generar la confianza que, al no existir, crea desdiferenciación. No podría decirse que la misma lógica opera para quienes no actúan como servidores públicos, porque, aunque en estos campos se demostró que hay desconfianza, para los particulares el principio de legalidad opera de forma contraria: el particular puede realizar todo lo que no encuentre expresamente prohibido. Si la permisión es la regla general, no podría el sistema jurídico, con el fin de incrementar la confianza, limitar más. Esto es, no podría, legítimamente, restringir en mayor medida la libertad, pues, de hacerlo, daría lugar a una política criminal de corte expansionista o eficientista que no es coherente con la primera premisa analizada y que surge de sociedades periféricas.

Para establecer una total claridad en el argumento podríamos ejemplificar así: si en Colombia no se confía en el policía, no podría el sistema jurídico no hacer nada frente a esa situación, pues ello solo generaría más desconfianza.

---

[48] Por institucionalización del rol entendemos, siguiendo lo expuesto por Piña-Rochefort en una cualificada obra sobre la función sociológica del derecho penal, como "la absoluta emancipación del rol respecto de su destinatario. Es la objetivación del rol. Esto es, preguntarse por el proceso de la institucionalización de los roles equivale a preguntar qué áreas del comportamiento resultan afectadas por la institucionalización. De todo comportamiento institucionalizado emanan expectativas de que se mantenga la doble tipificación como la orientadora de la conducta. La institucionalización, así, vincula tanto al ego como al alter. Dicho con un ejemplo de Piña-Rochefort (2005) "No por el mero hecho de que algún integrante de la sociedad comience a clasificar la basura con miras al reciclaje, aunque lo haga consistentemente durante años, dicha conducta se institucionalizará. Sólo es posible hablar de institucionalización cuando se produce una asunción de la función ajena, esto es, cuando el resto de los elementos conduce como si contara (diera por supuesto) que el otro desempeñe su función (p. 188). Además de lo dicho, es apenas necesario referenciar que, de forma antecedente fue quien desarrolló con mayor rigor el concepto de la institucionalización de los roles fue el sociólogo Parsons (1991).

Lo único que podría hacer es regular más deberes específicos para el policía (establecer qué puede hacer y cómo lo puede hacer), de forma que a través de todas las prohibiciones remanentes se garantice la confianza y se genere la diferenciación funcional que no existe. Si bien no hay confianza fáctica en esta institución del Estado, seguirá existiendo una expectativa de comportamiento frente a dichos servidores, de forma que se pueda estabilizar el orden social y reducir la contingencia en el incumplimiento de sus deberes. Si en Colombia no se confía en el vecino, no podría el sistema jurídico intervenir a través del establecimiento de específicos deberes de actuación de los ciudadanos basados en deberes concretos de solidaridad inexistentes, aunque ello podría crear la confianza que no se tiene, conduciría a un expansionismo irracional del derecho punitivo, a todas luces criticable.

Si, continuando con otro ejemplo, un juez desconoce, por indiferencia, un precedente judicial que lo vincula en su rol funcional y profiere una sentencia manifiestamente contraria a la ley, podría legítimamente el derecho penal normativizar sistémicamente el acto e imputar a título de dolo su actuación. En ese caso, la imputación dolosa —que surge de acoger los planteamientos jakobsianos— en el fondo reafirmará una expectativa social que se tiene sobre el rol judicial: no actuar con indiferencia en su función de conocer el derecho, pues es quien, socialmente, administra justicia. La intervención del derecho, en su normativización, reafirmaría que la expectativa ante los jueces debe seguir vigente, aunque empíricamente se reconozca que hay confianza en las instituciones de justicia.

En lo que tiene que ver con la normativización válida en los ámbitos patrimoniales, particularmente en las discusiones jurisprudenciales que se han dado en la estafa, nuestra propuesta llevaría a afirmar que el funcionalismo penal sistémico podría, legítimamente, aminorar las cargas de autoprotección de la víctima a efectos de construir juicios de imputación para los terceros que realicen el acto engañoso.

Las posturas jurisprudenciales que han planteado ciertos deberes de diligencia en la víctima, a través de la normativización de su propio ámbito de competencia, a la luz de los presupuestos de las acciones a propio riesgo, serían abusos. Desde la otra orilla, las posturas que han normativizado el entendimiento del delito de estafa, a partir del principio de confianza y de la buena fe que deben guiar las operaciones sociales y aminoran con ello la exigencia de mayores cargas de autoprotección del patrimonio en la víctima, serían casos de usos legítimos. La siguiente gráfica jurisprudencial representaría la dinámica planteada:

Gráfico 41. En la estafa, ¿cómo se normativiza el artificio o engaño en función de la conducta desplegada por la víctima?

USOS	ABUSOS
Aminorar cargas de autoprotección del patrimonio para la víctima	Acciones a propio riesgo a partir del ámbito de competencia de la víctima

Sentencias con radicado N° 20926 de 2004 y 42548 de 2016.	Sentencias con radicado N° 17196 de 2003, 28693 de 2008 y 36824 de 2012.

Fuente: elaboración propia.

Si retomamos, para este caso, los límites de validez propuestos, tendríamos los siguientes argumentos: en primer lugar, el derecho debe reconocer que en Colombia hay altos índices de desconfianza en el otro. Con esta premisa, asignar, por ejemplo, mayores cargas de autoprotección del patrimonio en la víctima para configurar normativamente una estafa sería un *abuso* del funcionalismo pues se trataría de un acto que reproduciría más desconfianza, es decir, si el derecho sabe que no se confía en el otro, con mayor razón tiene que estabilizar la expectativa, simbolizarla normativamente y concluir que debe (aunque no exista confianza) seguirse confiando en el otro. Esto es, sería un *uso* legítimo desde el funcionalismo sistémico, a partir de la construcción normativa de la buena fe en los negocios o interacciones que se dan en la sociedad, que se exija menos deberes vinculados con la competencia de la víctima. Desde la otra perspectiva, si el derecho exige mayores deberes de autoprotección del patrimonio para el afectado, a efectos de constituir estafa, lo que haría, en últimas, es fomentar la desconfianza que empíricamente se ha demostrado, por lo que este último evento sería un *abuso*.

Todos estos casos tienen en común exigir del derecho la imposición de pena para reafirmar la expectativa defraudada vinculada con el rol. Lo aquí legitimado para estos casos en modo alguno supone afirmar, como ya se dijo, que se legitima un tratamiento normativo diferenciado atendiendo a un menor reconocimiento de garantías formales o sustanciales. Lo anterior no podría ser así pues, como ya demostramos, la legítima aplicación previamente pasa por la condición de existencia que surge de los derechos fundamentales como equivalente funcional al déficit de confianza, esto es, la siempre necesaria vinculación a una política criminal garantista.

De esta manera los contextos de *abusos* quedan claramente delimitados. Se trataría de aquellos eventos en los que, como se explicó, se normativiza sistémicamente y se desconocen los presupuestos empíricos previamente demostrados para Colombia. En síntesis, se trataría de casos en los que se utiliza el derecho penal como medio para estabilizar una expectativa sin ningún supuesto cognitivo fáctico y se parte de esquemas plenas de diferenciaciones funcionales supuestas, pero inexistentes en el país.

Por ejemplo, en una economía informal, como ocurre en múltiples sectores o ámbitos de negocios en Colombia, sería un *abuso* que el derecho penal normativizara sistémicamente a partir del incumplimiento de ciertas cargas en una persona (por fuera de la calidad formal de comerciante), que produjeron un acto posterior de un tercero lesivo al orden económico. Si el derecho penal, en este sentido, afirmara que la conducta de la persona no comerciante favoreció, dolosamente, un acto delictivo posterior, por lo que se debe imputar como participación en un lavado de activos, sería este un caso de ilegitimidad en la funcionalización sistémica que se justifica para Colombia, en el fondo, sería desconocer las realidades empíricas que subyacen en el país en muchos contextos.

Una última muestra de *abuso* del funcionalismo penal sistémico al que queremos dedicarle un poco más nuestra atención, sobre todo por lo equívoco de la expresión, tiene que ver con la criminalización a través del derecho penal del enemigo.

Para explicar por qué, a nuestro juicio, se trata de un caso que supone ilegitimidad desde las realidades empíricas colombianas, delimitaremos, en primer lugar, el concepto de derecho penal del enemigo. Aprovechando que hace poco tiempo, en otro espacio (2020), explicamos con algún detalle el concepto de derecho penal del enemigo, utilizaremos dichas consideraciones para fijar el objeto de discusión y poder destinar el momento posterior a concluir nuestra postura frente a su ilegitimidad desde el funcionalismo sistémico.

La expresión enemigo, tantas veces usada en el campo de la filosofía política, ha servido, a partir de 1985 y cada vez con más fuerza, para delimitar un particular discurso jurídico. Nuestra premisa inicial requiere reconocer que no fue el derecho el que dotó de sentido inicial la expresión de enemigo. En una ponencia presentada en el mencionado año, titulada Criminalización en el estadio previo a la lesión de un bien jurídico (1997g), por primera vez, Jakobs utilizó la expresión "enemigo" para describir cómo operaban los procesos de anticipación de las barreras de protección de los bienes jurídicos, esto es, casos, cada vez más comunes, en los que se sancionaban comportamientos que reportaban un simple peligro para los bienes jurídicos, anticipando, con esto, el estadio de lo prohibido. Ello ocurría, a su juicio, con las denominadas normas de flaqueo, es decir, aquellas que tienen por función garantizar las condiciones de vigencia de las normas principales. Así, por ejemplo, se explicaban las criminalizaciones, excepcionales, de comportamientos amparados en la protección de la paz pública.

En términos más recientes, el derecho penal del enemigo ha sido objeto de múltiples estudios. La mayoría de autores se sitúa entre la crítica acérrima y la defensa acrítica del planteamiento jakobsiano. No obstante, algunos análisis son particularmente rigurosos, tanto desde la orilla crítica (Ferrajoli, 2006; Ambos, 2007; García-Amado, 2006; Demetrio, 2004; 2006; Muñoz, 2005; Gracia, 2005; Jiménez, 2009; Bedoya, 2016; Castro, 2017; Fernández, 2013; Sotomayor, 2008; Velásquez, 2017); como desde la corriente explicativa —que no necesariamente defensiva— (Polaino-Orts; 2007; 2009; Caro, 2007; Grosso, 2006b; 2007; Reyes, 2007a; Piña-Rochefort 2006; García, 2007; Gómez-Jara, 2006c; Mazuelos, 2007, Jakobs (2006). Ahora bien, sin pretensiones de exhaustividad y reconociendo que la bibliografía que existe sobre derecho penal del enemigo es numerosa —y su análisis desborda la finalidad de este escrito—, no podríamos dejar de mencionar la obra de Cancio-Meliá y Gómez-Jara (2006), quienes compilan, en dos tomos, variadas perspectivas sobre el concepto que aquí centra nuestro interés.

En cuanto a la recepción teórica del derecho penal del enemigo en la doctrina colombiana, podríamos destacar los aportes de Grosso (2006b; 2007), Aponte (2006a; 2006b; 2009), Reyes (2007a) y Parra (2006). Particularmente, Aponte (2006a; 2006b) ha mostrado la relación entre el conflicto armado interno de Colombia y el derecho penal del enemigo. Parra (2006) ha puesto a prueba las características del modelo jakobsiano en diferentes fuentes normativas nacionales, como el Código de Procedimiento Penal y algunas leyes de carácter transicional.

El derecho penal del enemigo, en el pensamiento penal contemporáneo, surgió en el marco de una discusión técnica sobre las estrategias de criminalización primaria. De esta manera, más allá de la equivocidad y carga emotiva asociadas con la expresión "enemigo", debemos decir que, en su sentido técnico, el derecho penal del enemigo no se vincula, necesariamente, con contextos bélicos, estados totalitarios o regímenes de excepción, ni mucho menos con prácticas represivas o xenofóbicas. Desde luego, puede aplicarse en estos contextos, pero también encontramos ejemplos de derecho penal del enemigo en las democracias liberales.

El derecho penal del enemigo solo describe cierta realidad legislativa existente y excepcional, es decir, un ordenamiento jurídico o una parcela de este tendrían rasgos de derecho penal del enemigo si se verifica la existencia de las características que el mismo Jakobs ha descrito. Estas características, como veremos, serían, todas, excepciones al régimen jurídico ordinario, regulado, según Jakobs, a través del derecho penal del ciudadano.

Para Jakobs (2007a), es políticamente correcto querer ver, en todo ser humano, una persona y, en toda persona, un partícipe de la comunidad jurídica, esto es, un titular de derechos y deberes. Empero, que todos deban ser tratados como personas no es más que un postulado que viene trazado por un modelo de sociedad, pero que no necesariamente encuentra un correlato en la facticidad (Peñaranda, Suárez y Cancio-Meliá, 1999). En una palabra, desde un enfoque meramente descriptivo, el derecho penal del enemigo ha sido y es una realidad en los ordenamientos jurídicos, con independencia de que se juzgue, desde un punto de vista valorativo, como correcto o incorrecto.

Evidentemente, por existir como discurso normativo, se entiende que, previamente, las normas jurídicas que reúnen las características propias de un derecho penal del enemigo han sido valoradas como convenientes por la política criminal de un Estado. Una política criminal del enemigo se define, en gran medida, por la finalidad que se le asigna a la pena.

Para Jakobs (2007b), los conceptos de derecho y sociedad se reclaman mutuamente. Hablamos de sociedad cuando el discurso de la comunicación se determina en atención a normas (Arrieta-Burgos y Duque-Pedroza, 2018), es decir, la pena pública existe para caracterizar al delito como delito, de modo que esta opera como validación de la configuración normativa concreta de la sociedad. Desde este punto de vista, estima Jakobs (1998) que, si la pena confirma la identidad normativa de una sociedad, solo un miembro de la sociedad puede ser penado, en tanto que nadie más puede atacar la identidad normativa del colectivo social.

En otras palabras, mientras que para la persona la pena es comunicación, puesto que confirma la identidad de las expectativas normativas de una sociedad, para el enemigo, la función de la pena es la eliminación de una fuente de peligro. Por esta razón, el tratamiento como persona o como enemigo depende del grado de seguridad cognitiva en la norma que tales sujetos, mediante su comportamiento, erosionen (Polaino-Orts, 2009). En esta línea, según Jakobs (2003):

> (...) cuando es evidente que el delincuente ya no puede prestar ninguna garantía cognitiva de su personalidad, el combate de la delincuencia y el combate de aquel son una misma cosa. Entonces ya no es persona, sino una fuente potencial de delincuencia. (p. 86).

En consecuencia, Jakobs y Cancio-Meliá (2003) sostienen, como fundamento del derecho penal del enemigo, que:

> (...) quien no presta una seguridad cognitiva suficiente de un comportamiento personal, no sólo no puede esperar ser tratado aún como persona, sino que el Estado no debe tratarlo ya como persona, ya que de lo contrario vulneraría el derecho a la seguridad de las demás personas. (p. 43)

Dicho lo anterior y con la finalidad de ofrecer un concepto depurado del derecho penal del enemigo, diríamos, de acuerdo con Polaino-Orts (2007), que:

> Un derecho penal del enemigo es un ordenamiento de combate excepcional contra manifestaciones exteriores de peligro, desvaloradas por el legislador y que éste considera necesario reprimir de manera más agravada que en el resto de supuestos (derecho penal del ciudadano). La razón de ser de ese combate más agravado estriba en que dichos sujetos ("enemigos") comprometen la vigencia del ordenamiento jurídico y dificultan que los ciudadanos fieles a la norma o que normalmente se guían por ella ("personas en derecho") puedan vincular al ordenamiento jurídico su confianza en el desarrollo de su personalidad. (p. 129).

El sentido del derecho penal del enemigo se explica a partir de un hecho: no todos los delitos reciben, ni deben recibir, la misma respuesta por parte del Estado. Por su naturaleza y consecuencias sociales, algunos delitos tributan del Estado una respuesta penal diferenciada.

Podríamos describir, sin pretensiones de exhaustividad, las características de una política criminal basada en el concepto de enemigo.

En lo que respecta al derecho sustantivo, el derecho penal del enemigo se caracteriza por: (i.) la anticipación de las barreras de protección de los bienes jurídicos, (ii.) la criminalización de delitos de posesión o tenencia, (iii.) la punición de tentativas inidóneas, (iv.) la indeterminación de los elementos típicos y (v.) la severidad de las penas por comportamientos peligrosos. En lo que tiene que ver con el derecho procesal y probatorio penal, la política criminal del enemigo procura (vi.) el aseguramiento espacial del enemigo y la neutralización del foco de riesgo, (vii.) la imposición de medidas de seguridad a título punitivo y (viii.) la flexibilización de términos procesales y garantías. Veamos, en detalle, estas notas características, que bien pueden o no concurrir en los ámbitos normativos de un ordenamiento jurídico.

En primer lugar, tenemos que, mediante la anticipación de las barreras de protección de los bienes jurídicos, se prohíben estadios muy previos a su lesión. Con la sola realización del comportamiento peligroso, *ex ante*, se colma el juicio de responsabilidad penal sobre el autor. Prueba de ello son los delitos de organización (Jakobs y Polaino-Orts, 2009; Cancio-Meliá y Silva-Sánchez, 2008; Duque-Pedroza, 2015). La consecuencia jurídica que se establece frente a los comportamientos que suponen anticipación de las barreras de protección de los bienes jurídicos es directamente proporcional a la eliminación del peligro, pero desproporcionada frente a figuras en las que se exige la efectiva lesión de bienes jurídicos.

Por su parte, los delitos de posesión o tenencia son comportamientos en los que se sanciona el porte de objetos que se reputan peligrosos para bienes jurídicos colectivos o difusos (Pastor, 2005).

Mediante la criminalización de tentativas inidóneas se dice que quien actúa con un ánimo lesivo, aunque el medio seleccionado por él no reporte idoneidad objetiva para producir un peligro al bien jurídico, constituye un foco de peligro que debe, necesariamente, neutralizarse por parte del ordenamiento jurídico.

La indeterminación de los elementos del tipo se expresa mediante la existencia de leyes penales en blanco, la accesoriedad administrativa y las cláusulas generales o indeterminadas, entre otros instrumentos de los que se vale el derecho penal del enemigo para la criminalización del peligro de forma previa a la lesión (García, 2007).

Por último, en lo que concierne al derecho penal sustantivo, el derecho penal del enemigo se caracteriza por la severidad de las penas asociadas con la realización de comportamientos peligrosos. Igualmente, se instrumentaliza la sanción penal con la finalidad de neutralizar el riesgo de comportamientos reincidentes.

Desde el derecho procesal y probatorio penal, el aseguramiento espacial del enemigo se traduce en medidas impuestas, bien de forma previa, esto es, a manera de medidas cautelares, o bien como medidas que se imponen una vez finalizado el trámite procesal a ciertos sujetos que se reputan especialmente peligrosos ante su persistente falta de fidelidad a la norma (Polaino-Orts, 2009).

Asimismo, con la imposición de medidas de seguridad a título de penas se evidencia que a sujetos imputables se les endilgan consecuencias jurídicas que reportan características propias de las medidas de seguridad. Esto es, a las consecuencias jurídicas se atribuyen funciones de neutralización del foco de peligro, curación del "incorregible" y tutela del enemigo y se deja a un lado el fin de la de prevención especial positiva.

Realizadas como están las consideraciones que fijaron el concepto de derecho penal del enemigo, solo nos resta explicar la razón por la cual lo hemos considerado como un *abuso* del funcionalismo penal sistémico en Colombia.

Si retomamos las construcciones de Jakobs sobre el principio de culpabilidad (1997g; 2008), desplegadas por él en aquel segundo momento de su pensamiento por nosotros ya identificado, tendríamos que concluir que la pena solo será legítima si el Estado ha satisfecho las mínimas, pero en todo caso, necesarias expectativas institucionales a su cargo. Es decir, la construcción normativa que el funcionalismo sistémico hace de la persona, no solo parte de la imputación que a ella se hace de deberes, sino que, además, previamente requiere del reconocimiento y la garantía de los derechos que también a ella se han hecho. Con los índices de insatisfacción y desprotección de derechos fundamentales que existen en Colombia, no podría el Estado, legítimamente, tratar como enemigo a quien ni siquiera ha tratado previamente como persona. Si el Estado, por tanto, ha incumplido sistemáticamente sus deberes con sus asociados, se reitera que la única política criminal legítima será una de tipo garantista. Así concebido, el derecho penal del enemigo sería, en Colombia, un *abuso* del funcionalismo penal sistémico.

CONCLUSIONES

Llegados a este punto de la investigación, es necesario poner de manifiesto las siguientes conclusiones:

En primer lugar, se puede afirmar que la confianza social es un concepto central en la teoría de los sistemas sociales de Luhmann. Particularmente, se constituye como la condición de posibilidad por excelencia en este modelo teórico. Así, la confianza hace que se produzca la diferenciación funcional. Una sociedad moderna será, por tanto, una sociedad funcionalmente diferenciada, es decir, los niveles de diferenciación funcional se ven directamente influenciados por los niveles de confianza. La comunicación, el sentido y la expectativa dependerán, por tanto, en su aplicación especulativa, de la confianza.

Hemos visto desde un plano no tan hipotético o ideal, que la diferenciación funcional puede no alcanzarse de forma plena, esto es, que habrá contextos espaciales en los que la confianza no parece caracterizar a las sociedades, o al menos no absolutamente, por lo que, según los presupuestos de la teoría de sistemas, deben existir equivalentes funcionales que contribuyan a la diferenciación funcional y la estabilización de expectativas. Estos equivalentes funcionales podrían ser, pues, los derechos fundamentales. Concebidos de esta manera, los derechos fundamentales son símbolos jurídicos que nacen del acoplamiento estructural entre el derecho y la política. Por tanto, en algunas sociedades periféricas o, mejor, en algunos modelos parcialmente diferenciados, la confianza, como condición de posibilidad, dependerá de las formas jurídicas constitucionalmente consagradas para la protección de los derechos fundamentales.

La teoría de los sistemas sociales luhmanniana irradia la concepción funcionalista sistémica del delito. A partir de allí, el funcionalismo penal jakobsiano establece que la función de la pena radica en garantizar la identidad normativa de la sociedad (Jakobs, 1996a). Más allá de una simple fórmula ciega del lenguaje, esta afirmación solo puede comprenderse si, previamente, se comprende toda la estructura sociológica mencionada, esto es, existe una cercana relación entre los planteamientos sistémicos de Luhmann y la concepción funcionalista del derecho penal que plantea Jakobs, a partir, sobre todo, de la idea común en ambos de la norma como expectativa contrafácticamente estabilizada.

En este horizonte de proyección, el derecho penal es un subsistema autopoiético que opera mediante comunicaciones de sentido. Las mismas se soportan en la siguiente premisa: la pena tiene como función reafirmar la confianza en la expectativa defraudada y permite que la sociedad siga siendo, normativamente hablando, sociedad. De igual manera, el delito, como hecho que lesiona una expectativa, requiere como legítima reacción una pena. Delito y pena son comunicaciones de sentido. En el círculo sistémico que se genera entre pena y delito se comprende, en su verdadera expresión, la función del derecho penal en la sociedad: garantizar la identidad normativa de la misma.

Los juicios de imputación jurídica o los actos de comunicación que emanan del derecho requieren del concepto de rol como el soporte que institucionaliza las expectativas sociales. Desde los roles surge la confianza en los esquemas de diferenciación funcional que operan como condición de posibilidad del funcionalismo penal sistémico. De allí que, de la misma manera que la confianza es la condición de posibilidad de la teoría de sistemas en sociología, lo será también del funcionalismo penal sistémico. En ambos casos la confianza garantiza la comunicación que subyace a las expectativas.

El modelo teórico planteado por el funcionalismo sistémico ha tenido una acogida en la jurisprudencia colombiana. Aunque se reconoce que no es el único esquema teórico existente, y que ningún modelo fundamenta, por sí solo, los actos de adjudicación normativa del derecho penal positivo colombiano, el esquema de roles y competencias basados en expectativas de comportamiento ha servido para construir, en muchos casos, criterios de responsabilidad penal en Colombia. Por esto es relevante, ya no solo desde un plano especulativo sino también empírico, preguntarse por los índices de confianza y por la generación de los equivalentes funcionales en Colombia como condiciones de posibilidad del modelo teórico que se ha acogido.

De esta forma analizamos empíricamente, para el caso de Colombia, los niveles de confianza social existentes. Todo, con la finalidad de poner a prueba la recepción que se ha hecho de este esquema de pensamiento penal. Este análisis estuvo soportado en los resultados técnicos de cinco informes, así:

El IMR (2019), la Encuesta Mundial de Valores (2019) y el DANE (2019) son coincidentes en los bajos niveles de confianza en el otro-vecino, es decir, las expectativas de comportamiento propias del *(alter)* se mueven en mayores márgenes de contingencia de aquellas que presupone, de manera ideal, un sistema funcionalmente diferenciado.

En cuanto a la confianza depositada en las instituciones el panorama no es mejor. En este caso se encuentra que hay coincidencia en todos los sistemas: el IMR (2019), la Encuesta Mundial de Valores (2019), el DANE (2019), Invamer Gallop (2019) y Vanderbilt (2016).

Destacamos las evidencias de Lapop (2016) y de Invamer (2019), pues, además de ser, en términos generales, coincidentes en sus resultados, trazan una línea de tiempo mayor que se ha venido representando como una constante desde hace varios años. Ello puede obedecer a las constantes defraudaciones de expectativas que se presentan en Colombia frente al otro (par) y frente al Estado. Este dato es relevante pues reafirma la tesis luhmanniana que rodea la confianza: la confianza existe en el tiempo y es una relación del pasado, presente y futuro que logra reducir la complejidad del sistema social (1996a). La defraudación presente y pasada de la confianza solo reproduce más desconfianza.

Esta evidencia le exige al derecho penal actuar para conjurar la crisis. Esto, pues, para el funcionalismo sistémico, en cuanto más débil sea la identidad de la sociedad, más necesidad se crea en el sistema jurídico de comunicar, jurídicamente, para estabilizar la expectativa.

Los índices de desconfianza en el sistema de justicia se especifican aún más en la ineficacia de la denuncia, es decir, no se confía en la función que puede representar la intervención del derecho penal en el entramado social. De este hecho, se desprenden dos graves consecuencias que afectan el orden social: (i). se pueden crear nuevos aprendizajes en la sociedad o (ii). se le podría confiar la función de estabilizar contrafácticamente la expectativa a otros subsistemas, muchas veces paraestatales, como el caso de la justicia por mano propia.

Los informes son coincidentes en establecer que las instituciones en las que más confían los colombianos son la familia, la Iglesia y las Fuerzas Armadas. En una palabra, se confía en instituciones que representan valores colectivos de cohesión social. Este paradigma parece ser más apropiado para sociedades premodernas, no funcionalmente diferenciadas, en las que se confía en instituciones típicamente tradicionales.

Los altos niveles de confianza en la Iglesia se compadecen con sociedades altamente estratificadas en las que se le encarga a dicha institución funciones de variada índole, muchas veces, como se demostró, ante la carencia del Estado. Un fenómeno similar acontece con las Fuerzas Militares y con la Policía. De la misma manera, son de resaltar los altos niveles de confianza que se tiene en la familia, pues comparados estos con los bajos niveles de confianza en todo lo demás que conforma el componente social, las cifras indican que, en efecto, Colombia estaría catalogado como un país, aún, sin modernidad funcional o, lo que es lo mismo, con diferenciación estratificada.

Existe una clara correlación entre los altos y reiterados niveles de desconfianza y las percepciones de corrupción en los ámbitos público y privado, incluso, los valores de percepción frente a que los funcionarios públicos están involucrados en corrupción son muy similares en la muestra general y especial del Lapop (2016), en Invamer (2019), DANE (2019) y el IMR (2019). Estas percepciones hacen que se desconfíe por igual, tanto del sistema jurídico como del sistema político, lo que supone graves peligros en la legitimidad del método penal funcionalista.

La desconfianza en el sistema también se ve afectada, de conformidad con los datos analizados por el DANE (2019), en una muy alta sensación de desprotección y no garantía de satisfacción de los derechos fundamentales. Aunque en Colombia existen como símbolos que actúan como equivalentes funcionales por los bajos niveles de confianza, ello no significa, necesariamente, su efectiva protección.

En general, de la lectura de todos los indicadores puede concluirse que no existen en Colombia niveles de confianza social satisfactorios. De esto no puede desprenderse, de forma categórica, que en ningún contexto se pueda aplicar el funcionalismo penal sistémico. Sería tanto como afirmar, por un lado, que los indicadores de confianza en Colombia son cero en todos los casos y, por otro lado, que no existen los equivalentes funcionales que legitiman una dogmática penal funcionalista basada en roles y expectativas.

En medio de este panorama empírico se presentaría una paradoja para el sistema jurídico: ¿qué le queda al derecho? Lo anterior, pues es claro que, normativamente, Colombia posee una Constitución y un ordenamiento jurídico que es coherente con un Estado Social de Derecho. El problema de que los asociados, mayoritariamente (que no de forma absoluta), desconfían y perciban la corrupción y la ineficacia del Estado en la garantía de los derechos. Se trataría de un problema que, en Luhmann, es político. Esto es, la ineficacia del derecho no es problema del sistema jurídico sino del político. Empero, como es función del derecho simbolizar la expectativa y estabilizarla luego, así esa estabilización no se materialice en la realidad, paradójicamente, ante un sistema político que no ha funcionado muy bien, al derecho le queda, no potenciar la inoperancia del sistema, porque eso derivaría en más desconfianza, sino, por el contrario, normativizar más que nunca, es decir, idealizar más las expectativas. ¿Para qué? Porque además de contener la fuerza del símbolo, con menores posibilidades de defraudación de expectativas, para que los asociados que no confían en el otro ni en la justicia, al menos no dejen de confiar del todo.

En los acoplamientos que se producen entre el sistema político y jurídico en las sociedades desdiferenciadas funcionalmente la única política criminal legítima es aquella que sea coherente con el reconocimiento de los equivalentes funcionales que suplen los déficits de confianza: una política criminal garantista. De una forma específica, este argumento se deduce de tres razones:

(i).   el sistema jurídico penal ha estado permeado de una razón histórica que lo ha determinado hasta el punto de ser lo que es hoy: la formalización de sus procesos y los principios limitadores al poder punitivo constituyen las ganancias históricas de la evolución propia del derecho. La estabilidad que otorga el derecho es, desde esta órbita, seguridad. Es cognición que se traduce en certidumbre jurídica. No podría la sociedad estabilizarse debidamente si la norma (recogida en un símbolo), no representa garantía de cognición futura, pues en este caso nunca habría, realmente, identidad.En sociedades periféricas, la estabilidad jurídica que representan las garantías, producto los procesos evolutivos de la sociedad, son parte de la identidad normativa del sistema social.

(ii). como consecuencia de lo anterior, el funcionalismo luhmanniano, de tipo meramente descriptivo de la sociedad, garantiza que las decisiones políticas no puedan afectar las construcciones jurídicas que constituyen la identidad del sistema. Es decir, si jurídicamente se han reconocido garantías constitucionales, simbolizadas, de forma genérica, a través de derechos fundamentales, los acoplamientos entre derecho y política, a través de la forma de la política criminal, deben, necesariamente, respetar los símbolos jurídicos. Si el sistema político, a través de una decisión de poder vinculante, quisiera afectar las garantías jurídicamente estabilizadas, eso exigiría que la decisión de poder se haga propia al sistema jurídico, pues dejaría de ser política para convertirse en derecho. Al recibir ese *input* del sistema político, el derecho debe someter la decisión a todas las formas por el mismo establecidas para garantizar su propia comunicación y autopoiesis. Y es allí donde el derecho, en los términos ya explicados para las sociedades periféricas, limitaría cualquier expresión política de poder.

(iii). en aquellas parcelas territoriales como Colombia que, además de periféricas, manifiestan una situación masiva de atentados a derechos fundamentales, en atención al fundamento material de la culpabilidad que el mismo Jakobs esboza en sus últimos escritos, la única política criminal que el Estado puede asumir será una de tipo garantista. No sería consecuente afirmar un masivo incumplimiento de expectativas por parte del Estado para con sus asociados y, por otra parte, operar jurídicamente frente a ellos a través de esquemas eficientistas de represión.

En sociedades periféricas los derechos fundamentales, a la vez que posibilitan, parcialmente, el uso del modelo funcionalista, también lo limitan porque garantiza la diferenciación funcional mediante una política criminal garantista. Concebida de esta manera, la propuesta consagrada en este libro rechazaría, con una intención de coherencia teórica y empírica, cualquier tipo de política criminal populista[1] o eficientista que pretenda establecerse en Colombia.

---

[1]   Esto, en la medida en que, con independencia del clamor popular que motive posiciones del sistema político con miras a modificar el derecho penal, en desmedro de sus garantías, todo estímulo externo tendría que asumir la semántica o formas propias del sistema jurídico. Allí, seguramente, los límites del sistema jurídico impedirían su irrupción. Un estudio sobre políticas criminales populistas, referido al caso colombiano, puede encontrarse en Velandia (2017).

La culpabilidad, así vista, sería un correctivo a la aplicación legítima del funcionalismo penal sistémico. Para que se pueda, válidamente, normativizar los criterios de imputación jurídica, es necesario demostrar que el Estado ha dado, por lo menos, mínimos de expectativas satisfechas con los cuales pueda existir la diferenciación funcional. Sería este el caso de la legítima normativización sistémica que se haga en el ámbito de los servidores públicos. Para ellos el Estado está, de tal forma, que ellos mismos lo constituyen. Por el contrario, si retomamos los estudios empíricos ya analizados, citados por García-Villegas y Espinosa (2013), no sería legítimo aplicar este modelo teórico en todos los contextos de aquellas poblaciones que ocupan el 60% del territorio colombiano en el que, básicamente, el Estado no está.

Como ejemplos de usos legítimos se han seleccionado dos eventos: primero, la ya mencionada normativización que se haga para los juicios de imputación en los ámbitos de competencia de los servidores públicos y segundo, la normativización que se hace en la estafa, particularmente frente a la víctima, para aminorar las cargas de autoprotección de su patrimonio ante los actos engañosos de terceros.

Los contextos de abusos surgen cuando se normativiza sistémicamente y se desconocen los presupuestos empíricos previamente demostrados para Colombia. En síntesis, se trataría de casos en los que se utiliza el derecho penal como medio para estabilizar una expectativa sin ningún supuesto cognitivo fáctico a partir de esquemas plenas de diferenciaciones funcionales supuestas pero inexistentes en el país. En estos casos, en vez de producir diferenciación, la decisión solo generaría más desdiferenciación.

Esto ocurre en la funcionalización que se haga ante contextos de economía informal, muchas veces toleradas por el mismo Estado, suponiendo deberes o competencias específicas de las que se deduzcan actuaciones positivas por parte de los involucrados. También sería un abuso la normativización que se haga en la dinámica propia de una política criminal del enemigo. No podría la política criminal colombiana, en muchos casos, tratar como enemigo a quien ni siquiera ha tratado como ciudadano. En el fondo de todo esto, el correctivo de la culpabilidad material que se ha establecido desde el funcionalismo sistémico, determinará, en gran parte, los válidos criterios de aplicación del modelo teórico.

Con todo, la propuesta expuesta en este libro ha puesto a prueba, de una forma *crítica*, el funcionalismo penal sistémico en Colombia y culmina con una propuesta restrictiva en su aplicación a partir de sus reales condiciones de posibilidad y límites de validez.

REFERENCIAS

ACDI/VOCA y Agencia para el Desarrollo Internacional USAID. (2019). *Confío.* http://www.confio.com.co/img/CONF%C3%8DO.pdf

Alcácer, R. (1999). Facticidad y normatividad. Notas sobre la relación entre ciencias sociales y derecho penal. *Anuario de Derecho Penal y Ciencias Penales, 52*(1-3), 177-226.

Alcácer, R. (2003). *¿Lesión de bien jurídico o lesión de deber?* Atelier.

Ambos, K. (2007). *Derecho penal del enemigo.* Universidad Externado de Colombia.

Aponte, A. (2006a). Derecho penal del enemigo en Colombia: entre la paz y la guerra. En M. Cancio & C. Gómez-Jara (eds.), *Derecho penal del enemigo: el discurso penal de la exclusión* (pp. 205-238). Edisofer.

Aponte, A. (2006b). Derecho penal del enemigo vs. Derecho penal del ciudadano: En M. Cancio & C. Gómez-Jara (eds.), *Derecho penal del enemigo: el discurso penal de la exclusión* (pp. 163-204). Edisofer.

Aponte, A. (2009). *Guerra y derecho penal del enemigo: reflexión crítica sobre el eficientismo penal de enemigo.* Ibáñez.

Arendt, H. (1968). *The origins of Totalitarianism.* Harcourt.

Aristóteles. (1967). *Política. Obras completas* (F. Samaranch, trad.). Aguilar.

Arnold-Cathalifaud, M. (2006). Lineamientos para un programa sociopoiético de investigación. En I. Farías & J. Ossandon (eds.), *Observando sistemas. Nuevas apropiaciones y usos de la teoría de Niklas Luhmann* (pp. 219-240). Ril Editores, Fundación Soles.

Arrieta-Burgos, E. (2015). Justicias alternativas e injusticias alternas: crítica de la justicia ordinaria en períodos de transición. En A. Duque (ed.), *Perspectivas y retos del proceso penal* (pp. 287-328). Universidad Pontificia Bolivariana.

Arrieta-Burgos, E. (2017). El sistema penitenciario y carcelario en Colombia: continuidades y discontinuidades foucaultianas. En A. Ruiz (ed.), *Michel Foucault: discurso y poder.* Universidad Pontificia Bolivariana.

Arrieta-Burgos, E., & Duque-Pedroza, A. (2018). Una crítica a la crítica en contra del funcionalismo penal sistémico. *Revista de la Facultad de Derecho y Ciencias Políticas, 48*(128), 13-47. https://doi.org/10.18566/rfdcp.v48n128.a01

Arrieta-Burgos, E., Duque-Pedroza, A., & Díez-Rugeles, M. (2020). Delitos sexuales en contra de menores de edad en Colombia: caracterización criminológica y político-criminal. *Criminalidad,* 247-274.

Bacigalupo, S. (1998). *La responsabilidad penal de las personas jurídicas.* Bosch.

Balmaceda, G. (2011). El delito de estafa: una necesaria normativización de sus elementos típicos. *Revista Estudios Socio-Jurídicos, 13*(2), 163-219.

Beccaria, C. (1797). *Dei delitti e delle pene edizione novissima in quattro tomi.* Tomo primo. A spese Remondini di Venezia.

Bedoya, P. (2016). *La vulneración de la persona y el principio de culpabilidad en la teoría del derecho penal del enemigo de Günther Jakobs: una aproximación crítica desde la dignidad como libertad ontológica en el fundamento del sistema jurídico-penal.* Universidad Católica de San Pablo.

Bernate, F. (2008). El normativismo en la jurisprudencia colombiana. http://perso.unifr.ch/derechopenal/assets/files/articulos/a_20080521_28.pdf.

Bertalanffy, L. (1968). *General System Theory.* George braziller.

Beuchot, M. (2000). *Tratado de hermenéutica analógica. Hacia un nuevo modelo de interpretación* (2a ed.). Universidad Nacional Autónoma de México/Itaca.

Beuchot, M. (2013). Compendio de la hermenéutica analógica. En J. Coca (ed.), *Impacto de la hermenéutica analógica en las ciencias humanas y sociales* (pp 19-34). Hergué.

Bonfiglio, S. (2017). *Constitucionalismo mestizo: más allá del colonialismo de los derechos humanos: por una teoría intercultural de los derechos fundamentales y de la Constitución.* Tirant lo Blanch.

Borja, E. (2003). Sobre el concepto de política criminal. Una aproximación a su significado desde la obra de Claus Roxin. *Anuario de Derecho Penal y Ciencias Penales, 56*(1),113-150.

Bourdieu, P. (1986). The forms of Capital. In J. G. Richardson (ed.). *Handbook of theory and research for the sociology of education,* (pp. 240-268). Greenwood.

Cáceres, V. (2018). *Fundamentación Teórica de una Política Criminal Constitucional para los Delitos Sexuales con Menores de 14 Años en Colombia* [tesis doctoral]. Universidad Externado de Colombia.

Cadenas, H. (2006). Derecho y Sociedad: ¿es posible la integración social mediante el derecho? En I. Farías & O. José, *Observando sistemas. Nuevas apropiaciones y usos de la teoría de Niklas Luhmann* (pp. 263-282). RIL.

Cadenas, H. (2012). La desigualdad de la sociedad. Diferenciación y desigualdad en la sociedad moderna. *Persona y sociedad, 26*(2), 51-77.

Cadenas, H. (2016). La función del funcionalismo: una exploración conceptual. *Sociologías, 18*(41), 196-214. https://doi.org/10.1590/15174522-018004107.

Calise, S. (2011). Sociedad, norma y persona: observaciones sobre la teoría de Günther Jakobs, desde la teoría de Niklas Luhmann. *Revista Electrónica del Instituto de Investigaciones "Ambrosio L. Gioja",* (5), 1-12.

Cancio-Meliá, M. (2001). *Conducta de la víctima e imputación objetiva en Derecho penal.* Universidad Externado de Colombia.

Cancio-Meliá, M. (2008). El injusto de los delitos de organización: peligro y significado. Icade. *Revista cuatrimestral de las Facultades de Derecho y Ciencias Económicas y Empresariales,* (74), 247-287.

Cancio-Meliá, M. (1997). *Conducta de la víctima e imputación objetiva en derecho penal: estudio sobre los ámbitos de responsabilidad de víctima y autor en actividades arriesgadas* [tesis doctoral]. Universidad Autónoma de Madrid. https://repositorio.uam.es/xmlui/handle/10486/4402

Cancio-Meliá, M., & Silva-Sánchez, J. (2008). *Delitos de organización*. BdeF.

Cancio-Meliá, M. (2003). Dogmática y política criminal en una teoría funcional del delito. En E. Montealegre, *El funcionalismo en derecho penal*. Tomo I (pp. 91-115). Universidad Externado de Colombia.

Cancio-Meliá, M., & Gómez-Jara, C. (2006). *Derecho penal del enemigo: el discurso penal de la exclusión*. Edisofer.

Cano, M. (2014). Las sociedades paralelas en Europa en el contexto de la inmigración y su eventual influencia en la radicalización islamista de sus miembros. En J. Bernal del Castillo, L. Roca de Agapito & M. González, *Delito y minorías en países multiculturales* (pp. 207-230). Atelier.

Carlin, N. (2014). *Relation de soin, la confiance `a l' ⊠epreuve du droit* [tesis doctoral]. Université Paris-Est.

Caro, J. (2003). Sobre la recepción del sistema funcional normativista de Günther Jakobs en la jurisprudencia penal peruana. En E. Montealegre, *El funcionalismo en derecho penal. Libro homenaje al profesor Günther Jakobs*. Tomo II (pp. 135-170). Universidad Externado de Colombia.

Caro, J. (2007). Derecho penal del enemigo: garantía estatal de una libertad real del ciudadano. Una glosa a Miguel Polaino-Orts. *Cuadernos de Política Criminal, 1*, 263-272.

Carrasco, E. (2008). Nietzsche y su visión del derecho penal. *Polis, 7*(21), 1-21.

Casanova, M. (2016). La sociología sin método: la raíz hegeliana del pensamiento de Luhmann. *Cinta de Moebio, (55)*, 47-65.

Cassese, S. (2018). *La democracia y sus límites*. Global Law Press/Marcial Pons.

Castro, B. (2011). Aportes de Niklas Luhmann a la teoría de la complejidad. *Polis, 10*(29), 1-16.

Castro, C. (2017). *Manual de Teoría del Delito*. Universidad del Rosario.

Cerezo-Mir, J. (2003). Onotologicismo y normativismo en el finalismo de los años cincuenta. *Revista de derecho penal y criminología, (12)*, 45-61.

Cerezo-Mir, J. (2009). La influencia de Welzel y del finalismo, en general, en la Ciencia del Derecho penal española y en la de los países iberoamericanos. *Anuario de Derecho Penal y Ciencias Penales, 62*(1), 67-92.

Chambers, P. (2013). The Ambiguities of Human Rights in Colombia: Reflections on a Moral Crisis. *Latin American Perspectives, 40*(5), 118-137. https://doi.org/10.1177/0094582X13492125

Chávez, J., & Mujica, F. (2014). Orden social y orden jurídico: la observación de Niklas Luhmann sobre el derecho. *Sociológica, 29*(81), 7-38.

Cigüela, J. (2015). *La culpabilidad colectiva en el Derecho penal*. Marcial Pons.

Clammer, J. (2012). Corruption, Development, Chaos and Social Disorganisation: Sociological reflections on corruption and its social basis. En M. Barcham, B. Hindess, & P. Larmour (eds.), *Corruption: Expanding the Focus* (pp. 113-132). ANU E Press.

Comisión Económica para América Latina y el Caribe CEPAL. (2018). Panorama Social de América Latina. Publicación de las Naciones Unidas.

Comte, A. (2017). *Discurso sobre el espíritu positivo*. Alianza.

Coleman, J. S. (1988). Social Capital in the Create of Human Capital. *American Journal of Sociology,* (94), 95-120.

Córdoba-Roda, J. (2014). *La doctrina finalista. Una nueva concepción del delito*. BdeF.

Cortés, D., & Vargas, J. (2012). *Inequidad regional en Colombia*. Universidad del Rosario. https://www.urosario.edu.co/urosario_files/4d/4d277c8b-4568-46db-9bd6-ebb-c8235e08d.pdf

Creus, C. (1992). *Derecho penal. Parte general*. Astrea.

Cruz, A. (2007). *Mentira y confianza: una mirada desde la dramaturgia de Erving Goffman*. CopIt ArXives.

Dahrendorf, R. (1975). *Homo sociologicus*. Akal.

DANE. (2017). Encuesta de cultura política. https://www.dane.gov.co/files/investigaciones/ecpolitica/Presen_ECP_17.pdf

Deleuze, G. (2008). *La filosofía crítica de Kant*. Cátedra.

Demetrio, E. (2004). Del derecho penal liberal al derecho penal del enemigo. *Revista de Derecho Penal y Criminología*, (14), 87-115.

Demetrio, E. (2006). El "derecho penal del enemigo" Darf nicht sein! En M. Cancio & C. Gómez, *Derecho penal del enemigo. El discurso penal de la exclusión* (pp. 473-509). Edisofer.

Demetrio, E. (2010). Crítica al funcionalismo normativista. *Revista de Derecho Penal y Criminología,* (3), 13-26.

Dockendorff, C. (2013). Antihumanismo o autonomía del individuo ante las estructuras sociales: La relación individuo-sociedad en la teoría de Niklas Luhmann. *Cinta de Moebio,* (48), 158-173.

Duque-Pedroza, A. (2015). Delitos de peligro y proceso penal: condicionamientos dogmáticos en las formas jurídico penales. En A. Duque-Pedroza, *Perspectivas y retos del proceso penal* (pp. 82-101). Universidad Pontificia Bolivariana.

Duque-Pedroza, A. (2018). Apuntes sobre la normativización del derecho penal económico. En A. Duque & R. Molina, *Temas de derecho penal económico y patrimonial* (pp. 101-128). Universidad Pontificia Bolivariana.

Duque-Pedroza, A., y Solano, H. (2020). Funcionalismo sistémico y reintegración social. En A. Ruiz, A. Valderrama, y A. Galindo, Justicia, memorial, integración. Debates teóricos y experiencias en el marco de las instituciones sociales (págs. 49-74). Medellín: Universidad Pontificia Bolivariana.

Duque-Pedroza, A., Vélez, H., y Montoya, S. (2021- En prensa). Niklas Luhmann. Política y derecho. En P. Cardona, E. Arrieta-Burgos, & A. Duque-Pedroza, Política y derecho. Autores contemporáneos. Bogotá: Tirant lo Blanch.

Durkheim, É. (1985). La división del trabajo social (Vol. I). Planeta.

Durkheim, E. (1986). Las reglas del método sociológico. Fondo de Cultura Económica de México.

Escalante, F. (1994). Sobre el significado político de la corrupción. (1), 79-95.

Estrada, M., & Millán, R. (2012). La teoría de los sistemas de Niklas Luhmann a prueba. El Colegio de México/Universidad Nacional Autónoma de México.

Feijóo-Sánchez, B. (2000). El principio de confianza como criterio normativo de imputación en el derecho penal: fundamento y consecuencias dogmáticas. Derecho Penal y Criminología, 21(69), 37-76.

Feijóo-Sánchez, B. (2002). El dolo eventual. Universidad Externado de Colombia.

Feijóo-Sánchez, B. (2003a). ¿Culpabilidad y punición de personas jurídicas? En E. Montealegre, El funcionalismo en derecho penal. Libro Homenaje al profesor Günther Jakobs. Tomo I (pp. 349-384). Universidad Externado de Colombia.

Feijóo-Sánchez, B. (2003b). Resultado lesivo e imprudencia. Universidad Externado de Colombia; Bosch.

Feijóo-Sánchez, B. (2008). El futuro de la dogmática jurídico-penal: del paradigma de la motivación al paradigma de la comunicación. En C. García, A. Cuerda, M. Martínez, R. Alcácer & M. Valle (eds.), Estudios penales en homenaje a Enrique Gimbernat (pp. 263-290). Edisofer.

Feijóo-Sánchez, B. (2012). La culpabilidad jurídico-penal en el Estado democrático de derecho. ADPCP, 15, 99-125.

Feijóo-Sánchez, B. (2014a). La pena como institución jurídica. BdeF.

Feijóo-Sánchez, B. (2014b). La influencia de Welzel en la dogmática penal de lengua española. Anuario de Derecho Penal y Ciencias Penales, 57, 91-104.

Feijóo-Sánchez, B. (2007). Normativización del derecho penal y realidad social. Universidad Externado de Colombia.

Fernández, J. (2013). Derecho Penal Parte General. Ibáñez.

Ferrajoli, L. (1995). El derecho penal mínimo. En J. Bustos, Prevención y teoría de la pena. Editorial Jurídica Conosur.

Ferrajoli, L. (2001). Los fundamentos de los derechos fundamentales. Trotta.

Ferrajoli, L. (2004). Derechos y garantías. La ley del más débil. Trotta.

Ferrajoli, L. (2006). El derecho penal del enemigo y la disolución del derecho penal. Nuevo Foro Penal, 12(69), 13-31.

Ferrajoli, L. (2008). Democracia y garantismo. Trotta.

Ferrajoli, L. (2011). Derecho y razón: teoría del garantismo penal. Trotta.

Ferrajoli, L. (2012). El principio de lesividad como garantía penal. Nuevo foro penal, (79), 100-114.

Ferrajoli, L., Moreno, J. & Atienza, M. (2008). *La Teoría del derecho en el paradigma constitucional*. Fundación Coloquio Jurídico Europeo.

Floto, E. (1989). El sistema centro-periferia y el intercambio desigual. *Revista de la CEPAL*, (39), 147-167.

Foucault, M. (1995). ¿Qué es la crítica? [Crítica y Aufklärung]. *Daimon Revista Internacional de Filosofía*, (11), 5-26.

Foerster, H. (1991). *Las semillas de la cibernética*. Gedisa.

Frías, R. (s.f.). *La confianza, factor fundamental del capital social en el análisis de las organizaciones*. Federación Española de Sociología. https://www.fes-sociologia.com/files/congress/11/papers/89.pdf

Frisch, W. (2012). Sobre el futuro del derecho penal de la culpabilidad. En B. Feijóo (ed.), *Derecho penal de la culpabilidad y neurociencias* (pp. 19-70). Civitas/Thomson Reuters Aranzadi.

Frisch, W., & Robles-Planas, R. (2005). *Desvalorar e imputar*. Atelier.

Gallego, J. (2015). Diferenciación funcional de la sociedad como marco para el constitucionalismo societal. Presupuesto al constitucionalismo evolutivo. *Verba Iuris*, (33), 161-174. https://doi.org/10.18041/0121-3474/verbaiuris.33.26

García-Amado, J. (1997). *La filosofía del derecho de Habermas y Luhmann*. Universidad Externado de Colombia.

García-Amado, J. (1998). Habermas y el derecho. En J. García (ed.), *Ensayos de filosofía jurídica* (pp. 178-217). Temis.

García-Amado, J. (2000). ¿Dogmática penal sistémica? Sobre la influencia de Luhmann en la teoría penal. *Doxa*, (23), 233-264. https://doi.org/10.14198/DOXA2000.23.09

García-Amado, J. (2006). El obediente, el enemigo, el derecho penal y Jakobs. *Nuevo Foro Penal*, (69), 100-136.

García-Amado, J. (2016). Sobre el principio de legalidad penal y su alcance. De la previsibilidad como componente de la legalidad. En M. Pérez & J. Lascuraín, *La tutela multinivel del principio de legalidad* (pp. 313-334). Marcial Pons.

García-Villegas, M. (2008). *Jueces sin estado: La justicia colombiana en zonas de conflicto armado*. Siglo del Hombre Editores.

García-Villegas, M., García, M., Rodríguez, J., Revelo, J., y Espinosa, J. (2011). Los estados del país. Instituciones municipales y realidades locales. Bogotá: Colección DeJusticia.

García-Villegas, M. (2013). Constitucionalismo aspiracional. *Araucaria. Revista Iberoamericana de Filosofía, Política y Humanidades*, 15(29), 77-97.

García-Villegas M., & Espinosa, J. (2013). *El derecho al estado. Los efectos legales del apartheid institucional en Colombia*. Centro de Estudios de Derecho, Justicia y Sociedad,Dejusticia.

García-Villegas, M., Espinosa, J., Lalinde, S., Arroyave, L., & Villadiego, C. (2015). *Casas de Justicia: una buena idea mal administrada*. Colección DeJusticia.

García, P. (2007). ¿Existe y debe existir un derecho penal del enemigo? En E. Montealegre, *Derecho penal y sociedad*. Tomo II (pp. 175-198). Universidad Externado de Colombia.

García-Valdecasas, J. (2011). Una definición estructural de capital social. *REDES- Revista hispana para el análisis de redes sociales, 20*(1), 132-160.

Giddens, A. (2014). *Sociología* (6a ed.). Alianza.

Giménez, P. (1993). *El derecho en la teoría de la sociedad de Niklas Luhmann*. J.M Bosch.

Goldschmidt, J. (2002). *La concepción normativa de la culpabilidad*. BdeF.

Gómez-Jara, C. (2006a). Autoorganización empresarial y autorresponsabilidad empresarial. *Revista Electrónica de Ciencia Penal y Criminología*, (8), 1-26.

Gómez-Jara, C. (2006b). *Modelos de autorresponsabilidad penal empresarial*. Navarra.

Gómez-Jara, C. (2006c). Normatividad del ciudadano versus facticidad del enemigo. En M. Cancio & C. Gómez, *Derecho penal del enemigo. El discurso penal de la exclusión* (pp. 977-1002). Edisofer.

Gómez-Jara, C. (2011). *Fundamentos modernos de la culpabilidad empresarial*. Universidad Externado de Colombia.

Gómez, A., & Silva, G. (2015). *El futuro de la criminología crítica*. Universidad Católica de Colombia.

Gómez, N. (2002). *Escolios a un texto implícito*. Selección. Villegas Editores.

Gonnet, J. (2018). Orden social y conflicto en la teoría de los sistemas de Niklas Luhmann. *Cinta de Moebio*, (61), 110-122. http://doi.org/10.4067/S0717-554X2018000100110

González, L. (2003). La presencia de Talcott Parsons en el trabajo teórico de Niklas Luhmann. *Reflexión política, 5*(10), 48-57.

González, P. (2004). *Las Nuevas Ciencias y las Humanidades*. Anthropos.

González, P. (2012). *La responsabilidad penal de las personas jurídicas* [tesis doctoral]. http://perso.unifr.ch/derechopenal/assets/files/obrasportales/op_20160608_01.pdf

Gouëset, V. (1999). El territorio colombiano y sus márgenes. La difícil tarea de la construcción territorial. *Territorios*, (1), 77-94.

Gracia, L. (2005). Consideraciones críticas sobre el actualmente denominado "derecho penal del enemigo". *Revista Electrónica de Ciencia Penal y Criminología, 7*(2), 201-243.

Greco, L. (2015). *Lo vivo y lo muerto en la teoría de la pena de Feuerbach*. Marcial Pons.

Grosso, M. (2006a). *Dos estudios sobre la nueva teoría normativista del delito*. Ibáñez.

Grosso, M. (2006b). ¿Qué es y qué puede ser el "Derecho penal del enemigo"? Una aproximación crítica al concepto. En M. Cancio-Meliá & C. Gómez-Jara, *Derecho penal del enemigo. El discurso penal de la exclusión* (pp. 1-50). Edisofer.

Grosso, M. (2007). Una aproximación crítica al concepto "derecho penal del enemigo". *IUSTA*, (27), 51-78. https://doi.org/10.15332/s1900-0448.2007.0027.03

Grosso, M. (2008). ¿Acción vs. imputación? La influencia de Niklas Luhmann en la dogmática penal. *Derecho penal contemporáneo*, (23), 5-34.

Habermas, J. (1976). *La reconstrucción del materialismo histórico*. Taurus.

Habermas, J. (1999). *Teoría de la acción comunicativa I: racionalidad de la acción y racionalización social*. Santillana.

Harilal, K. (2015). Building Democracy in Colombia: Some Observations in the Light of the Kerala Experience. *Social Scientist,* Vol. 43. (11/12), 49-64.

Hassemer, W. (2006). Prevención general y aplicación de la pena. En W. Naucke, W. Hassemer & K. Lüderssen, *Principales problemas de la prevención general* (pp. 45-82). BdeF.

Hegel, G. (2000). *Rasgos fundamentales de la filosofía del derecho o compendio de derecho natural y ciencia del Estado*. (E. Vásquez, trad.) Biblioteca Nueva.

Heidegger, M. (1985). Die sprache. En M. Heidegger, *Frankfurt Am Main* (pp. 7-30). Vittorio Klostermann.

Hume, D. (1896). *A Treatise of Human Nature*, III. Clarendon Press.

Huntington, S. (1993). Democracy'sthird wave. In L. Diamond & M. F. Plattner (eds.), *The Global Resurgence of democracy* (pp. 3-25). Baltimore Johns Hopkins University Press.

Husserl, E. (2002). *Lecciones de fenomenología de la conciencia interna del tiempo.* Trotta.

Invamer. (2019). Encuesta Gallup Poll. https://es.scribd.com/document/438310929/Encuesta-Gallup-Poll-de-diciembre.

Jakobs, G. (1992a). Sobre el tratamiento de las alteraciones volitivas y cognitivas. *Anuario de Derecho Penal y Ciencias Penales, 45*(1), 213-234.

Jakobs, G. (1992b). El principio de culpabilidad. *Anuario de Derecho Penal y Ciencias Penales, 45*, 1051-1083.

Jakobs, G. (1996a). *Sociedad, norma y persona en una teoría de un derecho penal funcional*. (M. Cancio & B. Feijóo, trads.). Civitas.

Jakobs, G. (1996b). *La imputación objetiva en derecho penal*. Civitas.

Jakobs, G. (1997a). *Derecho penal. Parte general*. Marcial Pons.

Jakobs, G. (1997b). El concepto jurídico-penal de acción. En G. Jakobs, *Estudios de Derecho Penal* (pp. 101-125). Civitas.

Jakobs, G. (1997c). La imputación objetiva, especialmente en el ámbito de las instituciones jurídico-penales del "riesgo permitido", "la prohibición de regreso" y "el principio de confianza". En G. Jakobs, *Estudios de Derecho Penal* (pp. 209-222). Civitas.

Jakobs, G. (1997d). La organización de autolesión y heterolesión, especialmente en caso de muerte. En G. Jakobs, *Estudios de Derecho Penal* (pp. 395-412). Civitas.

Jakobs, G. (1997e). Culpabilidad y prevención. En G. Jakobs, *Estudios de Derecho Penal* (pp. 74-99). Civitas.

Jakobs, G. (1997f). El principio de culpabilidad. En G. Jakobs, *Estudios de Derecho Penal* (pp. 365-393). Civitas.

Jakobs, G. (1997h. El delito imprudente. En G. Jakobs, *Estudios de Derecho Penal* (pp. 167-196). Civitas.

Jakobs, G. (1997g). *Criminalización en el estadio previo a la lesión de un bien jurídico*. Civitas.

Jakobs, G. (1998). *Sobre la teoría de la pena*. Universidad Externado de Colombia.

Jakobs, G. (2000). Sobre la génesis de la obligación jurídica. *Doxa*, (23), 323-348. https://doi.org/10.14198/DOXA2000.23.12

Jakobs, G. (2001). *Injerencia y dominio del hecho. Dos estudios sobre la parte general del derecho penal*. Universidad Externado de Colombia.

Jakobs, G. (2003a). ¿Qué protege el derecho penal: bienes jurídicos o la vigencia de la norma? En E. Montealegre, *El funcionalismo en derecho penal*. Tomo I (pp. 39-56). Universidad Externado de Colombia.

Jakobs, G. (2003b). ¿Punibilidad de personas jurídicas? En E. Montealegre, *El funcionalismo en derecho penal. Libro Homenaje al profesor Günther Jakobs*. Tomo I (pp. 325-348). Universidad Externado de Colombia.

Jakobs, G. (2004a). *Dogmática del derecho penal y la configuración normativa de la sociedad*. Civitas.

Jakobs, G. (2004b). Indiferencia como dolo indirecto. En J. Zugaldía & J. Borja, *Dogmática y ley penal: libro homenaje a Enrique Bacigalupo* (pp. 345-358). Marcial Pons.

Jakobs, G. (2006). ¿Terroristas como personas en Derecho? En M. Cancio-Meliá & C. Gómez-Jara, *Derecho penal del enemigo. El discurso penal de la exclusión* (pp. 77-92). Edisofer.

Jakobs, G. (2007a). ¿Derecho penal del enemigo? Un estudio acerca de los presupuestos de la juridicidad. En M. E. (coord.), *Derecho penal y sociedad*. Tomo II (pp. 97-118). Universidad Externado de Colombia.

Jakobs, G. (2007b). La pena estatal: significado y finalidad. En E. Montealegre, *Derecho penal y sociedad*.Tomo I. (pp. 13-62). Universidad Externado de Colombia.

Jakobs, G. (2008). La culpabilidad de los foráneos. En M. Cancio & B. Feijóo, *Teoría funcional de la pena y de la culpabilidad* (pp. 101-139). Civitas.

Jakobs, G. (2009). Dolus malus. *InDret*, (4), 1-23.

Jakobs, G. (2012a). Culpabilidad jurídico-penal y "libre albedrío". En B. Feijóo, *Derecho penal de la culpabilidad y neurociencias* (pp. 197-213). Civitas.

Jakobs, G. (2012b). Individuo y persona. Sobre la imputación jurídico-penal y los resultados de la moderna investigación neurológica. En B. Feijóo, *Derecho penal de la culpabilidad y neurociencias* (pp. 169-196). Civitas.

Jakobs, G., & Cancio-Meliá, M. (2003). *Derecho penal del enemigo*. Civitas.

Jiménez, M. (2009). El diablo como persona en derecho. Sobre la idea de Günther Jakobs de "Derecho penal del enemigo". En J. Carbonell, C. González & E. Orts (eds.), *Constitución, derechos fundamentales y sistema penal*. Tomo II (pp. 1061-1070). Tirant lo Blanch.

Kant, I. (1991). *Crítica del juicio*. Porrúa.

Kant, I. (2007). *Crítica de la razón pura*. Losada.

Kant, I. (2011). *Crítica de la razón práctica*. Alianza Editorial.

Kelsen, H. (1995a). *Teoría pura del Derecho*. Porrúa.

Kelsen, H. (1995b). *Teoría general del Derecho y del Estado*. Instituto de Investigaciones Jurídicas de la UNAM.

Kindhäuser, U. (2011). Infracción de deber y autoría – una crítica a la teoría del dominio del hecho. *Revista de Estudios de la Justicia*, (14), 41-52.

King, M., & Thornhill, C. (2003). *Niklas Luhmann's Theory of Politics and Law*. Palgrave Macmillan.

Kuhn, T. (1971). *La estructura de las revoluciones científicas* (A. Contin, trad.). Fondo de Cultura Económica.

Lampe, E. (2003). *La dogmática jurídico-penal entre la ontología social y el funcionalismo*. Grijley.

Landrove, G. (2009). Una cierta política criminal. En J. Carbonell & J. O. González-Cussac (eds.), *Constitución, derechos fundamentales y sistema penal*. Tomo II (pp. 1079-1088). Tirant lo Blanch.

Larraín, J. (1989). Theories of development. Cambridge: Polity press.

Larraín, J. (2005). *¿América Latina moderna? Globalización e identidad*. Lom.

La Rota, M., Lalinde, S., & Mata, S. U. (2014). *Ante la justicia. Necesidades jurídicas y acceso a la justicia en Colombia*. Colección DeJusticia.

Lemaitre, J. (2009). *El derecho como conjuro. Fetichismo legal, violencia y movimientos sociales*. Siglo del Hombre; Universidad de los Andes.

Lesch, H. (1995). *Intervención delictiva e imputación objetiva*. Universidad Externado de Colombia.

Lesch, H. (2000a). *La función de la pena*. Universidad Externado de Colombia.

Lesch, H. (2000b). Injusto y culpabilidad en derecho penal. *Revista de Derecho Penal y Criminología*, (6), 253-271.

Lewkow, L. (2009). *Experiencias y estructuras sociales en la teoría de Niklas Luhmann*. V Jornadas de Jóvenes Investigadores. Instituto de Investigaciones Gino Germani, 1-16.

Lewkow, L. (2011). Filosofía de la historia universal y teoría sistémica de la evolución: a propósito del tiempo histórico en la sociología de Niklas Luhmann. *Intersticios, 5*(1), 181-191.

Lewkow, L. (2012). Luhmann como intérprete de Husserl: el problema del sentido. *Nómadas. Revista Crítica de Ciencias Sociales y Jurídicas, 34*(2), 1-26. https://dx.doi.org/10.5209/rev_noma.2012.v34.n2.40738

Lewkow, L. (2017a). *Luhmann, intérprete de Husserl. El observador observado*. Miño y Dávila.

Lewkow, L. (2017b). 'Nación 'Sociedad-mundo' en la teoría de Niklas Luhmann y algunos de sus continuadores. *Aposta*, (72), 202-231.

Lijphart, A. (1999). *Patterns of democracy: government forms and performance in thirty six countries*. Yale University Press

López, J. (2012). *Lenguaje y sistemas sociales. Zaragoza*: Universidad de Zaragoza.

Luhmann, N. (1973). Función y causalidad. En N. Luhmann, *Ilustración sociológica y otros ensayos* (pp. 1-46). Sur.

Luhmann, N. (1983). *Sistema jurídico y dogmática jurídica*. Centro de Estudios Constitucionales.

Luhmann, N. (1991). *Sociología del riesgo*. Universidad Iberoamericana.

Luhmann, N. (1995). *Poder*. Universidad Iberoamericana, Anthropos.

Luhmann, N. (1996a). *Confianza*. Universidad Iberoamericana, Anthropos.

Luhmann, N. (1996b). *La ciencia de la sociedad*. Universidad Iberoamericana.

Luhmann, N. (1998a). *Sistemas sociales. Lineamientos para una teoría general*. Anthropos, Universidad Iberoamericana, CEJA.

Luhmann, N. (1998b). La forma "persona". En N. Luhmann, *Complejidad y modernidad. De la unidad a la diferencia* (pp. 231-244). Trotta.

Luhmann, N. (1998c). La astucia del sujeto y la pregunta por el hombre. En N. Luhmann, *Complejidad y modernidad. De la unidad a la diferencia* (J. Berian & J. García, trads., pp. 215-230). Trotta.

Luhmann, N. (1998d). Los medios generalizados y el problema de la contingencia. En N. Luhmann, *Teoría de los sistemas sociales* (pp. 9-73). Universidad Iberoamericana.

Luhmann, N. (1998e). *Complejidad y modernidad*. Trotta.

Luhmann, N. (1998f). Capitalismo y utopía. En N. Luhmann, *Teoría de los sistemas sociales* (pp. 109-121). Universidad Iberoamericana.

Luhmann, N. (2002). How Can the Mind Participate in Communication? In W. Rasch, *Theories of Distinction: Redescribing the Description of Modernity* (pp. 169-184). Stanford University Press.

Luhmann, N. (2004). *Law as a social system*. Oxford University Press.

Luhmann, N. (2005a). *El derecho de la sociedad* (J. Torres, trad.). Herder.

Luhmann, N. (2005b). Das Erkenntnisprogramm des Konstruktivismus und die unbekannt bleibende Realitätng. En N. Luhmann, *Soziologie Aufklärung 5* (pp. 31-57). VS Verlag.

Luhmann, N. (2006). *La sociedad de la sociedad* (J. Torres, trad.). Herder.

Luhmann, N. (2007). El derecho como sistema social. En C. Gómez-Jara, *Teoría de sistemas y derecho penal. Fundamentos y posibilidad de aplicación* (pp. 99-118). Ara.

Luhmann, N. (2009a). *¿Cómo es posible el orden social?* Herder.

Luhmann, N. (2009b). *La política como sistema*. Universidad Iberoamericana.

Luhmann, N. (2010a). *Los derechos fundamentales como institución*. Universidad Iberoamericana.

Luhmann, N. (2010b). *Complejidad y modernidad. De la unidad a la diferencia*. Trotta.

Luhmann, N. (2010c). *Organización y decisión. Autopoiesis, acción y entendimiento comunicativo*. Herder.

Luhmann, N. (2011). El concepto de riesgo. En J. Beriain, *Las consecuencias perversas de la modernidad* (pp. 123-172). Anthropos.

Luhmann, N. (2012). *Theory of society*. Vol. I. Stanford University Press.

Luhmann, N. (2013a). Las normas desde una perspectiva sociológica. En N. Luhmann y D. Horster (eds.), *La moral de la sociedad* (pp. 29-56). Trotta.

Luhmann, N. (2013b). Interacción, organización, sociedad. Aplicaciones de la teoría de sistemas. En N. Luhmann, *La moral de la sociedad* (pp. 197-214). Trotta.

Luhmann, N. (2013c). Sociología de la moral. En N. Luhmann, *La moral de la sociedad* (pp. 57-152). Trotta.

Luhmann, N. (2013d). Acuerdo sobre riesgos y peligros. En N. Luhmann, *La moral de la sociedad* (pp. 321-332). Trotta.

Luhmann, N. (2014a). *Sociología política*. Trotta.

Luhmann, N. (2014b). Dos caras del Estado de derecho. En N. Luhmann, *La paradoja de los derechos fundamentales* (N. Pastor, trad., pp. 35-54). Universidad Externado de Colombia.

Luhmann, N. (2016). El enfoque sociológico de la teoría y práctica del derecho. Anales de la Cátedra Francisco Suárez. *Revista de Filosofía Jurídica y Política, 50*, 185-199.

Mainwaring, S. (1995). Brazil: weak parties. Feckless Democracy. In S. Mainwaring & T. R. Scully (eds.), *Building democratic institutions. Party Systems in Latin America* (pp. 354-398). Stanford University Press.

Malinowski, B. (1961). *Argonauts Of The Western Pacific*. Routledge.

Martínez, J. (2005). Para leer a Luhmann: avisos para juristas. En N. Luhmann, *El derecho de la sociedad* (pp. 13-22). Herder.

Marx, K. (2005). *El capital: crítica de la economía política*. Fondo de Cultura Económica.

Mascareño, A. (1988). Teoría de sistemas de América Latina. Conceptos fundamentales para la descripción de una diferenciación funcional concéntrica. *Anuario de Estudios Americanos, 45*, 419-484.

Mascareño, A. (2000). Diferenciación funcional en América Latina: los contornos de la sociedad concéntrica y los dilemas de su transformación. *Persona y sociedad, 13*(1), 187-207.

Mascareño, A. (2009a). Medios simbólicamente generalizados y el problema de la emergencia. *Cinta Moebio, 36*, 174-197. http://doi.org/10.4067/S0717-554X2009000300003

Mascareño, A. (2009b). Contingencia, necesidad e imposibilidad en la semántica de América Latina. En I. Farías & J. Ossandon, *Observando Sistemas* II (pp. 1-15). UIA.

Mascareño, A. (2010). *Diferenciación y contingencia en América Latina*. Ediciones Universidad Alberto Hurtado.

Mascareño, A. (2012a). Prefacio. En P. Miranda, *La precomprensión de lo humano en la sociología de Luhmann. Raíces antropológicas del antihumanismo teórico luhmanniano* (pp. 3-21). Universidad Alberto Hurtado.

Mascareño, A. (2012b). *Die Moderne Lateinamerikas: Weltgesellschaft, Region und funktionale Differenzierung*. Transcript.

Mascareño, A. (2013). *Sattelzeit y transición. Fundamentos estructurales y semánticos de la modernidad en América Latina* (pp. 1-23). https://es.scribd.com/document/205166473/Sattelzeit-y-transicion-en-America-Latina-Mascareno-pdf

Mascareño, A. (2017a). La crisis como control de hipertrofia sistémica y la función del derecho. *Revista Direito Mackenzie, 11*(2), 12-38.

Mascareño, A. (2017b). Esse sequitur operari, o el nuevo giro de la teoría sociológica contemporánea: Bourdieu, Archer, Luhmann. *Revista Mad. Revista del Magíster en Análisis Sistémico Aplicado a la Sociedad*, (37), 54-74.

Mascareño, A., y Chernilo, D. (2011). Obstáculos y perspectivas de la sociología latinoamericana: universalismo normativo y diferenciación funcional. En M. Estrada & M. René, *La teoría de los sistemas de Niklas Luhmann a prueba. Horizontes de aplicación en la investigación social en América Latina* (pp. 25-68). Universidad Nacional Autónoma de México.

Maturana, H., & Valera, F. (2013). *De máquinas y seres vivos*. Editorial universitaria.

Mazuelos, J. (2007). ¿El derecho penal del enemigo: un modelo para desarmar? (Las inconsistencias del desacoplamiento estructural entre política criminal y derecho penal). En E. M. Lynett, *Derecho Penal y Sociedad. Estudios sobre las obras de Günther Jakobs y Claus Roxin, y sobre las estructuras modernas de la imputación* (pp. 153-173). Universidad Externado de Colombia.

Mazuelos, J. (2008). La teoría de la pena en un derecho penal funcional abierto: contribución a la teoría de la prevención general integradora. En E. Montealegre & J. Caro, *El sistema penal normativista en el mundo contemporáneo* (pp. 141-188). Universidad Externado de Colombia.

Medina, L. (2014). *The Circulation of European Knowledge: Niklas Luhmann in the Hispanic Americas*. Palgrave and Macmillan.

Merton, R. (2002). *Teoría y estructura sociales*. Fondo de Cultura Económica.

Mir-Puig, S. (2005a). Límites del normativismo en Derecho penal. *Revista Electrónica de Ciencia Penal y Criminología*, (64), 1-18.

Mir-Puig, S. (2005b). *Derecho Penal. Parte General*. BdeF.

Mizrahi, E. (2004). La legitimación hegeliana de la pena. *Revista de Filosofía, 29*(1), 7-31.

Molina, F. (2008). ¿Culpabilidad sin libertad? En M. Cancio & B. Feijóo, *Teoría funcional de la pena y de la culpabilidad* (pp. 207-232). Civitas.

Montealegre-Lynett, E. (2003). Estudio introductorio a la obra de Günther Jakobs. En E. Montealegre Lynett, *El funcionalismo en derecho penal* (pp. 21-36). Universidad Externado de Colombia.

Montealegre, E., & Perdomo, J. (2006). *Funcionalismo y normativismo penal*. Universidad Externado de Colombia.

Morin, E., & Le Moigne, J. (1999). *L'intelligence de la complexité*. L'Harmattan

Moya, M. (2010b). El sistema penal en Hegel. *Novum Jus, 4*(1), 52-72.

Moya, M. (2010a). La investigación del derecho penal en Colombia. En B. Londoño & D. Gómez, *Diez años de investigacion jurídica y sociojurídica en Colombia* (pp. 228-255). Universidad de la Sabana.

Müller, F. (2016). *La positividad de los derechos fundamentales*. Dykinson.

Muñoz, F. (2005). De nuevo sobre el derecho penal del enemigo. *Revista Penal*, (16), 123-137.

Müssig, B. (2007). Aspectos teórico-jurídicos y teórico-sociales de la imputación objetiva en derecho penal. Puntos de partida para una sistematización. En C. Gómez-Jara, *Teoría de sistemas y derecho penal. Fundamentos y posibilidad de aplicación* (pp. 251-277). Ara.

Neves, M. (1992). Da autopoiese à alopoiese do direito. *Anuário do Mestrado em Direito*, (5), 273-298.

Neves, M. (2007). The symbolic force of human rights. *Philosophy y Social Criticism*, 33(4), 411-444.

Neves, M. (2009). La concepción de Estado de derecho y su vigencia práctica en Suramérica, con especial referencia a la fuerza normativa de un derecho supranacional. En A. Von-Bongandi, C. Landa & M. Morales, *¿Integración suramericana a través del Derecho? Un análisis interdisciplinario y focal* (pp. 51-78). Marcial Pons.

Neves, M. (2014). La constitución y la esfera pública: entre diferenciación sistémica, inclusión y reconocimiento. *Doxa*, (37), 163-192.

Neves, M. (2015a). Direitos humanos: inclusão ou reconhecimento? En C. Valença & G. Salomão, *Direito à Diversidade* (pp. 3-17). Atlas.

Neves, M. (2015b). Os Estados no centro e os Estados na periferia. Alguns problemas com a concepção de Estados da sociedade mundial em Niklas Luhmann. *Revista de informação legislativa, 52*(206), 111-136.

Orce, G. (2003). Responsabilidad penal de las personas jurídicas. En E. Montealegre, *El funcionalismo en derecho penal. Libro Homenaje al profesor Günther Jakobs*. Tomo II (pp. 367-386). Universidad Externado de Colombia.

Ortega y Gasset, J. (1964). El hombre y la gente. En J. Ortega y Gasset, *Obras completas. (1948-1958)* Tomo VII (2a ed., pp. 71-274). Revista de Occidente.

Ortega y Gasset, J. (1983). ¿Qué es filosofía? En *Obras completas*, Tomo VII. Alianza.

Ortiz, A. (2016). *Niklas Luhmann. Teoría emergente de los sistemas sociales*. Ediberum.

Ovares, C. (2018). La sociología de Georg Simmel y el 'capital social': la confianza como fuerza socializadora. *Reflexiones, 97*(2), 23-34.

Paredes-Castañón, J. (1995). *El riesgo permitido en Derecho penal. Régimen jurídico-penal de las actividades peligrosas*. Ministerio de Justicia e Interior.

Pareto, V. (1980). *Forma y equilibrio sociales*. Alianza.

Parra, W. (2006). La actual política en Colombia, vista desde la perspectiva del derecho penal del enemigo de Günther Jakobs. *Derecho penal y criminología, 27*(82), 175-200.

Parsons, T. (1966). *El sistema social*. Revista de Occidente.

Parsons, T. (1991). *Social system*. Routledge.

Parsons, T.,& Shils, E. (1968). La teoría general de la acción. EnT. Parsons,*Hacia una teoría general de la acción* (pp. 19-49). Kapelusz.

Parsons, T., & Shils, E. (1968). *Hacia una teoría general de la acción*. Kapelusz.

Pastor, N. (2005). *Los delitos de posesión y los delitos de estatus: una aproximación político criminal y dogmática*. Atelier.

Pastor, N. (2019). *Riesgo permitido y principio de legalidad*. Atelier.

Pastor, N. (2019a). *La determinación del engaño típico en el delito de estafa*. Marcial Pons.

Pastor, N. (2019b). *Riesgo permitido y principio de legalidad. La remisión a los estándares sociales de conducta en la construcción de la norma jurídico-penal*. Atelier.

Pawlik, M. (2008). ¿Engaño por medio del aprovechamiento de defectos de organización ajenos? *Anuario de Derecho Penal y Ciencias Penales*, 61(1), 31-52.

Pawlik, M. (2010). *La libertad institucionalizada*. Marcial Pons.

Pawlik, M. (2013). La legítima defensa según Kant y Hegel. En M. Pawlik, U. Kindhäuser, J. Wilenmann & J. Mañalich, *La antijuridicidad en el Derecho penal. Estudios sobre las normas permisivas y la legítima defensa* (pp. 3-64). BdeF.

Pawlik, M. (2016). *Ciudadanía y derecho penal. Fundamentos de la teoría de la pena y del delito en un Estado de libertades*. Atelier.

Pawlik, M. (2019). *Confirmación de la norma y equilibrio en la identidad*. Universidad Externado de Colombia.

Peñaranda, E. (2000). Sobre la influencia del funcionalismo y la teoría de sistemas en las actuales concepciones de la pena y del concepto de delito. *Doxa*, (23), 289-322.

Peñaranda, E., Suárez, C., & Cancio, M. (1999). *Un nuevo sistema del derecho penal: consideraciones sobre la teoría de la imputación de Günther Jakobs*. Universidad Externado de Colombia.

Perdomo, J. (2007*). La problemática de la posición de garante en los delitos de comisión por omisión*. Universidad Externado de Colombia.

Perdomo, J. (2008). *Posición de garante en virtud de confianza legítima especial*. Universidad Externado de Colombia.

Pérez-Barberá, G. (2011*). El dolo eventual. Hacia el abandono de la idea de dolo como estado mental*. Hammurabi.

Pérez-Luño, A. (1997). *Teoría del derecho. Una concepción de la experiencia jurídica*. Tecnos.

Pérez-Luño, A. (2006). *La tercera generación de derechos humanos*. Aranzadi.

Pignuoli, S. (2016). Aportes de las teorías sociológicas a la discusión de la ontología. Los casos de Luhmann, Habermas y Latour. *Revista de Filosofía, 41*(1), 153-179.

Piña- Rochefort, J. (2004). Algunas consideraciones acerca de la (auto)legitimación del derecho penal. ¿Es el problema de la legitimidad abordable desde una perspectiva sistémico-constructivista? *Revista chilena de Derecho*, 31(3), 515-546.

Piña-Rochefort, J. (2005). *Rol social y sistema de imputación*. Bosch.

Piña-Rochefort, J. (2006). La construcción del "enemigo" y la reconfiguración de la "persona". Aspectos del proceso de formación de una estructura social. En M. Cancio-Meliá & C. Gómez-Jara, *Derecho penal del enemigo. El discurso penal de la exclusión* (pp. 571-590). Edisofer.

Piña- Rochefort, J. (2019). La solidaridad como fuente de deberes. Elementos para su incardinación en el sistema jurídico penal. *Política criminal, 14*(27), 242-276.

Polaino-Navarrete, M. (2004). *Naturaleza del deber jurídico y función ético-social del derecho penal*. Universidad Externado de Colombia.

Polaino-Orts, M. (2007). Derecho penal del enemigo: ¿qué es? ¿Existe? ¿Debe existir? ¿Por qué existe? En E. Montealegre, *Derecho penal y sociedad*. Tomo II (pp. 119-154). Universidad Externado de Colombia.

Polaino-Orts, M. (2009). *Lo verdadero y lo falso en el derecho penal del enemigo*. Grijley, Universidad de Huánuco.

Polaino-Orts, M. (2010). Vigencia de la norma: el potencial sentido de un concepto. En G. Jakobs, M. Polaino-Orts & M. Polaino-Navarrete, *Bien jurídico, vigencia de la norma y daño social* (pp. 59-109). Ara Editores.

Pont, J. (2015). La comunicación de Jürgen Habermas y el construccionismo sistémico de Niklas Luhmann: posibilidades de un paradigma de síntesis. *Espacio Abierto, 24*(3), 23-43.

Portilla-Contreras, G. (2007). *El derecho penal entre el cosmopolitismo universalista y el relativismo posmodernista*. Tirant lo Blanch.

Posada, R. (2004). Algunas aproximaciones al derecho penal en América Latina. *Revista de la Facultad de Derecho y Ciencias Políticas*, (103), 55-71.

Prieto-Sanchís, L. (2011). *Garantismo y derecho penal*. Iustel.

Prieto, E. (2006). Teoría de sistemas, funciones del derecho y control social. Perspectivas e imposibilidades para la dogmática penal. En M. Díaz y García Conlledo & J. García, *Estudios de filosofía del derecho penal* (pp. 267-291). Universidad Externado de Colombia.

Puppe, I. (2014). *El derecho penal como ciencia*. BdeF.

Putnam, R. (2003). *El declive del capital social: un estudio internacional sobre sociedades y el sentido comunitario*. Galaxia Gutember.

Quepons, I. (2016). Horizonte y temple de ánimo en la fenomenología de Edmund Husserl. *Diánoia, 61*(76), 83-112.

Radcliffe-Brown, A. (2013). *The Andaman Islanders*. Cambridge University Press.

Ragués, R. (1999). *El dolo y su prueba en el proceso penal*. Bosch.

Ragués, R. (2007). *La ignorancia deliberada en derecho penal*. Atelier.

Ramírez-Giraldo, C., & Arrieta-Burgos, E. (2018). La despersonalización de la conciencia como presupuesto de la libertad: una aproximación desde la filosofía existencial de Jean-Paul Sartre. *EIDOS, (29)*, 175-200. https://doi.org/10.14482/eidos.29.105.

Real Academia Española. (5 de noviembre de 2019). *Diccionario de la Real Academia Española*. https://dle.rae.es/?w=confianza

Reyes, Y. (2007a). Normativismo y derecho penal del enemigo. *Derecho Penal Contemporáneo: Revista Internacional,* (19), 53-182.

Reyes, Y. (2007b). Intervención delictiva e imputación objetiva. *Anuario de Derecho Penal y Ciencias Penales, 60*(1), 117-97.

Ritzer, G. (1993). *Teoría sociológica contemporánea* McGraw-Hill.

Robles-Planas, R. (2013). Deberes negativos y positivos en Derecho penal. *InDret,* (4), 1-21.

Robles-Planas, R. (2007). "Sexual Predators". Estrategias y límites del Derecho penal de la peligrosidad. *InDret,* (1), 1-25.

Robles-Planas, R. (2018). Sobre la construcción de una teoría del delito: Observaciones a la teoría de la imputación de Michael Pawlik. En J. Suárez, J. Barquín, I. Benítez, M. Jiménez, & I. Saínz, *Estudios jurídico penales y criminológicos. LH a Lorenzo Morillas Cueva* (pp. 575-589). Dykinson.

Roca de Agapito, L. (2013). *Las acciones cotidianas como problema de la participación criminal.* Tirant lo Blanch.

Rodríguez, D. (2006). La sociología y la teoría de la sociedad. En N. Luhmann, *La sociedad de la sociedad* (pp. 3-22). Herder.

Rodríguez, D., & Arnold, M. (1999). *Sociedad y teoría de sistemas.* El saber y la cultura.

Rodríguez, D., & Torres-Nafarrate, J. (2006). La recepción del pensamiento de Niklas Luhmann en América Latina. En I. Farías & O. José, *Observando sistemas. Nuevas apropiaciones y usos de la teoría de Niklas Luhmann* (pp. 55-70). Ril Editores, Fundación Soles.

Rodríguez, D., & Torres-Nafarrate, J. (2008). *Introducción a la teoría de la sociedad de Niklas Luhmann.* Herder.

Rosenthal, G. (1989). El desarrollo de América Latina y el Caribe en los años ochenta y sus perspectivas. *Revista de la CEPAL,* (39), 7-19.

Roxin, C. (2006). Dependencia e independencia del Derecho penal con respecto a la política, la filosofía, la moral y la religión. *Anuario de Derecho Penal y Ciencias Penales, 59*(1), 5-24.

Roxin, C. (2012). El nuevo desarrollo de la dogmática jurídico-penal en Alemania. *InDret,* (4), 1-25.

Roxin, C. (2013). El concepto de bien jurídico como instrumento de crítica legislativa sometido a examen. *Revista Electrónica de Ciencia Penal y Criminología,* (15), 1-27.

Roxin, C. (2019). *Culpabilidad y prevención en derecho penal.* BdeF.

Ruiz, P., & Bermeo, F. (2018). La recepción de la teoría de los sistemas de Luhmann en la jurisprudencia constitucional colombiana. *Prolegómenos, 21*(42), 161-175.

Salazar, A. (2016). El funcionalismo normativo sistémico. Observaciones sobre su utilidad en la teoría de la pena y la teoría de las funciones del derecho penal. *Revista Jurídica IUS Doctrina,* (14), 1-37.

San Agustín. (1990). *Del maestro.* Universidad Iberoamericana.

Sánchez-Ostiz, P. (2008). *Imputación y teoría del delito*. BdeF.

Sánchez-Vera, J. (2002). *Delito de infracción de deber y participación delictiva*. Marcial Pons.

Sánchez, E. (2012). Derecho penal y autopoiesis. Reflexiones acerca de los sistemas penales sociológicos cerrados. *Revista Derecho Penal y Criminología, 33*(94), 75-95.

Sartre, J.P. (2004). Crítica de la razón dialéctica precedida de Cuestiones de método. En *Teoría de los conjuntos prácticos.de la "praxis" individual a lo práctico inerte*. Losada.

Schünemann, B. (2007). *¡El derecho penal es la última ratio para la protección de bienes jurídicos! Sobre los límites inviolables del derecho penal en un Estado liberal de derecho*. Universidad Externado de Colombia.

Serrano-Maíllo, A. (1999). *Ensayo sobre el Derecho Penal como ciencia. Acerca de su construcción*. Dykinson.

Sessano, C. (2006). Responsabilidad por organización y responsabilidad institucional. *Revista Electrónica de Ciencia Penal y Criminología, (8)*, 1-25.

Siep, L. (2003). Espíritu objetivo y evolución social. Hegel y la filosofía social contemporánea. En M. Giusti, *El retorno del espíritu. Motivos hegelianos en la filosofía práctica contemporánea* (pp. 263-280). Pontificia Universidad Católica del Perú.

Silva-Sánchez, J. (1997). Política criminal en la dogmática: algunas consideraciones sobre su contenido y límites. En J. Silva-Sánchez, *Política criminal y nuevo derecho penal. Libro homenaje a Claus Roxin* (pp. 17-29). Bosch.

Silva-Sánchez, J. (1999). *La expansión del derecho penal. Aspectos de la política criminal en las sociedades postindustriales*. Civitas.

Silva-Sánchez, J. (2002). Retos científicos y retos políticos de la ciencia del derecho penal. *Revista de derecho penal y criminología, (9)*, 83-101.

Silva-Sánchez, J. (2006). *El delito de omisión*. BdeF.

Silva-Sánchez, J. (2012). *Aproximación al derecho penal contemporáneo*. BdeF.

Silva-Sánchez, J. (2013). *Medio siglo de dogmática penal alemana*. Universidad Externado de Colombia.

Silva-Sánchez, J. (2016). *Fundamentos del Derecho penal de la empresa*. Edisofer, BdeF.

Silva-Sánchez, J. (2017). Restablecimiento del derecho y superación del conflicto interpersonal tras el delito. *Revista de la Facultad de Derecho y Ciencias Políticas, 47*(127), 495-510.

Silva-Sánchez, J. (2018). *Malum passionis. Mitigar el dolor del Derecho penal*. Atelier.

Silva-Sánchez, J. (2019). La influencia de la obra de Günther Jakobs en el espacio jurídico-penal hispanohablante. *InDret, (1)*, 1-21.

Simmel, Georg. (1986). *Sociología, 1 Estudios sobre las formas de socialización*. Alianza.

Solano, H. (2008). Nociones introductorias a un curso de derecho penal - Parte general. *Revista de la Facultad de Derecho y Ciencias Políticas, 38*(109), 323-362.

Solano, H. (2016). *Introducción al estudio del derecho*. Universidad Pontificia Bolivariana.

Solano, H. (2018). La "estafa" en los negocios jurídicos con objeto ilícito. En A. Duque & R. Molina, *Temas de Derecho penal económico y patrimonial* (pp. 13-62). Universidad Pontificia Bolivariana.

Solano, H., Duque, A., Díez, M., Arrieta, E., García-Baylleres, S., Monsalve, J. (2019). *Temas de derecho penal parte general. Teoría general del derecho penal.* Universidad Pontificia Bolivariana.

Sotomayor, J. (1999). Garantismo y derecho penal en Colombia. *Jueces para la democracia,* (35), 92-98.

Sotomayor, J. (2006). *Garantismo y derecho penal.* Temis.

Sotomayor, J. (2008). ¿El derecho penal garantista en retirada? *Revista penal,* (21), 148-164.

Spencer-Brown, G. (1969). *Laws of form.* Allen y Unwin.

Spencer, H. (1898). *The Principles of Sociology.* D. Appleton and Company.

Stichweh, R. (2000). Systems Theory as an Alternative to Action Theory? The Rise of 'Communication' as a Theoretical Option. *Acta Sociologica, 43*(1), 5-13.

Teubner, G. (2002). El derecho como sujeto epistémico: hacia una epistemología constructivista del derecho. *DOXA,* (25), 533-571.

Teubner, G. (2017). *El derecho como sistema autopoiético.* Universidad Externado de Colombia.

Torres-Nafarrate, J. (1996). *Introducción a la teoría de sistemas. Lecciones publicadas por Javier Torres Nafarrate.* Universidad Iberoamericana.

Torres-Nafarrate, J. (1998). Nota introductoria a la versión en lengua castellana. En N. Luhmann, *Sistemas sociales. Lineamientos para una teoría general* (pp. 17-25). Anthropos, Universidad Iberoamericana, CEJA.

Torres-Nafarrate, J. (2012). La des-diferenciación como consecuencia de la diferenciación por funciones de la sociedad en la teoría de Luhmann. *Acta sociológica,* (59), 55-75.

Torres-Nafarrate, J. (2018). El gran Luhmann. *Revista Brasileira de Sociologia do Direito, 5*(2), 6-24.

Tyrell, H. (2010). Presentación a la edición en castellano. Teoría de la sociedad y diferenciación funcional. En N. Luhmann, *Los derechos fundamentales como institución* (pp. 7-11). Universidad Iberoamericana.

Urteaga, E. (2010). La teoría de sistemas de Niklas Luhmann. *Contrastes, 15*(1-2), 301-317.

Valencia, H. (1987). *Cartas de batalla: una crítica del constitucionalismo colombiano.* Universidad Nacional de Colombia.

Van-Weezel, A. (2018). Optimización de la autonomía y deberes penales de solidaridad. *Política criminal, 13*(26), 1074-1139. http://dx.doi.org/10.4067/S0718-33992018000201074

Vanderbilt University. (2016). Barómetro de las Américas. LAPOP. Latin American Public Opinion Project: http://datasets.americasbarometer.org/database/index.php?freeUser=true

Vanegas, J. (2012). Ontología de la confianza. *UIS Humanidades, 4*(2), 79-97.

Velandia, R. (2017). *Del populismo penal a la punitividad: la política penal en Colombia en el siglo XXI*. Universidad Católica de Colombia.

Velásquez-Velásquez, F. (2005). El funcionalismo jakobsiano: una perspectiva latinoamericana. *Revista de Derecho Penal y Criminología*, (15)197-219.

Velásquez-Velásquez, F. (2008). Imputación objetiva y ley penal. En C. García, A. Cuerda, M. Martínez, R. Alcácer & M. Valle, *Estudios penales en homenaje a Enrique Gimbernat* (pp. 1713-1735). Edisofer.

Velásquez-Velásquez, F. (2017). *Fundamentos de Derecho Penal*. Ediciones Jurídicas Andrés Morales.

Vivares, L. (2017). *Perspectivismo y derecho*. Universidad Pontificia Bolivariana.

Vives, M. (2011). *Modelo teórico sobre la génesis y consolidación de la confianza* [tesis de doctorado]. Bogotá: Universidad Externado de Colombia.

Vives, M. (2015). *Confianza*. Universidad de la Salle.

Von-Liszt, F. (1999). *Tratado de Derecho Penal*. Vol. 1. Reus.

Weber, M. (1964). *Economía y sociedad*. Fondo de Cultura Económica.

Welzel, H. (1956). *Derecho penal. Parte general*. Depalma.

Welzel, H. (2002). *Estudios de derecho penal*. BdeF.

Widow, F. (2015). La ley de Hume en Hume: la discusión de la interpretación analítica de Treatise III, 1, i. *Anales del Seminario de Historia de la Filosofía, 32*(2), 415-434.

Wiener, N. (1948). *Cybernetics*. Wiley.

World Values Survey, Invamer, Raddar y Comfama. (30 de septiembre de 2019). Así somos los colombianos: Encuesta Mundial de Valores Séptima Ola 2019. https://www.academia.edu/40250048/As%C3%AD_somos_los_colombianos_Encuesta_Mundial_De_Valores_S%C3%A9ptima_Ola_2019

Zaffaroni, E. (1993). *Hacia un realismo jurídico penal marginal*. Monte Ávila Editores Latinoamericana.

REFERENCIAS NORMATIVAS

Colombia. Asamblea Nacional Constituyente. (1991). *Constitución Política*.

Congreso de la República de Colombia. (2000). Ley 599. *Por la cual se expide el Código Penal*. Diario Oficial.

Congreso de la República de Colombia. (2004). Ley 906. *Por la cual se expide el Código de Procedimiento Penal*. Diario Oficial.

Corte Constitucional. (1993). Salvamento de voto a la Sentencia T-539A. (Eduardo Cifuentes Muñoz, M. P.).

Corte Constitucional. (1996). Sentencia C-319. (Carlos Gaviria Díaz, M. P.).

Corte Constitucional. (1998). Sentencia C-320. (Eduardo Cifuentes Muñoz, M. P.).

Corte Constitucional. (1999). Sentencia C-559. (Alejandro Martínez Caballero, M. P.).

Corte Constitucional. (1999). Sentencia C-843. (Alejandro Martínez Caballero, M. P.).

Corte Constitucional. (2001). Sentencia SU-1184. (Eduardo Montealegre Lynett, M. P.).

Corte Constitucional. (2001). Sentencia SU-1300. (Marco Gerardo Monroy Cabra, M. P.).

Corte Constitucional. (2002). C- 939. (Eduardo Montealegre Lynett, M. P.).

Corte Constitucional. (2003). Sentencia T-686 de 2003. Bogotá, magistrado ponente: Eduardo Montealegre Lynett.

Corte Constitucional. (2003). Sentencia C-692. (Marco Gerardo Monroy Cabra, M. P).

Corte Constitucional. (2012). Sentencia T-1003. (Jorge Iván Palacio Palacio, M. P).

Corte Constitucional. (2014). Sentencia T-885. (Gloria Stella Ortiz Delgado, M. P).

Corte Constitucional. (2016). Sentencia T-276. (Jorge Ignacio Pretelt Chaljub, M. P).

Corte Constitucional. (2018). Sentencia T-213. (Gloria Stella Ortiz Delgado, M. P).

Corte Constitucional. (2018). Auto 121.(Gloria Stella Ortiz Delgado, M. P).

Sala de Apelación del Tribunal para la Paz de la Jurisdicción Especial para la Paz. (2018). Auto TP-SA19. (Eduardo Cifuentes Muñoz, M. P).

Sala de Casación Penal de la Corte Suprema de Justicia. (2003, 4 de abril). Sentencia Exp. 12742. (Álvaro Orlando Pérez Pinzón, M. P).

Sala de Casación Penal de la Corte Suprema de Justicia. (2003, 12 de junio). Sentencia. Exp. 17196. (Álvaro Orlando Pérez Pinzón, M. P).

Sala de Casación Penal de la Corte Suprema de Justicia. (2004, 27 de octubre). Sentencia. Exp. 20926. (Mauro Solarte Portilla, M. P).

Sala de Casación Penal de la Corte Suprema de Justicia. (2007, 3 de octubre). Sentencia. Exp. 28326. (Julio Enrique Socha Salamanca, M. P).

Sala de Casación Penal de la Corte Suprema de Justicia. (2007, 12 de septiembre). Sentencia. Exp. 24448. (Augusto José Ibáñez, M. P).

Sala de Casación Penal de la Corte Suprema de Justicia. (2007, 8 de noviembre). Sentencia. Exp. 27388. (Julio Enrique Socha Salamanca, M. P).

Sala de Casación Penal de la Corte Suprema de Justicia. (2007, 28 de noviembre). Sentencia. Exp. 23174. (Alfredo Gómez Quintero, M. P).

Sala de Casación Penal de la Corte Suprema de Justicia. (2007, 5 de diciembre). Sentencia. Exp. 26513. (Julio Enrique Socha Salamanca, M. P).

Sala de Casación Penal de la Corte Suprema de Justicia. (2008, 22 de mayo). Sentencia Exp. 28124. (Javier Zapata Ortiz, M. P).

Sala de Casación Penal de la Corte Suprema de Justicia. (2008, 2 de julio). Sentencia. Exp. 28693. (María del Rosario González, M. P).

Sala de Casación Penal de la Corte Suprema de Justicia. (2009, 14 de abril). Sentencia. Exp. 31350. (Sigifredo Espinosa Pérez, M. P).

Sala de Casación Penal de la Corte Suprema de Justicia. (2011, 17 de noviembre). Sentencia. Exp. 34864. (José Leonidas Bustos Martínez, M. P).

Sala de Casación Penal de la Corte Suprema de Justicia. (2012, 12 de septiembre). Sentencia. Exp. 36824. (Julio Enrique Socha Salamanca, M. P).

Sala de Casación Penal de la Corte Suprema de Justicia. (2014, 5 de marzo). Sentencia. Exp. 43033. (Fernando Alberto Castro Caballero, M. P).

Sala de Casación Penal de la Corte Suprema de Justicia. (2016, 13 de julio). Sentencia. Exp. 42548. (Luis Antonio Hernández Barbosa, M. P).

Sala de Casación Penal de la Corte Suprema de Justicia. (2017, 5 de diciembre). Sentencia. Exp. 35899. (Augusto Ibáñez Guzmán, M. P).

Sala de Casación Penal de la Corte Suprema de Justicia. (2017, 18 de enero). Sentencia. Exp. 40120. (Patricia Salazar Cuellar, M. P).

Sala de Casación Penal de la Corte Suprema de Justicia. (2017, 18 de octubre). Sentencia. Exp. 48321. (Fernando León Bolaños Palacios, M. P).

La **base de datos jurídica** más completa del mercado

Toda la jurisprudencia y legislación de forma fácil e intuitiva

Biblioteca virtual con todo el fondo editorial de Tirant a un click

La actualidad jurídica al momento para estar siempre actualizado

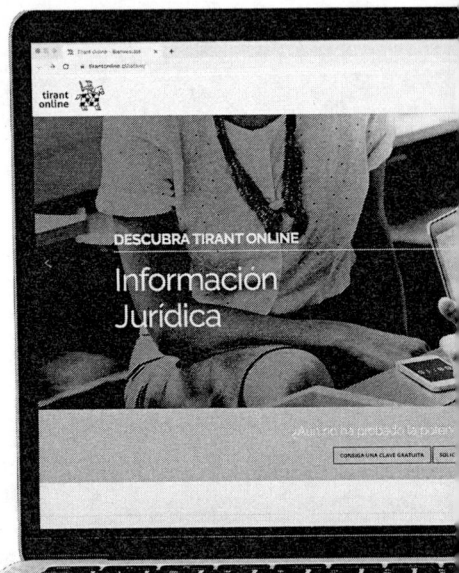

tirantonline.com.co

tirant tech | Tecnología e innovación jurídica

 Más información: **atencionalcliente@tirantonline.com**